RÉVOLUTIONS

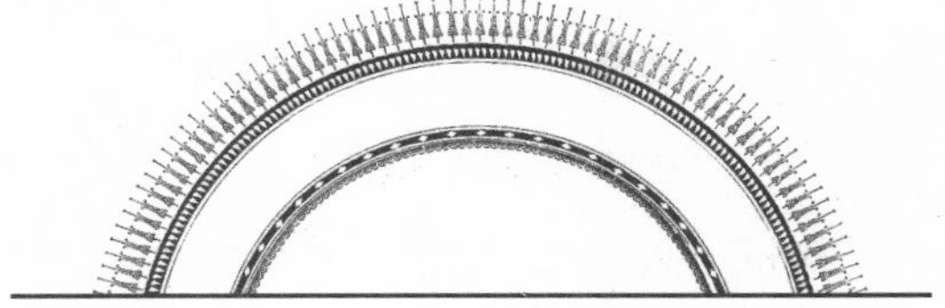

Ceci n’est pas un calendrier.

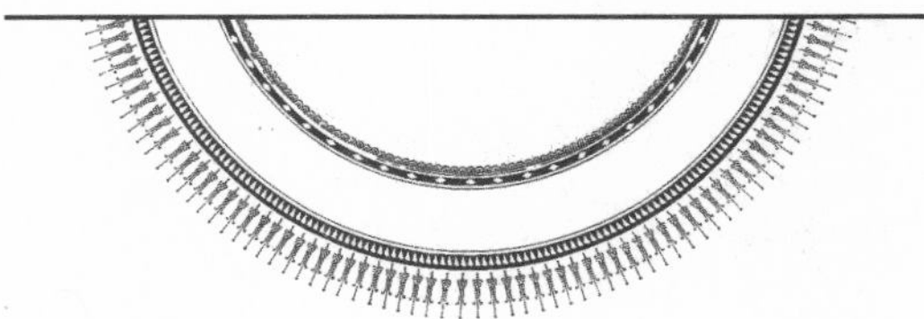

Catalogage avant publication de Bibliothèque et Archives nationales du Québec et Bibliothèque et Archives Canada

Dickner, Nicolas, 1972-

[Correspondance. Extraits]

Révolutions

ISBN 978-2-89694-195-7

1. Dickner, Nicolas, 1972- - Correspondance. 2. Fortier, Dominique, 1972- - Correspondance. 3. Écrivains québécois - 21e siècle - Correspondance. I. Fortier, Dominique, 1972- . Correspondance. Extraits. II. Titre.

PS8557.I325Z485 2014 C843'.6 C2014-941387-4
PS9557.I325Z485 2014

Les Éditions Alto remercient de leur soutien financier
le Conseil des arts du Canada et la Société de développement
des entreprises culturelles du Québec (SODEC).

Les Éditions Alto reconnaissent l'aide financière du gouvernement du Canada
par l'entremise du Fonds du livre du Canada pour leurs activités d'édition.

Gouvernement du Québec – Programme de crédit d'impôt
pour l'édition de livres – Gestion SODEC.

Première édition limitée.

www.editionsalto.com/revolutions

ISBN : 978-2-89694-195-7

Un homme fait le projet de dessiner le Monde. Les années passent : il peuple une surface d'images de provinces, de royaumes, de montagnes, de golfes, de navires, d'îles, de poissons, de maisons, d'instruments, d'astres, de chevaux, de gens. Peu avant sa mort, il s'aperçoit que ce patient labyrinthe de formes n'est rien d'autre que son portrait.

Jorge Luis Borges, *L'Auteur et autres textes*

e calendrier révolutionnaire, en usage de 1793 à 1806, prétendait mettre un terme au règne des saints et des saintes qui peuplaient le calendrier grégorien pour marquer les jours au sceau de plantes, d'animaux et d'outils davantage en accord avec les vertus républicaines. Ses concepteurs le divisèrent en douze mois, chacun composé de trois décades constituées de huit végétaux, d'un animal et d'un outil; à ces mois tous égaux succédaient cinq ou six sans-culottides (selon qu'il s'agissait ou non d'une année bissextile), journées dédiées à des vertus particulières, ce qui donnait un tour de l'an complet : une révolution.

Ainsi, il regorgeait déjà de poissons, de chevaux et d'instruments, mais nous l'ignorions. On y trouverait aussi des brassées de fleurs, des noix et des légumes à foison, des pierres, des herbes et des champignons. Le temps venu, nous y avons tracé à notre tour quelques chemins, planté un épouvantail, semé une poignée d'étoiles, bâti des cabanes et des bateaux afin de visiter ses trois cent soixante-six petits royaumes, sans savoir de quoi ils seraient faits – sans savoir exactement de quoi nous étions nous-mêmes faits. Nous aurions de toute façon l'occasion de le découvrir, au fil des jours.

DOMINIQUE FORTIER

RÊVOL

Éditions

UTIONS

alto

NICOLAS DICKNER

ANNUAIRE RÉPUBLICAIN

Vendémiaire

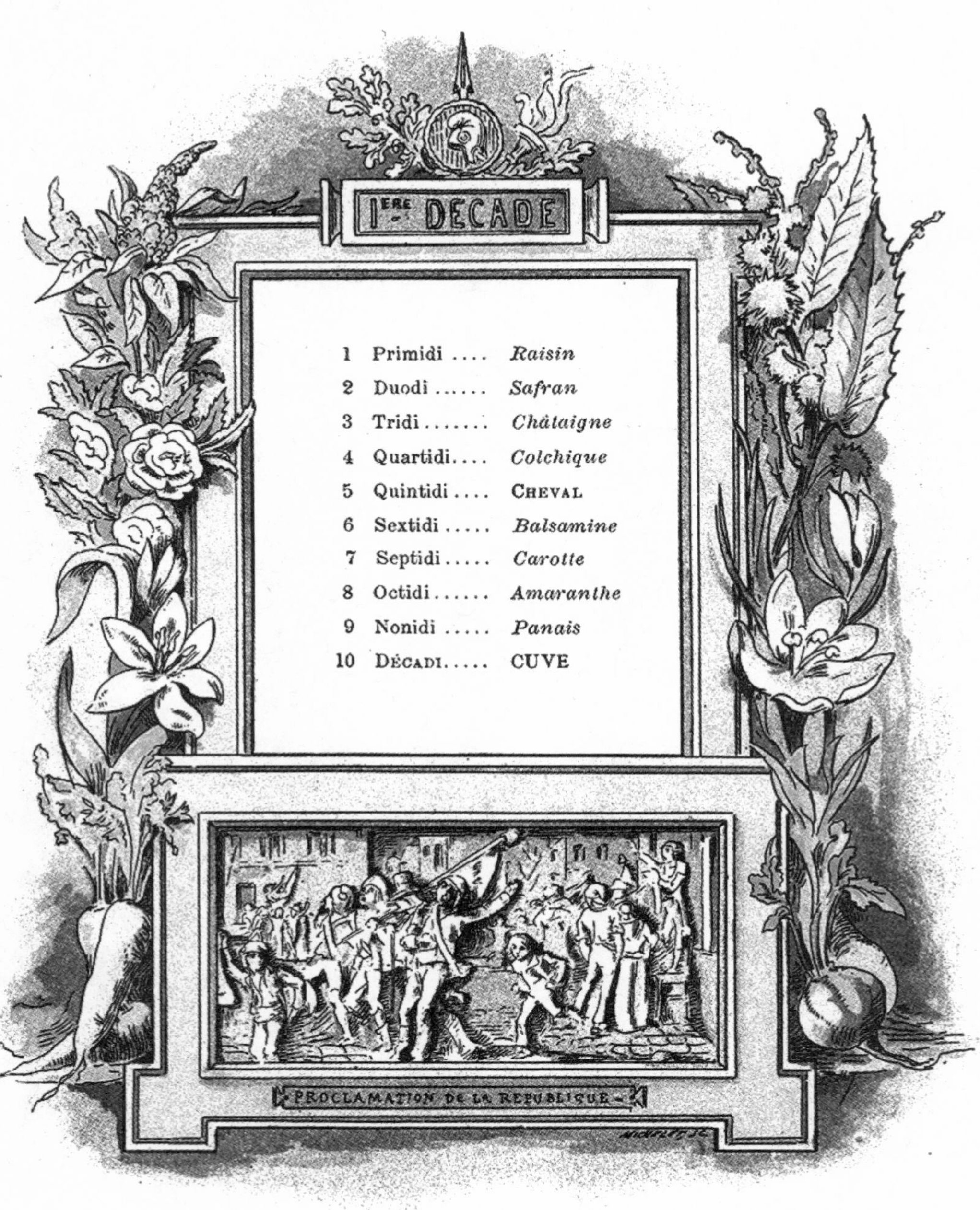
1ère DECADE
1 Primidi .... Raisin
2 Duodi ...... Safran
3 Tridi .... Châtaigne
4 Quartidi.... Colchique
5 Quintidi .... CHEVAL
6 Sextidi ..... Balsamine
7 Septidi ..... Carotte
8 Octidi ...... Amaranthe
9 Nonidi ..... Panais
10 DÉCADI..... CUVE
PROCLAMATION DE LA REPUBLIQUE

NICOLAS – J'ai éprouvé, en découvrant ce matin que l'année républicaine débutait avec le raisin, une déception proche de l'indicible.

Comment les révolutionnaires avaient-ils pu choisir ce fruit insignifiant, toujours en spécial au IGA du coin? Il faut dire qu'à force de faire les emplettes avec le Guide alimentaire canadien en tête, progéniture oblige, j'en suis venu à simultanément bénir et détester le raisin. Lorsque ce n'est plus la saison des agrumes, ou que ce n'est pas encore celle des pommes, lorsque les éphémères mangues et fraises ont disparu – lorsqu'on se trouve, en somme, nulle part dans le calendrier, on peut toujours se rabattre sur le raisin.

C'est le *yes man* de l'industrie agroalimentaire.

À force de décortiquer l'infâme fruit, une avalanche d'images m'a brutalement submergé. L'insignifiant raisin, rouge, noir, vert ou ontarien, s'est déployé. Je le percevais soudain dans son entièreté, depuis l'universel jusqu'au particulier, depuis la dernière Cène jusqu'aux cigarillos Colt à saveur de porto que fumait un de mes oncles, dans mon enfance, et dont le paquet bourgogne frappé d'une grappe de raisin stylisée représentait pour moi la quintessence du délectable et de l'appétissant.

J'ai pensé au vin, boisson archéologique par excellence, et aux amphores grecques qui dorment encore sous les sédiments de la Méditerranée, et que je rêve pleines d'un vin parfait (quoique parfaitement improbable).

J'ai pensé à Noé qui, sitôt échoué sur le mont Ararat, a pris une cuite postapocalyptique.

J'ai pensé au verbe *esbigner,* dont l'étymologie signifie « s'enfuir entre les vignes », et j'ai songé qu'un pays où l'on pouvait s'esbigner était, sans nul doute, un heureux pays.

Tant d'autres choses se sont présentées à mon esprit que, du coup, je me suis retrouvé dans la pire situation de l'écrivain : je n'arrivais pas à choisir.

Une fois de plus, piégé par le *yes man.*

DOMINIQUE – Étrangement, ce premier mot reçu ce matin de Reginald Jeeves est aussi quasi le dernier que j'ai lu avant de dormir hier soir. Dans « Les derniers-nés », une des nouvelles qui composent *Arvida,* on conte l'histoire d'une petite bande de doux dégénérés dont l'un a pour surnom Raisin. (Je me rends compte en écrivant ceci que j'ignore, Nicolas, si tu as des sœurs, des frères, et où tu te situes dans la fratrie. Mais, à vue de nez, je dirais que tu es un aîné.)

La nouvelle en question se termine comme suit : « La soirée était douce et tranquille et on entendait les estomacs de Raisin et Martial gargouiller dans l'air du soir. [...] Ils parlèrent de la météo, des résultats des matchs et du décolleté émouvant d'une barmaid de la brasserie. Autant de sujets qui semblaient avoir été inventés, ce soir-là, tout spécialement pour eux, tout spécialement pour que les gens comme eux puissent parler de quelque chose. »

Je trouve là une assez juste description de cette entreprise qui commence aujourd'hui, 22 septembre 2011, ou, selon le calendrier républicain, 1er vendémiaire 220, jour du raisin, pour se conclure (inch Allah) quand la Terre aura fait le tour du Soleil. Bien sûr nous ignorons encore de quels légumes, outils et autres fleurs ces révolutionnaires morts il y a quelque deux siècles ont choisi de peupler leur calendrier, mais déjà il me semble que ce sont justement sujets inventés exprès pour que des gens comme nous aient de quoi écrire.

Au fait, *vendémiaire* vient de « vendanges », bien sûr, et j'ai reçu avant-hier de l'imprimeur mes exemplaires de *La porte du ciel*. Impression de ramasser déjà les premières feuilles mortes d'automne.

NICOLAS – Grand quiproquo à Barcelone, jadis, à la lecture de mon guide de voyage.

Page 257, section *Food and Drinks,* on affirme quelque chose au sujet de la paella à dix euros qu'offrent tous les restos de la plaça del Portal de la Pau.

Seulement voilà : il règne dans mon esprit une certaine confusion entre les expressions *beware of* et *be aware of,* si bien que je n'arrive pas à déterminer si le guide fait état de paellas bon marché (et néanmoins délicieuses) dont il conviendrait de connaître l'existence, ou au contraire de paellas indigestes dont il faudrait se méfier. Je n'ai pas de dictionnaire anglais-français sous la main, et je n'ose adresser la parole aux autres clients de l'auberge de jeunesse pour une question aussi triviale.

Prudence oblige, bibi n'a jamais goûté la paella à dix euros de la plaça del Portal de la Pau.

DOMINIQUE – Au seizième siècle, on disait de qui avait fait faillite qu'il était safranier, car les maisons des banqueroutiers étaient peintes en jaune vif. Ainsi, un miséreux se voyait « réduit au safran ».

(Au cours d'aujourd'hui, la précieuse épice se vend quelque cinq mille dollars le kilo.)

NICOLAS – Je caresse le rêve obscur et rétrograde de vivre à une époque où l'impressionnisme tenait lieu de science, où des barbus fiévreux élaboraient des théories tarabiscotées et arbitraires sur les humeurs, l'origine des séismes ou la musique des sphères. Cette érudition de brocante ne guérissait pas le cancer mais faisait régner comme une joie poétique.

Fussé-je un de ces barbus fiévreux, je dresserais une carte du vivant où se cousineraient serpents et tentacules, éponges et morilles, ainsi que (naturellement) oursins et châtaignes. Ça ne nous dirait pas grand-chose sur l'un ou sur l'autre, mais ça ferait rêver.

DOMINIQUE – En première secondaire, alors que les filles de ma classe se pâmaient devant Corey Hart et Bryan Adams, je vouais un véritable culte à Renaud. Après l'avoir entendu par hasard à CKRL, je m'étais immédiatement prise de passion pour ses chansons semées de mots et d'expressions exotiques : *teigne, châtaigne, gnon, marron*. (Il se trouve que trois de ces quatre-là veulent dire la même chose, mais il m'a fallu un certain temps pour m'en rendre compte.) C'était, bien avant Internet et les MP3, une époque où il fallait, pour obtenir des 33 tours d'outremer (oui : c'était même avant l'apparition du CD), les commander à grands frais, puis attendre des semaines qu'ils soient livrés par bateau. Une fois les trésors en ma possession, j'ai appris par cœur les textes de tous les albums sur lesquels j'avais réussi à mettre la main, que je pouvais réciter comme d'autres les paroles de *Sunglasses at Night*.

À l'été de mes treize ans, un jour du mois d'août, j'étais assise à l'étage supérieur d'un lit superposé, dans une minuscule cabane en bois logeant une dizaine de filles de mon âge, au camp de Saint-Alexandre de Kamouraska. Avec beaucoup de sérieux, nous discutions musique, c'est-à-dire U2, Duran Duran et Simple Minds, quand Marie est entrée, traînant derrière elle une énorme malle en métal semblable à celles que les voyageurs emportaient jadis lors de voyages transatlantiques. Elle portait, il me semble, un chandail matelot, une salopette, des bottines aux lacets dénoués, et arborait deux tresses dont s'échappaient des mèches folles. Bref, c'était Fifi Brindacier.

Après s'être installée sur la seule couchette restée libre, elle a entrepris de défaire ses bagages. Personne ne lui a adressé la parole : arrivées la veille, nous avions déjà eu l'occasion de créer des liens. Tout en déballant ses vêtements, qui ne ressemblaient en rien à ceux qu'on apporte habituellement au camp de vacances, puisqu'il y avait là des écharpes colorées, des chaussons de ballerine, des vestes d'homme, des jupes en soie et un chapeau melon, Marie nous écoutait pérorer. Puis elle a levé la tête et, nous dévisageant tour à tour avec un air de défi, elle a demandé : « Il n'y a personne ici qui connaît Renaud? »

Nous sommes devenues inséparables, entonnant pendant deux semaines à la moindre occasion *Manu, Société, tu m'auras pas* ou *Le retour de Gérard Lambert,* qu'elle connaissait aussi bien que moi, pendant qu'autour de nous on levait les yeux au ciel.

Je l'ai revue il y a quelques années, après plus de vingt ans. Elle avait les yeux brillants, le ventre rond. Elle a depuis donné naissance à un petit Louis, à qui elle doit chanter pour l'endormir *Mimi l'ennui*.

NICOLAS – Après une réflexion de douze heures, consultation d'un ouvrage spécialisé, et considération attentive des mots *acnéique*, *antidiarrhéique*, *apparatchik*, *bachique*, *béchique*, *bronchique*, *chique*, *colique*, *dystopique*, *monarchique*, *stomachique*, *tauromachique*, *gynodioïque*, *logorrhéique*, *pharisaïque*, *tauique*, *thébaïque*, *trochaïque* et *acide désoxyribonucléique,* le versificateur est autorisé à déclarer que le mot colchique appartient à la famille de rimes la plus navrante qui soit.

Cela explique sans doute pourquoi Francine Cockenpot a composé la chanson *Colchique dans les prés* et non *Le temps des colchiques*.

DOMINIQUE – Drôle de plante, qu'on nomme également *safran bâtard*. Elle a d'autres noms plus poétiques, puisqu'on la désigne aussi par l'appellation *flamme nue* et *narcisse d'automne*. On aura compris qu'elle est de ces rares espèces à fleurir juste avant les premiers gels.

Parfois utilisée – parcimonieusement, semble-t-il – en pharmacie, la colchique (la plupart des ouvrages disent plutôt : *le*) tire son nom de la Cochilde, le pays de Médée qui voulut faire ingérer cette plante à Thésée, son propre fils, afin de mettre fin à ses jours. Elle est en effet toxique tant pour les humains que pour les animaux, ce qui explique un autre de ses noms : *tue-chien*.

Fabre d'Églantine avait-il été ému par la grâce des pétales roses dont on dit qu'ils ont la forme d'une urne, ou bien lui plaisait-il d'introduire dans son herbier une belle empoisonneuse, comme il faut dans les histoires un méchant? Qui sait. D'abord, il ne s'appelait même pas Fabre d'Églantine.

NICOLAS – Il l'a trouvé par hasard en inspectant la cave, fixé à une solive. Il semblait presque caché. Il ne s'agissait pas d'un coin particulièrement à l'écart, mais il faut dire que l'endroit était mal éclairé, et le bois des solives avait pris une teinte quasiment pourpre avec les années.

Il a posé le coffre à outils et l'escabeau, et a braqué la lampe de poche sur le fer à cheval. Rongé par la rouille, bien sûr, comme s'il avait longuement séjourné sous l'eau. On devait l'avoir cloué là il y a plusieurs décennies, peut-être même lors de la construction de l'immeuble, entre les deux guerres.

Tous ceux qu'il avait vus auparavant ornaient des linteaux ou des portes – souvent des portes de grange. La coutume avait un côté indubitablement rural, et il s'étonna un peu d'avoir trouvé cet artefact là, dans ce sous-sol montréalais, en pleine ville.

Étrangement, il ne se demanda pas qui l'avait mis là, en quelle année et dans quelles circonstances, ni combien d'occupants de l'immeuble avaient bénéficié de ses bonnes vibrations. Il se demanda plutôt s'il avait déjà servi. S'agissait-il d'un objet récupéré ou conçu tout spécialement pour le marché du porte-bonheur?

Il se prit à songer au cheval qui l'avait peut-être déjà porté et aux trajets qu'il avait parcourus dans un Montréal d'avant-guerre. Il imagina le claquement des fers sur les pavés, faisant jaillir une étincelle contre le rail d'un tramway, s'éloignant dans la grisaille matinale.

Il éteignit la lampe de poche et, dans la pénombre, tendit l'oreille. On n'entendait que le faible chuintement d'un tuyau, à l'étage.

DOMINIQUE – Il était une fois, dans un royaume lointain, au fin bout du monde, une princesse du nom de Balsamine. Son mari le prince était très vieux et très sourd. En outre, il était passablement méchant. La princesse passait donc ses journées seule à se promener dans les jardins méticuleusement entretenus qui entouraient le château et à rêvasser en regardant les nuages. Un jour, elle sortit un chevalet et se mit à peindre ce qu'elle voyait autour d'elle : les allées toutes droites bordées de roses et les massifs de pivoines qui penchaient leur grosse tête vers le sol recouvert de gravier, les tulipes aux corolles lisses et creuses comme des vases, les dahlias qui ressemblaient à des bouquets d'étoiles ou de feux d'artifice sagement contenus.

Son mari le prince passant par là quelque temps plus tard s'arrêta près d'elle, regarda sa toile.

« Pourquoi donc, demanda-t-il, vous donnez-vous la peine de peindre ces fleurs alors que j'ai fait acheter les plus belles et les plus chères du pays, bien réelles, celles-là ? » Puis il s'en fut d'un pas important sans attendre qu'elle réponde. De toute façon, il ne l'aurait pas entendue.

Balsamine resta songeuse. Elle déposa son pinceau, rangea ses couleurs. Au cours des jours qui suivirent, elle recommença à se promener en soupirant, les yeux levés au ciel. Enfin, après une semaine, elle sortit à nouveau sa palette, y étendit généreusement la peinture. Sur une toile qu'elle avait fait fabriquer exprès et qui était si grande qu'elle dut l'appuyer contre un tilleul, elle dessina un sentier sinueux qui entrait dans un sous-bois où l'on distinguait, dans le clair-obscur, des champignons et des pierres moussues. Sans même attendre que la peinture sèche, Balsamine mit un pied dans la toile, puis l'autre, et disparut dans l'ombre fraîche des arbres.

NICOLAS – La balsamine disperse ses graines grâce à un phénomène que l'on nomme la déhiscence à ressort : lorsque les gousses sont à point, il suffit de les effleurer pour qu'elles éclatent et envoient voler les graines à plusieurs mètres. Je songe parfois que l'on écrirait des romans intéressants en attribuant aux protagonistes des caractéristiques issues du monde végétal.

« Dans le village, on craignait Julia *Touch-Me-Not* Ouimet, qui était réputée avoir des ovaires explosifs. »

NICOLAS – Alors que nous semblions avoir laissé derrière nous les dernières superstitions d'Occident – fantômes, zombies et autres légendes plus ou moins urbaines –, on vit apparaître une nouvelle vermine dans les ruelles de Montréal.

Elle se déplaçait seule, la nuit, rôdait près des jardins. On l'appelait Hercule, la Grande Carotte Anthropophage, dont la morsure, d'abord indolore, ne devenait apparente qu'au lever du soleil. Afin de n'être pas dévorée vive, la victime devait rester à l'ombre, éviter le moindre rayon de soleil. La plupart se résolvaient à vivre la nuit.

Certains prétendent que nous avons les légendes que nous méritons, et que l'apparition d'Hercule, avérée ou non, n'est rien qu'un nouveau chapitre de notre obsession pour la saine nourriture.

J'espère que cette hypothèse est fausse – car si telle est la contre-attaque de l'inoffensive carotte, je n'ose imaginer ce que nous feront subir la côtelette de porc, la pizza surgelée et le pogo.

DOMINIQUE – Depuis quelques années, on trouve au marché des carottes blanches, jaunes et violettes, d'autres grenat ou d'un corail rosé sous leurs fanes en dentelles. D'aucunes (la hâtive de Paris) sont petites et rondes comme des radis, certaines autres, cylindriques et massives (la *oxheart,* ou cœur de bœuf), même si la plupart des variétés sont longues et fuselées, comme de longs doigts enfoncés dans la terre.

À l'origine, et jusqu'au seizième siècle, les carottes européennes étaient blanches. Voulant faire un cadeau au prince d'Orange, chef de la famille régnante, un botaniste hollandais croisa la blême carotte de l'Ouest avec sa cousine syrienne, d'un rouge vif, obtenant ainsi la teinte orangée qui, lorsque j'étais enfant, était la seule couleur qu'on connaissait à ce légume. La carotte était alors orange au même titre que l'orange était orange.

À écrire cinq fois le mot *orange* dans un même paragraphe, je ne peux m'empêcher de penser à Ponge, qui expliquait, dans *Le parti pris des choses* :

« Comme dans l'éponge il y a dans l'orange une aspiration à reprendre contenance après avoir subi l'épreuve de l'expression. Mais où l'éponge réussit toujours, l'orange jamais : car ses cellules ont éclaté, ses tissus se sont déchirés. Tandis que l'écorce seule se rétablit mollement dans sa forme grâce à son élasticité, un liquide d'ambre s'est répandu, accompagné de rafraîchissement, de parfums suaves, certes –, mais souvent aussi de la conscience amère d'une expulsion prématurée de pépins. [...]

« Ce grain, de la forme d'un minuscule citron, offre à l'extérieur la couleur du bois blanc de citronnier, à l'intérieur un vert de pois ou de germe tendre. C'est en lui que se retrouvent, après l'explosion sensationnelle de la lanterne vénitienne de saveurs, couleurs, et parfums que constitue le ballon fruité lui-même, – la dureté relative et la verdeur (non d'ailleurs entièrement insipide) du bois, de la branche, de la feuille : somme toute petite quoique avec certitude la raison d'être du fruit. »

La carotte, je le concède, n'a pas de pépins. Quelle est donc sa *raison d'être*? Elle possède, au milieu des délicates fleurs blanches de ses ombelles, semblables à un frimas qui se serait déposé au bout des longues tiges vertes, une fleur carmin, une seule, minuscule bouche fermée en son centre.

AMARANTHE

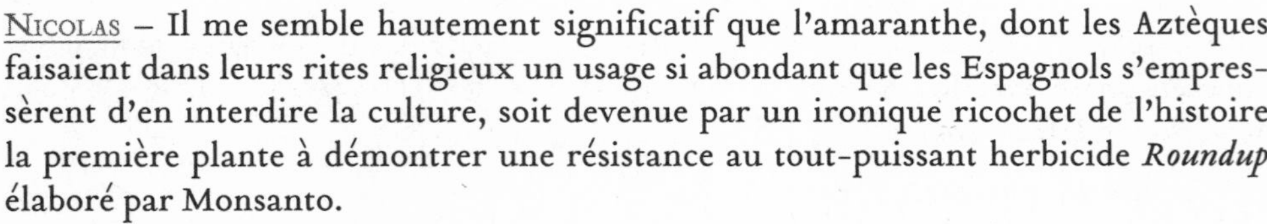

NICOLAS – Il me semble hautement significatif que l'amaranthe, dont les Aztèques faisaient dans leurs rites religieux un usage si abondant que les Espagnols s'empressèrent d'en interdire la culture, soit devenue par un ironique ricochet de l'histoire la première plante à démontrer une résistance au tout-puissant herbicide *Roundup* élaboré par Monsanto.

Chassez les Aztèques, ils reviennent au galop.

DOMINIQUE

— Ce n'est pas ce qu'ils mettent dans l'Amaretto?

— Quoi?

— Dans l'Amaretto, tu sais, la liqueur...

Je le regarde. Il est sérieux.

— Non, dans l'Amaretto, c'est de l'amande amère. *Amar,* amer...

— C'est le truc que mangent les éléphants, alors?

— Quoi?

— L'herbe que mangent les éléphants... avec laquelle on fait un alcool... Comment ça s'appelle... Kahlua?

— Je ne crois pas.

Nicolas – La bande dessinée et moi (1)

J'ai autrefois lu et relu tous les *Peanuts* disponibles à la bibliothèque municipale de ma ville natale, ce qui représentait une vingtaine de volumes, et (je le découvrirais plus tard) une fraction quasiment négligeable de l'Œuvre de Charles M. Schulz.

Ces versions étaient publiées par Hurtubise, à Montréal, et les traductions étaient également québécoises, détail dont je fus conscient très tôt à cause de références culturelles qui ne pouvaient être, à l'évidence, ni américaines, ni françaises. Cette québécisation des traductions m'énervait un peu, elle me semblait trahir la nature même des *Peanuts*.

Un mot, pourtant, me laissa toujours sceptique : ce « panais » auquel fit un jour allusion Peppermint Patty, ne me semblait ni québécois, ni américain, ni même très en phase avec le personnage de Peppermint Patty. S'agissait-il d'un choix de traduction étrange ou, au contraire, d'une traduction littérale?

Trente ans plus tard, il s'agit encore d'un panais non résolu.

Dominique – Peut-être après tout n'était-il pas dépourvu d'un certain humour, Fabre d'Églantine, et prévoyait-il, mine de rien, glisser au milieu de son calendrier révolutionnaire la recette du bouilli de son enfance? Voyons voir : il nous faudrait encore des pommes de terre, du lard salé, des haricots, du navet et un morceau de bœuf. L'année est longue. J'ai confiance.

Cela dit, il ne s'appelait pas Fabre d'Églantine, mais Philippe-François-Nazaire Fabre, comme tout le monde. Il portait l'églantine telle une couronne qu'il aurait dérobée et dont il aurait profité pour se faire appeler *roi*. (À bien y penser, l'analogie est sans doute mal choisie.) Ayant participé à un concours de poésie organisé par l'Académie des Jeux floraux de Toulouse, une société littéraire occitane datant du quatorzième siècle et qui décerne en guise de prix des fleurs – la violette, le lys, le souci, l'amaranthe et l'églantine –, il y reçut une distinction qui ne lui sembla point à la hauteur de son talent et préféra s'attribuer à lui-même l'églantine d'or, qu'il épingla fièrement à son nom.

Nicolas – Dans la série *Comment la science a changé notre façon de percevoir les balais volants et autres aberrations mineures de la vie quotidienne* : le mot cuve me fait penser davantage à l'électrolyse qu'à la vinification.

Dominique – La réalité étant souvent plus étrange que la fiction (air connu), l'un des épisodes de *La porte du ciel* m'a été inspiré par une phrase saisie au vol alors que je regardais un documentaire sur la guerre de Sécession. Après la fin des combats, les photographes se sont retrouvés avec, sur les bras, des milliers de plaques photographiques exposées dont plus personne ne voulait. Certaines ont été utilisées au lieu de panneaux de verre transparents dans la construction de serres.

La guerre civile américaine a été le premier conflit majeur à être ainsi documenté d'abondance. Les photographes suivaient les armées presque jusque sur les champs de bataille, plantant leurs tentes parmi les tentes des soldats et des divers marchands, entre celle où l'on vendait des huîtres fraîches et ces autres où les embaumeurs offraient leurs services. Au milieu de ces campements de plusieurs milliers d'hommes semblables à de petites villes itinérantes, ils installaient le matériel nécessaire au développement des photographies, remplissaient les bains de virage à la craie ou au chlorure d'or et les cuves d'hyposulfite de soude.

Les armées du Nord et du Sud se rencontraient sur le champ de bataille en formations bien ordonnées, et l'on s'affrontait quasi au corps à corps – non plus uniquement équipés de baïonnettes, mais dorénavant sous le feu d'armes à répétition. Pendant les quatre années que dura la guerre civile, ces soldats du dix-huitième siècle portant des fusils du vingtième se charcutèrent sous l'œil froid des *camera obscura*. Rien d'étonnant à ce que l'on ait souhaité oublier au plus vite ces images de boucherie insoutenables aussitôt la guerre terminée. Et, comme de fait, laissées à l'air libre, les plaques se sont décolorées peu à peu, les images des horreurs qui y avaient été fixées se sont lentement évanouies, comme le souvenir d'un cauchemar part en lambeaux quand vient le matin.

IIe DECADE
11 Primidi.. *Pomme de terre*
12 Duodi ... *Immortelle*
13 Tridi .... *Potiron*
14 Quartidi. *Réséda*
15 Quintidi.. ANE
16 Sextidi .. *Belle-de-nuit.*
17 Septidi... *Citrouille*
18 Octidi.... *Sarrasin*
19 Nonidi... *Tournesol*
20 DÉCADI .. PRESSOIR
FABRE D'EGLANTINE
REFORME DU CALENDRIER

DOMINIQUE – Ah! On se rapproche du bouilli. En attendant :

Tartiflette

- Six ou sept pommes de terre jaunes lavées, avec la pelure
- Un gros oignon
- Deux rondelles de 1 cm d'épaisseur de pancetta douce ou épicée
- Un verre de vin blanc
- Un verre de crème 35%
- Un fromage Reblochon (ou une imitation de type « fromage à tartiflette » ou « I can't believe it's not Reblochon »)
- Sel et poivre

Allumer le four à 325 °F.

Trancher finement les pommes de terre et les cuire à la vapeur 5 minutes.

Pendant ce temps, faire revenir la pancetta coupée en petits dés. Réserver. Blondir l'oignon dans le gras de pancetta.

Disposer la moitié des tranches de pommes de terre dans un plat allant au four, étendre par-dessus les lardons et les oignons, puis verser la moitié du vin blanc et la moitié de la crème. Saler, poivrer. Disposer la deuxième moitié des pommes de terre, le reste du vin et de la crème.

Au choix : couper le Reblochon en deux sur le sens de la largeur et le déposer sur les pommes de terre ou – plus long mais un brin plus élégant – enlever la croûte et le trancher finement pour en recouvrir le tout. Couvrir d'un papier d'aluminium et enfourner pendant au moins une heure, idéalement une heure et demie, deux heures. Retirer l'alu et laisser griller le fromage pendant environ une demi-heure supplémentaire.

Servir très chaud en poivrant généreusement, accompagné d'une salade (cresson, pommes, noix de Grenoble, huile d'olive, citron).

Il pleut, il vente à écorner les érables, les nuages sont bas et gris. L'asphalte mouillé est plus brillant que le ciel. Je la fais ce soir, c'est sûr.

Nicolas – Mon père et les tubercules (1)

Dans mon enfance, il nous arrivait, en automne, de nourrir les poulets avec les patates que nous n'avions pas jugées suffisamment belles pour les mettre en cave. Mon père faisait cuire les tubercules entiers dans un grand chaudron de fonte, en leur laissant la peau, puis les réduisait en purée avec un pilon tourné dans un pied de table. Le fumet des patates était enivrant. On y retrouvait tout l'automne : l'odeur de la terre gelée, la pluie et le vent, les feuilles mortes. Mon père versait ensuite quelques mesures de moulée ou de grain dans la purée, ce qui achevait de transformer la chose en une manière de gros gnocchi. Le tout était servi fumant aux poulets, qui se précipitaient sur l'auge avec des gloussements hystériques.

À ce jour, je ne parviens pas à évoquer ce chaudron de patates pilées sans que l'eau me vienne à la bouche.

Immortelle

Dominique – Poussant presque exclusivement en territoire français, l'immortel(le) est une fleur rare et précieuse, demandant des soins considérables. D'abord dépourvue de signes distinctifs, elle fleurit de préférence dans un terreau riche. Elle acquiert assez tard sa tête légèrement voûtée, le plus souvent blanche ou chauve, sa robe d'un vert profond caractéristique et la lame qui lui pousse au côté. Elle ne goûte guère la compagnie de ses semblables plus modestes, hormis les lauriers, dont elle s'accommode à merveille. Fait peu commun dans le règne végétal, la presque totalité des spécimens, dont le nombre se limite à quarante, sont mâles. L'immortel(le) aime la lumière directe, sous la forme de projecteurs ou de flashes d'appareils photo. Laissé trop longtemps à l'ombre, il ou elle se dessèche. Un(e) autre prendra rapidement sa place.

Nicolas – Il existe, en Utah, des forêts de peupliers faux-trembles constituées d'un seul et unique individu, cloné à perte de vue. La communauté la plus célèbre, baptisée Pando, pèserait quelque 6 000 tonnes et serait vieille de 80 000 ans, âge que certains chercheurs estiment très en deçà de la réalité. On croit en effet que ces clones pourraient atteindre la bagatelle d'un million d'années.

Immortelles mon œil.

POTIRON

NICOLAS – LA BANDE DESSINÉE ET MOI (2)

Je suis redevable à Greg d'un amour précoce pour le vocabulaire recherché. Ce n'est pas très original. Innombrables sont les lecteurs ayant appris les mots *cuistre, susurrer, couard, titiller, billevesée, sidérant* ou *inopinément* en feuilletant un Achille Talon. Je dois par ailleurs à ce rotond héros un détail qui relève de l'érudition amusante et inutile : je sais qu'en Europe, autrefois, on cultivait le potiron sous cloche de verre.

DOMINIQUE –

Mises côte à côte, les représentantes des différentes espèces de courges forment une véritable ménagerie. De la gourde calebasse apache, dinosaure miniature dont le corps rond, vert et luisant se termine par un cou élancé, jusqu'au turban qui rougit sous son chapeau à large bord en passant par la banane bleue aux allures placides de concombre de mer, la *neck pumpkin* couleur sable au long col de cygne, la *stripetti* qui a des airs d'œuf préhistorique et les pâtissons dentelés comme des étoiles de mer, toutes sont créatures de conte. Guère étonnant que Cendrillon, plutôt que de sauter à pieds joints entre les feuilles d'un chou ou de s'enfuir à dos de topinambour, ait choisi de se glisser dans une citrouille.

RÉSÉDA

NICOLAS – En tant que romancier, je me suis toujours considéré dans l'obligation morale de pouvoir comprendre – ou tenter de comprendre – n'importe quelle passion. Que vaudrait un auteur incapable de se mettre dans la peau, ne serait-ce que minimalement, d'un agent de change, d'un navibotelliste, d'un émondeur, d'un vieux dompteur de fauves alcoolique?

Il est néanmoins une passion que je n'ai jamais réussi à percer : l'amour cryptique et compliqué pour les plates-bandes et massifs floraux, qui conduit certaines personnes à connaître les périodes de floraison de dizaines d'espèces toutes plus criardes les unes que les autres, ainsi qu'à proférer des mots tels que *réséda – en sachant à quoi ressemble un réséda.*

DOMINIQUE – Jamais je n'ai vu le nom de cette fleur, il me semble, ailleurs que se détachant en lettres lilas sur une bonbonne de désodorisant, ou bien sur l'emballage d'une bougie parfumée. Peut-être à la rigueur tracé à la craie sur le tableau d'un fleuriste. Chose certaine, il en pousse assez peu à Outremont, et même, je le soupçonne, à la grandeur de la province. Ce qui m'amène à une constatation :

certes, nous partageons avec Fabre d'Églantine et consorts un certain nombre de légumes, de plantes et d'autres réalités plus ou moins agraires, mais son calendrier est terriblement, affreusement *français*.

On ne saurait se surprendre, sans doute, de ce qu'un poète chargé de redécouper le temps pour le bénéfice de la République s'efforce de marquer chacun des jours au sceau du patriotisme et que, pour ce faire, il ait recours aux merveilles (botaniques, animales, mécaniques) typiquement hexagonales. Qu'irions-nous mettre dans un calendrier québécois? L'exercice a quelque chose qui rappelle cet hymne national composé il y a peu par Raôul Duguay, où l'on retrouvait pêle-mêle l'arc-en-ciel, la fleur de lys, le harfang des neiges et un orignal égaré parmi les bouleaux.

Dans mon calendrier, il y aurait d'abord cet érable qui pousse devant la fenêtre et dont les feuilles encore vertes font jouer des ombres sur les murs de mon bureau. Des écureuils s'affairent à y construire des caches pour l'hiver, font tomber des pluies de feuilles et de brindilles, se mettent à jacasser quand Pumpkin le chat descend les marches et lève vers eux sa tête rousse. Tout le reste s'étendrait à l'ombre de ses larges branches.

ÂNE

NICOLAS – De tous les châtiments corporels et psychologiques infligés aux écoliers, le bonnet d'âne était le plus étonnant, en ce sens qu'il s'agissait d'un simple chapeau. Comment un couvre-chef parvenait-il à infliger pareille douleur? C'était, à l'évidence, une forme enfantine de la vierge de fer, hérissée de lames imaginaires.

DOMINIQUE – Quand j'étais enfant, l'un des livres que je relisais le plus souvent et avec le plus de plaisir avait pour titre *La foire aux cancres*. C'était un vieux volume à la couverture de carton et aux pages jaunies, tellement sèches qu'elles craquaient sous les doigts. Ce n'était ni un roman, ni un conte, ni un récit destiné à édifier la jeunesse, mais un recueil de perles glanées au fil des années par un instituteur dans les copies de ses élèves.

La plupart des perles en question faisaient une ligne, rarement un paragraphe. Il se glissait parfois parmi ces fautes une allusion un peu salace dont la teneur exacte m'échappait mais que je soupçonnais reliée à ces questions qu'on abordait avec un air entendu, dans la cour d'école. Pour la majorité, l'intérêt des coquilles, erreurs et autres calembredaines rassemblées résidait cependant dans quelque faille logique ou langagière que je m'efforçais de débusquer et de « redresser », une faute fondamentale entachant non seulement la validité du raisonnement proposé mais comme la cohérence même du monde où il s'énonçait.

J'en ai probablement autant appris sur les subtilités de la langue française entre ces pages à l'odeur de renfermé que chez les écrivains, comme les médecins de jadis apprenaient à déduire le fonctionnement souhaitable des organes en étudiant leurs pathologies.

DOMINIQUE – Entendu cette semaine une entrevue où Jean-Marc parlait de l'art de la mise en scène au cinéma et citait cette phrase de Hitchcock, lumineuse : « Faire un film, ce n'est pas tant faire de la direction d'acteurs que de la direction de spectateurs. »

Écrire, c'est la même chose, bien sûr. Il s'agit, à chaque moment du récit, de se demander ce que l'on est en train de faire au lecteur. Que lui dit-on? Que lui cache-t-on? Que lui fait-on ressentir? Où est-on en train de l'emmener? Est-ce bien le bon chemin pour y parvenir? Ne conviendrait-il pas de prendre plutôt une ligne droite, ou alors de faire un détour?

Dis-moi, Nicolas, as-tu aussi cette impression de travailler par l'effet comme on dit d'une réflexion échafaudée spécifiquement pour arriver à en justifier la conclusion qu'il s'agit d'un raisonnement par les conséquences? Comme on part de la fin pour trouver le chemin permettant de sortir d'un labyrinthe?

(Au fait : *Hitchcock* est le titre du livre d'analyse et d'entretiens qu'a consacrés au célébrissime cinéaste un autre monstre sacré du cinéma : François Truffaut.

Truffaut a tourné *Le dernier métro* avec Catherine Deneuve.

Catherine Deneuve était, dans le film de Luis Buñuel, *Belle de jour*.

De *belle de jour* à *belle de nuit* il n'y a quasiment rien, la Terre n'a que le temps de se retourner sur elle-même.)

NICOLAS – Apprenant que le parfum de la belle-de-nuit est dominé par le composé organique (E)-β-ocimène, il me vient des regrets de n'avoir pas étudié la chimie. Peut-être s'agit-il d'un effet secondaire de la série *Breaking Bad*. Tout le monde semble en pincer pour la chimie amusante, ces années-ci. Savoir placer « surface de réaction » ou « réaction endothermique » dans une conversation ne nous vaut plus les regards en biais d'autrefois.

Le composé (E)-β-ocimène est inflammable, pour peu que l'on parvienne à en extraire des quantités suffisantes. Sur Wikipédia, la description des procédures d'isolation tient de la poésie pure. Je l'ai toujours dit : Wikipédia ne sert qu'à trouver des informations sur des composés organiques et sur des personnages de *Harry Potter*. Et aussi la date de naissance de Jimmy Hoffa.

Mais je m'écarte du sujet. L'extraction de (E)-β-ocimène implique une analyse d'air qu'en anglais on qualifie de *headspace technology*. Le *headspace* désigne apparemment l'espace entre la surface d'un liquide et le bouchon d'une bouteille. Cherchant une traduction, je me suis tourné vers le *Grand dictionnaire terminologique,* où l'on m'a proposé :

1. espace de tête (laiterie)
2. vide / chambre d'expansion / volume d'expansion (emballage et conditionnement)
3. tolérance (armement)
4. feuillure (armement)

En fin de compte, je trouve tout ça — composé inflammable, extraction, bouteille et armement — plus poétique que la belle-de-nuit. Je suis incurable.

DOMINIQUE – Cape Elizabeth

Une petite maison grise se dresse, droite et haute, bordée de blanc, toute seule devant un marais.

Les cormorans font sécher leurs ailes noires au soleil d'octobre.

En entrant dans une pharmacie, en plein cœur de Portland, on tombe sur deux aquariums pleins de homards vivants : 5,99 $ la livre.

Devant un kiosque où les petites citrouilles s'alignent comme des lanternes, se lit sur une pancarte : In God we trust. Fresh corn, Apples, Cider.

Sur la plage de sable argent il y a des coquilles de moules à l'intérieur nacré, des palourdes grandes comme la main, de longs couteaux (qu'en anglais on appelle plutôt *rasoirs*) et des agates jaunes, ambre, dorées. Les galets s'entrechoquent dans les vagues avec un bruit de dés secoués au creux de la main. Je ramasse des petits cailloux blancs, pointus comme des dents d'enfant.

On entend le ressac depuis la chambre de l'auberge où logent, outre notre veau, deux terre-neuve à la tête d'ours.

Les monarques continuent de papillonner dans les massifs de fleurs comme aux plus belles journées du mois de mai.

Notre peau goûte le vent, et le sel.

Les plaques minéralogiques sont fixées aux pare-chocs des voitures à l'aide de deux boulons dont le premier fait un petit cercle juste avant la devise de l'État du New Hampshire, qui se lit : Olive free or die.

Dans les champs au bord de la route, des dindons sauvages picorent sans se douter que l'Action de grâce approche.

Le soleil qui va se coucher derrière la pointe jette un voile d'or sur l'eau, et une poudre rose sur les dunes. La nuit sera fraîche. Sur l'île basse au large de Crescent Beach, il y a deux maisons : l'une pour les moutons, l'autre pour rêver d'y vivre.

NICOLAS – Je rêve de voir les rails du folklore s'emmêler violemment, afin que le cavalier sans tête de Sleepy Hollow se retrouve avec un tout petit carrosse rose et bleu entre les épaules, et Cendrillon assise à bord d'une énorme tête de macchabée.

NICOLAS – Il semblerait, selon tout un tas de sources que je ne citerai pas ici, car chacune de ces sources porte un titre à rallonge et nous n'en serions pas sortis dans un mois, il semblerait donc qu'avant autrefois, c'est-à-dire à l'époque paléo-précolombienne, on nommait le sarrasin « froment de Turquie ». Or, avec le temps, le froment de Turquie en est venu à désigner le maïs. La chose est passablement embrouillée. Il est même question, dans l'*Histoire de l'Académie royale des sciences* (1788), d'une sorte de blé qu'en Pologne on nommait froment de Turquie, dont l'épi était roux, et qui n'était pas le sarrasin (puisque quelques lignes plus bas, l'auteur nomme le sarrasin *millet noir*).

Et si tout ça ne vous ne rabote pas déjà suffisamment le lobe frontal, j'apprends dans l'analyse critique des *Mémoires sur la Mongolie par le moine Hyacinthe* que les Allemands nommaient aussi le maïs *turkisher Waitzen,* mais qu'en revanche les Russes utilisaient une expression analogue (*saratsinskoe pcheno*) pour désigner le riz.

Quoi qu'il en soit, on aura compris une chose : la Turquie se trouve toujours ailleurs.

DOMINIQUE – C'est par comparaison avec le teint des Arabes (au Moyen Âge appelés *Sarrasins*) qu'on a donné ce nom au blé noir – qui n'est ni blé ni tout à fait noir, mais de la couleur du sable de la grève que nous rapportons dans nos chaussures, sur les tapis de la voiture et dans les poils du chien, gris argent parsemé de minuscules paillettes brun foncé.

Les typographes, qui n'appellent rien comme tout le monde et pour qui le mot *espace* est féminin, nomment *sarrasin* celui qu'au Québec on appelle un briseur de grève.

NICOLAS – C'est le paletot qui tue le personnage. D'un vert indéfinissable, qui aimerait être kaki sans y parvenir, et qui en chemin aurait viré au bronze vert-de-gris malade. Et trop grand, avec ça, taillé en forme de cloche, doté de manches que l'on croirait roulées dans l'unique dessein de les raccourcir. Moins un vêtement qu'un dispositif scénique grotesque, d'où semblent émerger par en haut la tête, par en bas les jambes.

Et lorsqu'on regarde bien Auguste Piccard, vraiment, on songe qu'Hergé a eu le coup de crayon assez dur.

DOMINIQUE – Ils nous attendaient sagement à notre retour, stoïques, leur gros pied trempant dans une eau à peine troublée. On prétend que certains bois dont on fait les bateaux et les maisons en bord de mer sont imputrescibles; peut-être devrait-on songer à fabriquer aussi des meubles d'extérieur en tiges ou en graines de tournesol.

Découvrant leurs grandes faces rondes au milieu de la cuisine, j'ai songé à l'*Autoportrait au radiateur,* de Bobin, journal d'un deuil vécu à travers une procession de bouquets de fleurs coupées qui agonisent lentement, les unes après les autres, sous le regard amoureux de l'homme qui écrit.

« Neuf tulipes pouffant de rire dans un vase transparent. [...]

« Plus leur fin se précise, plus les tulipes se tendent vers la fenêtre – comme si la lumière avait quelque chose à leur dire qu'elles entendent de moins en moins bien. La mort voisine les rend un peu sourdes. [...]

« Ce soir ou demain au plus tard, je vais me séparer de vous, je ferai entrer de jeunes tulipes dans cet appartement, elles ne prendront pas votre place, elles poursuivront votre travail et, comme vous, elles feront rebondir la lumière sur leurs joues fraîches, je vous remercie, vous avez été de bonnes ouvrières, je vous remercie infiniment pour m'avoir accompagné dans cette poignée de jours qui, pour vous comme pour moi, faisait une vie claire et douce, presque accablante. »

Merci les tournesols.

Et les chats. Et Victor le chien qui se fait vieux, et dont je garde précieusement l'image tandis qu'il avançait, boitillant, nez au vent, sur la plage déserte de Cape Elizabeth.

DOMINIQUE – Sur la gravure tirée de l'*Encyclopédie* de Diderot et d'Alembert, le mécanisme est imposant, vaguement inquiétant. Une surface plane creusée d'une rigole, une énorme vis ancrée dans une roue et qui vient s'enchâsser dans une manière d'étau; on croirait se trouver devant un instrument de torture médiéval.

C'est l'impression que commence à me donner cet exercice marathonesque.

NICOLAS – J'ai beau y penser, ce pressoir ne m'inspire que des images de films d'horreur. J'ai trop regardé les films de Romero.

IIIe DECADE
21 Primidi..... Chanvre
22 Duodi...... Pêche.
23 Tridi....... Navet.
24 Quartidi.... Grenesienne
25 Quintidi.... BŒUF
26 Sextidi..... Aubergine
27 Septidi..... Piment
28 Octidi...... Tomate
29 Nonidi..... Orge
30 DÉCADI..... TONNEAU
JOURDAN A WATTIGNIES

DOMINIQUE – Alors que je lisais tout ce que je pouvais trouver sur la dernière expédition Franklin et que je rêvais d'en faire un roman, j'étais parfois assaillie par des bouffées de panique.

Ils étaient cent vingt-neuf hommes, sur ces deux navires. J'essayais de m'imaginer cent vingt-neuf personnes. Quatre fois une classe. Je tentais de discerner des visages; il devait y avoir des jeunes, des vieux, des officiers, de simples matelots, quoi d'autre, un cuisinier, un médecin, deux maîtres de glace... Portaient-ils la moustache? Comment étaient-ils coiffés? Je distinguais Franklin, bien sûr, dans son habit d'apparat, et Crozier, le regard mélancolique. Mais les autres m'apparaissaient comme un seul animal à cent vingt-sept têtes.

C'était la même chose pour les bateaux, dont je m'imaginais qu'il me fallait connaître le moindre recoin. Toutes ces voiles – petites, énormes, triangulaires, carrées – comment s'appelaient-elles? Et les cordages? De quoi étaient-ils faits? Sisal, coco, chanvre? Je contemplais des listes : luzin, quarantenier, grelin, aussière... Jamais je n'y arriverais.

Et puis, en lisant *Océan mer,* d'Alessandro Baricco, livre composé à parts égales de fragments et de silences, je me suis rendu compte que je n'avais pas besoin de savoir nommer toutes les voiles et les cordages, que je n'avais pas besoin de pouvoir lire dans l'esprit d'une centaine d'étrangers imaginaires, pas plus que Crozier, mon « héros », n'était capable de lire dans les pensées des hommes qui l'entouraient sur le *Terror*. Je n'avais qu'à connaître sa voix à lui, et son regard.

C'est ce jour-là, je crois, que je me suis mise à écrire.

NICOLAS – Au fond, Melville était est un hédoniste – je pense bien sûr aux passages de *Moby Dick* qu'il consacre aux ragoûts de fruits de mer, à l'art difficile de cuire le steak de cachalot, ou à la consistance du spermaceti frais, mais peut-être plus encore à cette scène de *Redburn* où les marins, lors d'une pénurie de tabac, en sont réduits à bourrer leurs pipes avec des bouts de cordage. La délectation que met ce bon Herman à décrire l'âme de la corde, son odeur épicée de vieux porto, la manière dont on la dégage amoureusement des torons... Je me fumerais bien une petite pipe, tiens.

Pêche

Nicolas – Je sais que l'expression « peau de pêche » existe aussi en français, mais je l'ai d'abord apprise en espagnol. Nous passions nos avant-midi debout autour d'une table de fortune, en plein soleil, à brosser des tessons de poterie de l'époque romaine que nous rangions ensuite dans de petits sacs en plastique blancs. Notre tablée était très eurochic : une Polonaise, trois Slovaques amateurs de musique techno, une walkyrie de Bavière, et des Espagnols des quatre coins de la péninsule. Nous parlions principalement en espagnol, et je me souviens d'avoir appris les paroles d'une chanson antifranquiste scatologique, un dicton utile sur les Galiciens, ainsi que l'expression « piel de melocotón » que, près de vingt ans plus tard, et malgré des milliers d'heures de conversation en espagnol, je n'ai jamais eu l'occasion d'utiliser. Peut-être devrais-je, par pure bravade, la susurrer sur mon lit de mort, comme le « Rosebud » de *Citizen Kane*.

Dominique – Croquant dans une pêche, on croit frissonner au contact de la peau velue du fruit, mais c'est de savoir qu'au cœur de la chair rose orangée se tapissent deux hémisphères couverts de sillons labyrinthiques – un cerveau miniature –, qui donne la chair de poule.

Navet

Dominique – Ce poète était horriblement, désespérément dépourvu de poésie.

Alors que s'offraient à lui la blondeur des champs de blé, les étoiles brillant sur la mer, les collines couvertes de lavande et les forêts de pins odorantes, il n'en a que pour les légumes racines, qu'on croit le voir découper en rondelles pour les jeter dans la grande marmite de son calendrier. Celui-ci, je le rappelle, avait pour objectif que l'on cesse de « compter les années où les rois nous opprimoient, comme un temps où nous avions vécu. Les préjugés du trône & de l'église, les mensonges de l'un & et de l'autre, fouilloient chaque page du calendrier dont nous nous servions. [...] Une longue habitude du calendrier grégorien a rempli la mémoire du peuple d'un nombre considérable d'images qu'il a long-temps révérées, & qui sont encore aujourd'hui la source de ses erreurs religieuses; il est donc nécessaire de substituer à ces visions de l'ignorance, les réalités de la raison, & au prestige sacerdotal, la vérité de la nature ».

Noble but, qui vise rien de moins que de « ramener par le calendrier, livre le plus usuel de tous, le peuple français à l'agriculture ». Le chat sort du sac : le véritable Français ne bat pas les pavés de la ville; il vit à la campagne, cultive humblement la terre nationale.

C'est ainsi, explique Fabre d'Églantine à la Convention nationale, que « la commission que vous avez nommée pour rendre le nouveau calendrier plus sensible à la pensée & plus accessible à la mémoire a [...] cru qu'elle remplirait son but, si elle parvenoit à frapper l'imagination par les dénominations, & à instruire par la nature & la férie des images ».

La férie des images...

Navet?

NICOLAS – MON PÈRE ET LES TUBERCULES (2)

Découvrir que le navet contient du cyanure ne m'enlève pas la douceur d'avoir marché sous la pluie avec mon père, dans l'arrière-pays de la baie des Chaleurs, en mangeant des tranches d'un navet fraîchement arraché dans un champ.

NICOLAS – L'amaryllis du calendrier révolutionnaire serait, dit-on, l'*Amaryllis sarniensis,* que l'on nomme aujourd'hui *nérine*. Ce nom réfère aux Néréides, compagnes de Poséidon, subtile allusion à cette légende selon laquelle l'espèce fut introduite en Europe lors du naufrage d'un navire japonais contenant des bulbes d'amaryllis. Ce naufrage aurait eu lieu à Guernesey, d'où les noms alternatifs de lis de Guernesey et *Narcissus japonicus*.

Il faudrait écrire une histoire du monde par la lentille des naufrages, où l'on soulignerait les vertus parfois inséminatrices de ces catastrophes. On y traiterait de l'épave japonaise de Guernesey, mais aussi de ce négrier qui, en s'échouant à Saint-Vincent, donna naissance au peuple Garifuna, et du naufrage à l'origine de la communauté juive de Key West. On consacrerait un chapitre imposant à l'introduction des souris et des rats sur des îles qui en étaient jusqu'alors dépourvues, et un autre chapitre narrerait comment la IPA, cette ale bien houblonnée produite en Angleterre et expédiée aux Indes, fut soudain découverte par les consommateurs anglais grâce à un naufrage qui envoya s'échouer plusieurs barils sur la côte de Liverpool. On accorderait sans doute une note de bas de page au rhododendron du cap Cod – mais il faudrait assurément finir par ces milliers de conteneurs qui passent par-dessus bord chaque année, et qui viennent vomir sur les plages du monde des paquets de Doritos, des espadrilles Nike gauche, des frigos.

On a sans doute les naufrages que l'on mérite.

RÉVOLUTIONS

DOMINIQUE –

Tout faire et tout savoir ne sont point d'un mortel.
Apporte l'eau sacrée, autour de cet autel
Déroule le tissu d'une flexible laine,
Et brûle l'encens mâle et la grasse verveine,
Amaryllis : tentons par des enchantements
Si d'un amant léger je puis changer les sens.

VIRGILE, *Bucoliques*

En écoutant une entrevue donnée par Carole Martinez au sujet de son livre *Le cœur cousu,* j'ai réappris hier une chose que j'avais oubliée; le mot *texte* et le mot *textile* ont la même origine : *textus,* « tisser ». Une sorte d'évidence.

BŒUF

DOMINIQUE – On oublie qu'Alexandre Dumas, célèbre pour ses mousquetaires et le comte de Monte-Cristo, est aussi l'auteur d'un *Grand dictionnaire de cuisine* en cinq tomes (Gibiers & Volailles; Viandes & Légumes; Poissons; Pâtisseries & Fruits; Vins & Boissons). En 1995, Édit-France en a publié un fac-similé sous couverture bleu ciel gaufrée, orné de gravures d'époque. (Avis à qui voudrait me faire un cadeau : il me manque le tome 1.)

L'ouvrage en question n'est en réalité ni un dictionnaire ni même une encyclopédie de cuisine, mais bien davantage une entreprise grâce à laquelle un écrivain gourmand trouve le moyen de concilier ses deux passions : les mots et la nourriture. La plupart des « recettes » présentées se lisent comme des contes; ici et là, de longues digressions historiques ou scientifiques prétendent – le plus souvent de manière farfelue – éclairer sur quelque coutume, quelque aliment banal ou exotique; les anecdotes vraies ou inventées foisonnent. Bref, on aura compris : ces livres sont en fait autant de romans. À l'entrée « bœuf », Dumas, en plus de proposer une pièce de bœuf à l'écarlate, un palais de bœuf en cracovie, un gras-double à la mode de Caen et des roolpins, rapporte la petite histoire qui suit :

Lors de la guerre de Hanovre, les princes et les princesses d'Ostfrise ayant été faits prisonniers ainsi que les gens de leur suite, Richelieu voulut bien les libérer, mais seulement après leur avoir convenablement donné à souper. Il convoque ses « officiers de bouche », lesquels lui annoncent que les vivres manquent : il ne reste qu'« un bœuf et quelques racines ». Qu'à cela ne tienne, s'exclame Richelieu, qui imagine sur-le-champ le menu suivant :

MENU D'UN EXCELLENT DÎNER TOUT EN BŒUF

PREMIER SERVICE

Une oille à la garbure gratinée au consommé de bœuf

QUATRE HORS-D'ŒUVRE

Palais de notre bœuf à la Sainte-Menehould

Les rognons de ce bœuf à l'oignon frit

Petits pâtés de hachis de filet de bœuf à la ciboulette

Gras-double à la poulette au jus de citron

RELEVÉ DE POTAGE

La culotte de bœuf garnie de racines au jus

(*Tournez grotesquement les racines, à cause des Allemands.*)

SIX ENTRÉES

La queue du bœuf à la purée de marrons

La noix de notre bœuf braisée au céleri

Sa langue en civet (*à la bourguignonne*)

Rissolée de bœuf à la purée de noisettes

Les paupières de bœuf à l'estafoulade aux capucines confites

Croûtes rôties à la moelle de notre bœuf (*le pain de munition vaudra l'autre*)

SECOND SERVICE

L'aloyau rôti (*vous l'arroserez de moelle fondante*)

Salade de chicorée à la langue de bœuf

Bœuf à la mode à la gelée blonde mêlée de pistache

Gâteau froid de bœuf au sang et au vin de Jurançon (*ne vous y trompez pas*)

Six entremets

Navets glacés au suc de bœuf rôti

Purée de culs d'artichauts au jus et au lait d'amandes

Tourte de moelle de bœuf à la mie de pain et au sucre candi

Beignets de cervelle de bœuf marinée au jus de bigarade

Aspic de jus de bœuf et aux zestes de citron pralinés

Gelée de bœuf au vin d'Alicante et aux mirabelles de Verdun

Nicolas – Je suis surpris que nos calendaristes républicains n'aient pas repoussé ce bon ruminant dans l'arrière-train de l'année, vu son implication capitale dans les soins périnataux du petit Jésus. D'autant plus suspect, à bien y penser, que le mammifère précédent était l'âne. Il ne manque plus que les trois rois mages.

Aubergine

Nicolas – Ainsi nommait-on autrefois les agentes parisiennes chargées de distribuer les contraventions de stationnement (une fois encore, merci à la bande dessinée européenne des années 1970). Je n'arrive pas à déterminer, cependant, s'il s'agissait d'un surnom péjoratif. De manière générale, je n'arrive pas à déterminer ce que la moyenne des gens pensent de l'aubergine (hormis ma blonde, qui les déteste ouvertement). En fait, je me demande dans quel sens au juste la métaphore est instructive : sur ce qu'elle dit du légume, ou sur ce qu'elle dit des agentes de stationnement.

(Insérer vue en coupe d'une agente de stationnement, avec la chair grise et les petits pépins.)

(Parenthèse geek sur les pépins susnommés : l'aubergine est une solanacée cousine du tabac, et ses pépins contiennent de la nicotine.)

(J'aimerais ouvrir une troisième parenthèse sur le tabagisme chez les aubergines, mais je vais me retenir.)

DOMINIQUE – Fabre d'Églantine ne m'inspire que des menus. J'ai dans les narines des effluves de moussaka parfumée à la cannelle et à la menthe séchée. Demain, peut-être.

Ce matin, ces phrases toutes simples de Robert Lalonde, dont je suis en train de lire le *Seul instant,* où l'on trouve aussi de ses aquarelles et de ses dessins, naïfs comme des peintures d'enfant, colorés comme des Matisse : « Sur le chemin du retour, nous nous arrêtons pour faire des bouquets. La maison embaumera la valériane balsamique, l'asclépiade au parfum soûlant, le mélilot sucré. Le ciel s'éteint doucement, aubergine, orageux encore, entre les branches. Le bonheur est véloce, fugace, inracontable. »

Ce ciel aubergine était pour moi tout à fait neuf et je sais que je ne l'oublierai pas. La preuve : je l'ai retrouvé du premier coup.

Enfant, je ne comprenais pas pourquoi il y avait des illustrations dans le *Petit Larousse* alors que le *Petit Robert* en était dépourvu. N'étaient-ils pas tous deux des dictionnaires? Il m'a fallu attendre quelques années avant d'apprendre que l'un était un dictionnaire encyclopédique, tandis que l'autre était un dictionnaire étymologique. Alors que le premier décrivait la réalité nommée par un terme, le second fournissait plutôt l'étymologie et l'évolution de ce dernier, en plus de se pencher sur ses différents emplois. L'un parlait du monde, l'autre parlait des mots.

Petit L. : n. f. (catalan *alberginia,* de l'ar.) 1. Plante potagère annuelle surtout cultivée dans les régions méditerranéennes pour son fruit comestible.

Petit R. : [obɛʀʒin] n. f. et adj. inv. – 1750; catalan *alberginia*; ar. *al-bâdindjân*, d'o. persane. 1. Plante potagère (solanacées), originaire de l'Inde, cultivée pour ses fruits.

Cet exercice auquel je me livre tous les jours a pour conséquence inattendue de me révéler une chose que je pressentais sans, disons, en avoir fait l'expérience : je suis du clan des *Robert*. Les livres – mais aussi les mots – ne me parlent pas d'abord du monde, mais des livres. Pareillement, ce que j'écris ne vise jamais à décrire fidèlement un univers existant, mais à en créer un autre, mot à mot, fragile comme un château de cartes.

PIMENT

DOMINIQUE – Au Moyen Âge, on appelait *piment* un mélange de vin, de miel et d'épices (cannelle, gingembre) censé échauffer les sens, si bien que certains abbés en interdisaient la consommation à leurs moines. C'était l'une des boissons favorites de Gilles de Rais, illustre compagnon de Jeanne d'Arc (Michel Tournier leur a consacré son étrange *Gilles et Jeanne*) qui, revenu à son château de Machecoul après la guerre de Cent Ans, se serait métamorphosé en monstre, faisant enlever par dizaines des enfants de la région pour leur infliger les pires sévices avant de les assassiner.

On raconte que Charles Perrault se serait inspiré de Gilles de Rais pour créer son personnage de Barbe-Bleue.

Le nom du château donne déjà le frisson. Sans doute issu de la même racine que *mâchicoulis* (cette structure en surplomb de la porte d'un château qui permettait un tir en plongée sur les envahisseurs ou les indésirables), il semble désigner une immense créature à la gueule hérissée de pierres prête à broyer le cou des imprudents.

Nicolas – Un dimanche après-midi, alors que j'étais en Espagne (il s'agit de la même époque que celle où je nettoyais des tessons de poterie à la brosse à dents), je suis descendu visiter la petite ville de Zafra. J'avais dû me lever aux aurores (les Espagnols n'étaient pas encore couchés), et marcher les cinq ou six kilomètres qui me séparaient du terminus, avant de prendre le bus. Forcément, je me suis endormi en regardant défiler le morne paysage de l'Estrémadure.

Je me suis réveillé à mi-chemin, dans un bled dont j'ai oublié le nom. La gare était située en face d'une usine de briques ou de tuiles. La rue était orange sanguine, de la même couleur que les toits environnants, couverte de terre cuite pulvérisée. Le temps d'un sourire, je me suis calé à nouveau dans mon fauteuil afin de terminer ma nuit.

Au retour, en fin d'après-midi, j'étais bien réveillé. Lorsque le bus est repassé devant la fabrique de tuiles, j'ai surpris un camion qui entrait dans la cour. Sa benne débordait de piments. La rue n'était pas rouge de terre cuite, mais de *pimiento*.

Nicolas – J'imagine ma grand-mère, vers 1962, à l'heure où l'on prépare le souper. Elle se dirige vers le garde-manger, ouvre la porte, et sursaute : à l'intérieur se trouve Andy Warhol, le visage barbouillé de soupe Campbell, juché sur le tabouret comme un oiseau de proie albinos. Ma grand-mère recule et referme la porte très doucement.

Dominique – Je triche aujourd'hui, puisque je vais puiser chez toi ce que m'inspire la tomate dont on croit parfois qu'elle a dû naître dans le chaud berceau du terreau italien, alors que c'est un fruit tout ce qu'il y a de plus américain, comme la courge et le maïs. (D'accord, eux ne sont pas des fruits, mais, entendons-nous, également issus d'Amérique.) Raison pour laquelle, bien sûr, on nomme le maïs *blé d'Inde,* comme on avait à l'origine baptisé la dinde *coq d'Inde*. Quant à savoir pourquoi cette Inde s'est métamorphosée en Turquie en anglais, mystère.

Brumaire

LOI
1ère DECADE
1 Primidi .... *Pomme*
2 Duodi ...... *Céleri*
3 Tridi .... *Poire*
4 Quartidi.... *Betterave*
5 Quintidi .... Oie
6 Sextidi ..... *Héliotrope*
7 Septidi..... *Figue*
8 Octidi ...... *Scorsonère*
9 Nonidi ..... *Alisier*
10 Décadi..... CHARRUE
SOUPER FUNERAIRE des GIRONDINS

Pomme

<u>Dominique</u> – À leur retraite, mes parents ont acheté une maison près d'un village de la rive sud de Québec. Nous y avions longtemps eu un chalet au bord du fleuve, donnant sur une plage de galets et de gravier où, passé la pointe, on pouvait marcher dans de longues anses pendant des heures sans voir âme qui vive, sinon un héron s'envolant à notre approche à coups d'ailes paresseux.

Ils habitent maintenant sur la falaise, au milieu des fermes et des vergers. Il y a non loin un coq qui chante d'une voix enrouée à toute heure du jour. Au printemps, un voisin garde de jeunes veaux dans un enclos au bord de la route. Nous y avons une fois emmené le chien en visite. Il était presque aussi grand qu'eux. Ils se sont longuement dévisagés, d'un côté et de l'autre de la clôture, et puis l'un des veaux a esquissé une sorte de petit pas de danse que Victor a aussitôt imité.

L'automne, des familles venues de la ville et des banlieues toutes proches envahissent la région pour aller aux pommes puis aux citrouilles, créant des embouteillages monstres. Les petits arbres ployant sous les fruits ont les branches maigres et tordues comme des bras de sorcière; ils portent davantage de fruits que de feuilles, et partout dans les vergers s'élève une odeur sucrée, florale. On jurerait que ces frêles vieillards sont là depuis le début de la colonie – c'est peut-être vrai pour certains – et qu'ils émergent de chaque hiver un peu plus rabougris, un peu mieux enracinés. Les gens du coin, quant à eux, en bons campagnards, préfèrent aller à l'épicerie acheter leurs fruits et leurs légumes proprement emballés dans du plastique.

<u>Nicolas</u> – Imaginer l'inimaginable : un croisement entre la légende d'Isaac Newton et celle de Guillaume Tell, où Tell rate son coup (les cibles mouvantes n'ont jamais été son fort). Des sévices s'ensuivent. La physique moderne est bouleversée. La gravitation universelle demeure un mystère. Nous n'irons jamais sur la Lune.

Céleri

<u>Dominique</u> – Pas la force aujourd'hui d'écrire un seul mot, ne serait-ce que *céleri.*

<u>Nicolas</u> – Le céleri est un légume insignifiant; mais si, en arrivant aux dernières branches du pied, on se munit d'un Opinel (ça ne marche pas avec les autres canifs – j'ai essayé) afin de dégager délicatement le cœur, petit cône de chair d'un blanc incertain, on y trouvera une bouchée d'une douceur presque poétique. (Idéalement, croquer en observant par la fenêtre le peuplier géant du voisin.)

Poire

Nicolas – Par un concours de circonstances amusant, j'ai déjeuné ce matin avec une pointe de la tarte aux poires que Marie et moi avons cuisinée hier soir. Rochas, Bartlett et sirop d'érable, pour être précis, avec quelques quartiers de McIntosh de ci, de là, pour boucher les trous. Avec un café au lait, ça rend ce début brumaire plus supportable.

Il paraît que l'usage du mot *poire* pour décrire la tête – comme dans « il a une bonne poire, cette andouille » – viendrait d'une caricature de Louis-Philippe Ier publiée en 1831. Sous la plume du caricaturiste, et en quatre étapes assez cocasses, le roi des Français s'y métamorphose en une poire ronde et morose. Il s'agit en somme d'une étape tardive de la Révolution où l'on aurait changé les lames de la guillotine : plutôt que de faire sauter la tête du roi, elle la changeait en fruit.

Dominique – Apercevant pour la première fois une bouteille de poire William, je suis restée perplexe. Comment diable s'y était-on pris pour faire entrer par l'étroit goulot le fruit pansu qui macérait tranquillement dans l'alcool? J'ai passé le doigt sur les flancs pour y chercher la trace d'une saillie indiquant qu'on aurait refermé puis scellé autour de la poire deux moitiés de bouteille. Mais le verre était lisse. Plus tard j'ai appris que les producteurs de la liqueur parfumée se rendaient dans les vergers enfiler les bouteilles au bout des branches où poussaient les fruits alors que ceux-ci étaient encore tout petits. Chaque poire grandissait et mûrissait ainsi au creux de sa propre petite serre, qu'on cueillait en même temps qu'elle.

Bref, c'est exactement la même technique que celle qu'on utilise pour faire pousser les bateaux dans les bouteilles.

Betterave

Nicolas – Mon père et les tubercules (3)

Je me souviens autrefois, alors qu'en famille nous nous rendions je ne sais plus où, que mon père ait avisé de nombreux tubercules jaunâtres éparpillés sur l'accotement de la route. Des camions aux bennes débordantes les échappaient là en abondance. Mon père arrêta l'automobile et sortit en cueillir quelques-uns.

Dès qu'il revint s'asseoir au volant, nous le bombardâmes de question : de quoi s'agissait-il?!

— Betterave à sucre, annonça-t-il sur un ton guilleret.

Il sortit son canif (mon père avait toujours un canif à portée de la main, au cas où un tubercule goûteux aurait croisé son chemin), pela la betterave et distribua des tranches.

Assis sur la banquette arrière de notre Impala immense, je mâchonnais ma ration de betterave, rêveur. Tous ces tubercules délicieux abandonnés sur le bas-côté... Personne ne les ramassait donc?

Dominique – Il y a au coin des rues Dunlop et Kelvin une maison de brique pâle remarquable par deux aspects : sa taille (immense) et ses propriétaires (célèbres). Ceux-ci à l'évidence ne sont pas férus de jardinage ni d'horticulture; les rocailles sont dégarnies, les arbustes taillés négligemment, le bord des allées se couvre de pissenlits au printemps et d'une variété de mauvaises herbes à l'été. Je ne juge pas, Dieu m'en garde : rien ne pousse chez nous hormis les champignons et les feuilles mortes. Cette année nous avons même vu mourir dans notre plate-bande un spécimen dont on nous avait pourtant juré qu'il se plairait dans l'ombre perpétuelle et dont la disparition me semble comme un reproche fait à notre humanité, puisque la plante en question s'appelait *fougère sensible*.

Toujours est-il que le terrain de la grande maison de brique pâle, qui semble toujours un peu négligé à côté de ceux des voisins chez qui s'activent des armées de paysagistes, prend sa revanche à l'automne. Au mois d'octobre, trois arbustes au feuillage d'un vert timide assez clairsemé qui n'ont l'air de rien le reste de l'année virent au cramoisi, puis au fuchsia, et finissent du plus pur rose bortsch.

Oie

Dominique – Je ne sais pas au juste quel bruit est censé faire le chat, mais aucun des nôtres n'a jamais prononcé le moindre « miaou ». Nous avons vécu pendant quelques années aux côtés d'un siamois qui hurlait à fendre l'âme quand il s'ennuyait ou était indisposé; on aurait juré les pleurs d'un bébé. Pour signaler qu'il veut sortir ou qu'il a faim, notre vieux Fido, miraculeusement revenu à la vie après s'être fait heurter par une voiture et avoir traversé une interminable convalescence, y va désormais d'une sorte de « mè » rauque. Pumpkin, qui a adopté le chien l'an dernier – et nous aussi par voie de conséquence –, s'assoit devant la porte fermée, de préférence juste avant le lever du soleil, et fait « piou » jusqu'à ce qu'on vienne lui ouvrir. Violette, la plus jeune de notre ménagerie, petite chatte lilas aux humeurs compliquées, fruit de l'union d'un placide birman et d'une orientale caractérielle dont elle a hérité du tempérament, pépie quant à elle à longueur de journée. Elle nous suit pas à pas, sa face pointue levée vers nous, et répète sans se lasser : « oie oie oie ».

Nicolas – J'aime lorsqu'un coup de génie prend une forme si simple, si naturelle, que l'on oublie qu'il s'agit d'un coup de génie.

Lorsqu'en 1902 une association nationale d'enseignants demande à Selma Lagerlöf d'écrire un livre d'inspiration géographique pour les petits écoliers suédois, la romancière songe à écrire un ouvrage original et cohérent, plutôt que l'un de ces recueils de textes un peu disparates comme on en avait souvent vu. C'est ainsi qu'elle décide de narrer une traversée de la Suède depuis le sud jusqu'au nord en utilisant un véhicule proprement extraordinaire : l'oie sauvage.

Ainsi naît cette troupe d'oies légendaire, dont chaque membre incarne un lieu de la géographie suédoise : Kunsi de Sjangeli, Neljâ de Svappavaara, Yksi de Vassijaure, Kaksi de Nuolia – et bien sûr Akka de Kebnekajse et Kolme de Sarjektjokko, dont les noms rappellent les deux sommets les plus élevés du pays. Sans doute y a-t-il une nostalgie du monde sauvage dans cette généalogie aviaire, puisque le pauvre jars issu du monde des humains s'appelle Martin, Martin tout court, sans la moindre géolocalisation. Son haut lieu à lui, c'est l'étang de la ferme Nilsson.

Au fond, j'aime *Le merveilleux voyage de Nils Holgersson à travers la Suède* car il illustre magnifiquement une idée qui m'est chère : nous ne sommes tous – humains et personnages – que des extensions du territoire.

Héliotrope

Dominique – Il paraît que la fleur a pour particularité d'exhaler un parfum de tarte à la cerise. J'inspecte les terrains des voisins, puis ceux du quartier : nulle trace de la petite fleur violette. Rentrant bredouille à la maison, je me résigne à ouvrir un livre de Catherine Mavrikakis. Déception. C'est le soufre que ça sent.

Nicolas – Prétentieuse, va. *Toutes* les plantes sont héliotropes. Sauf le monotrope, bien sûr, qui se prend pour un champignon.

Figue

Nicolas – Soifs improbables (2)

Au risque de faire de ce calendrier un long exercice de mélancolie culinaire, j'aimerais évoquer ici la boukha Soleil, cette eau-de-vie de figue distillée par Félix Habib et compagnie, en Tunisie, et dont une coloc de celle qui allait devenir mon épouse avait reçu une bouteille de ses parents. (Cette précision crée sans doute une confusion inutile, je m'en excuse.)

Toujours est-il que la bouteille de boukha reposait au congélateur, et que j'ai fini par lui faire un sort à moi tout seul. De l'eau-de-vie de figue : le concept à lui seul fait saliver.

La boukha est apparemment introuvable au Canada.

Dominique – La figue fait partie de ces choses – les marrons grillés, les films des frères Coen, les sushis, *L'homme sans qualités* – que j'aimerais aimer, soit parce que ceux que je vois les apprécier semblent y trouver un plaisir délicat, soit parce qu'elles me paraissent en elles-mêmes désirables. La peau sombre du fruit, recouverte d'une sorte de buée, son intérieur charnu, rose sang, étoilé de pépins, son exotisme rappelant irrésistiblement les *Mille et une nuits,* tout dans la figue annonce le délice. Pourtant, j'ai beau essayer, figues rôties, séchées, fraîches avec un soupçon de miel et un filet d'eau de rose, figues confites, glacées, en confiture ou en gelée, chaque fois je suis déçue, les pépins sont bêtement rêches, la chair, fade et pâteuse, insipide. *No Country for Old Men* fait fruit.

Dominique – Jamie Oliver, le célèbre chef britannique, a entrepris il y a quelque temps dans les écoles primaires anglaises puis américaines une campagne afin d'exiger que les cafétérias cessent d'offrir aux élèves des frites surgelées, des croquettes de poulet panées et du lait aromatisé à la fraise pour leur proposer des repas cuisinés sur place, faits de légumes frais, de vraie viande et de grains entiers. L'initiative fut accueillie fraîchement; pourtant, si l'on se fie à ce qu'on voit à l'écran, ces enfants auraient grandement besoin que quelqu'un s'occupe de leur alimentation. Aux États-Unis, près de la moitié accusent un surplus de poids. Lorsque Oliver présente une tomate à un groupe d'écoliers d'une huitaine d'années en leur demandant de quoi il s'agit, les réponses fusent, étonnantes : « Broccoli! », « Potato! » De leur vie, ces gamins n'ont jamais vu un légume en chair et en os. Quand il veut leur faire goûter une fraise, ils se tortillent et font la grimace comme s'il essayait de leur faire avaler un sirop contre la toux.

L'agriculture industrielle, en favorisant les monocultures, en élisant une ou deux espèces à l'exclusion des autres, en décuplant l'usage des engrais et des pesticides chimiques, a proprement fait disparaître d'innombrables variétés de fruits et de légumes au cours du dernier siècle. (Le phénomène n'est pas si différent pour les animaux d'élevage.) On cultivait avant la guerre de Sécession une *centaine* de variétés de riz dans le sud des États-Unis. Nos grands-mères certes ne mangeaient pas des framboises fraîches au mois de février, ni des kiwis à n'importe quel moment de l'année, mais elles cuisinaient des dizaines de variétés de tomates, de pommes de terre et de fèves qu'on ne saurait même plus reconnaître si par miracle on en trouvait dans notre assiette ou à notre supermarché.

Alors, *scorsonère,* je l'avoue, je n'ai aucune idée de ce que c'est. Et c'est bien dommage, parce qu'il semblerait que c'est délicieux.

NICOLAS – Je faisais des recherches sur l'étymologie de la scorsonère lorsque je suis tombé sur un bouquin d'Olivier Poupard datant de 1583, et intitulé, selon la mode de l'époque : *Conseil divin touchant la maladie divine, & peste en la ville de La Rochelle : Item deux notables histoires : l'une de la scorzonere, l'autre de la pierre bezaar, qui sont deux excellens theriaques.*

Il s'agit d'une lecture des plus divertissantes et que je ne saurais trop recommander, notamment le chapitre où l'on narre la découverte de la scorsonère.

L'histoire commence en Catalogne. En ces temps-là, au moment des moissons, les vipères (« scorzo », en catalan) faisaient la vie dure aux moissonneurs. Or, un gentilhomme de l'évêché de Tarragone, seigneur de Cervera, avait acheté un esclave africain, et cet esclave se souvenait d'une plante qui, en Afrique, guérissait la morsure de la vipère. Raisonnant que Dieu ne met jamais un mal sur terre sans pourvoir à son antidote, il se met à chercher « fort soigneusement » la plante, par les vallons, bocages, plaines, prairies, buissons, brousses, jusqu'à ce qu'il la déniche enfin aux environs de Tarragone.

Voilà donc notre Africain qui fait fortune et devient célèbre – et qui, cela va de soi, garde jalousement son secret. Ses contemporains tarragonnais, lassés de son avarice – ou simplement poussés par le besoin, « car necefsité eft fort inegenieufe » – décident de filer le bonhomme lors de ses herborisations et découvrent ainsi la scorsonère. Ils essaient la plante sur des victimes de morsures de vipères, et bingo! confirment qu'il s'agit du contrepoison recherché.

À partir de ce moment, le secret est éventé. Les gens se le disent, les médecins le publient – et Poupard s'empresse d'affirmer que « autant que l'Affricain à fait du rencheri à defcouvrir un fi beau threfor, autant ou plus Mathurin eft liberal, & prompt à le publier, qui me l'a monfstrée à moy, & prefque à tous les gens du païs, fi bien qu'elle n'eft defia que trop publicque ».

Poupart oublie évidemment que la condition d'un médecin ne se compare guère à celle d'un esclave.

Quoi qu'il en soit, il s'agit d'un chapitre admirable, non seulement sur le plan narratif, mais aussi parce qu'il préfigure le débat entre la propriété intellectuelle et le bien commun, et l'épineuse question de la brevetabilité du vivant. Nous n'avons décidément rien inventé.

ALISIER

DOMINIQUE – Dans la cour de la maison où j'ai grandi poussait un arbre qu'on appelait *cormier* même si je soupçonne aujourd'hui qu'il devait plutôt s'agir d'un sorbier des oiseleurs. D'assez petite taille, le tronc un peu lépreux, couvert de feuilles d'un vert grisâtre, ce n'était pas un bel arbre. Il portait des grappes de petits fruits orange qui macéraient au soleil et dont les merles venaient se gaver avant de repartir, soûlés par le sucre, et de voler droit dans la fenêtre de la salle à manger ou celle de ma chambre. Les oiseaux restaient au sol quelques minutes, palpitants, étourdis à la fois par le choc et par l'alcool, l'œil affolé, le ventre du même orange exactement que les fruits du sorbier.

NICOLAS – D'après le Trésor de la langue française, le mot *lisier* serait un régionalisme dérivé d'un terme latin pour urine, « en raison de l'emploi de l'urine pour laver les dents et les vêtements ». Le mot *alizée,* lui, est d'origine incertaine, mais viendrait possiblement du béarnais *lisser*. Quant à *enliser,* il vient du mot *lise* qui, en normand, désigne des sables mouvants.

Et l'alisier, lui? Un mot banal, issu du latin, et qui désigne un arbre fruitier.

J'ai l'impression, certains matins, que ce calendrier rate sa cible de peu.

CHARRUE

NICOLAS – La charrue pose une question intéressante : quand avons-nous cessé de considérer le sol horizontalement pour plutôt l'investir verticalement? Il y aurait une histoire de la verticalité à écrire. En commençant par la talle, on s'enfoncerait de plus en plus creux, passant des tubercules au socle de la charrue, descendant jusqu'au caniveau, à la noria, au puits de surface et puits artésien, au tuyau, au drainage, au caveau, aux forages miniers et exploratoires – sans oublier, plus humblement, la sélection artificielle de cultivar doté de racines ambitieuses.

Au fond, l'histoire de l'humanité est une histoire d'étagement, et si l'on se passionne pour les talons hauts et les gratte-ciels, il faut être conséquent et s'intéresser aussi à la tendance inverse. Il s'agit d'un sujet d'avenir : après tout, ne finirons-nous pas tous par contempler les pissenlits en contre-plongée?

Dominique – Au cas où ça ne serait pas encore clair à ce stade : je n'ai pas grandi à la campagne, mais en banlieue. Je n'ai jamais vraiment vu de tracteurs sinon de loin, par la fenêtre de la voiture en traversant des champs ou bien à la télé. Idem pour les charrues, moissonneuses-batteuses et autres machineries agricoles.

Pourtant, en regardant des illustrations aujourd'hui (charrue de face, de profil, de trois quarts; photo d'une charrue, gravure d'une charrue, diagramme d'une charrue; charrue tirée par un cheval, un bœuf, un homme), je ne peux m'empêcher d'y déceler une très légère ressemblance avec la guillotine. Ce doit être dans la lame.

Ce Fabre d'Églantine à qui la Révolution avait si bien réussi finira sur l'échafaud moins de deux ans après l'adoption de son calendrier, décapité un 16 germinal, jour de la laitue.

IIe DECADE
11 Primidi.. *Salsifis*
12 Duodi... *Macre*
13 Tridi.... *Topinambour*
14 Quartidi. *Endive*
15 Quintidi.. DINDON
16 Sextidi.. *Chervis*
17 Septidi... *Cresson*
18 Octidi.... *Dentelaire*
19 Nonidi... *Grenade*
20 DÉCADI.. HERSE
DUMOURIEZ
BATAILLE de JEMMAPES

DOMINIQUE – La princesse Balsamine s'enfonça dans la forêt et marcha jusqu'au soir. Quand elle eut trébuché trois fois sur des racines qu'elle ne voyait plus dans la pénombre, elle s'arrêta et regarda autour d'elle. Le soleil avait disparu et la lune n'était pas encore sortie. Un vent frisquet s'était levé, qui faisait bruisser les feuilles. Elle frissonna, regretta de n'avoir pas pris au moins son manchon d'hermine qui en outre aurait pu lui servir d'oreiller. Elle songea un instant à la cheminée de la salle à manger d'honneur, suffisamment vaste pour qu'on y fasse rôtir deux bœufs en même temps, aux bougies qu'allumaient les serviteurs à la tombée de la nuit, à la longue table qui serait bientôt garnie de plats fumants. Pas une seconde elle ne regretta d'être partie.

Elle ramassa des feuilles mortes pour s'en faire à la fois un matelas et une couverture, s'y glissa et s'endormit aussitôt en rêvant que les arbres au-dessus de sa couche conféraient à son sujet.

Quand elle se réveilla aux premières lueurs de l'aube, un curieux personnage était penché sur elle. Petit, voûté, il avait le visage long, les yeux largement écartés et une barbichette au-dessus d'une lavallière couleur lavande.

« Madame, dit-il très poliment comme elle ouvrait les yeux.

— Monsieur, répondit-elle comme on le lui avait appris, et à cet instant elle vit les pattes poilues qui se terminaient par des sabots fendus.

— Sifis, dit l'inconnu en suivant son regard. Je suis du clan des Tragopogons.

— Je m'appelle Balsamine, enchaîna la princesse en tentant de cacher son étonnement. Mon mari appartenait à la dynastie des... » Elle s'interrompit, reprit en détachant bien les mots : « Je crois bien que je n'appartiens à aucun clan, ou peut-être à celui des impatientes. »

NICOLAS – Sur la page anglaise que Wikipédia consacre au salsifis (*Tragopogon porrifolius*), il est possible de lire la phrase suivante : « The fruits are of the clock variety. »

The *clock variety*? Un fruit de variété horloge? Il appert que la phrase est plus ou moins directement tirée d'un ouvrage britannique sur les plantes sauvages, dont le texte n'est pas disponible en ligne. Je fouille et cherche et me tape des lexiques botaniques, mais ne trouve aucune mention d'une quelconque *variété horloge*. Interrogé sur la question, Google me donne essentiellement des réveille-matin en forme de pommes et des guides sur l'art de bricoler un cadran avec des fruits (amusante variation sur le citron électrique).

À force de recherches croisées, je retrouve le mot *clock* dans la page du pissenlit. Les anglophones nomment en effet *dandelion clock* cette boule d'akènes que forme le *Taraxacum officinale* à maturité. Voilà le mystère résolu. En fait, non. Le mystère s'ouvre sur un autre mystère : pourquoi une horloge?

Toujours succinct, le *Oxford* se borne à expliquer qu'il s'agit d'une référence à un jeu enfantin. Dans le folklore du pissenlit, on prétendait dire l'heure en soufflant sur les akènes. Le nombre de souffles nécessaires pour faire s'envoler la totalité des akènes indiquait l'heure.

Si on voulait plus de précision, on optait naturellement pour un pissenlit atomique.

MÂCRE

DOMINIQUE – J'ai beau savoir que c'est un autre nom de la châtaigne d'eau, plante paisible et poétique s'il en est, sorte d'inoffensif croisement entre un nénuphar et un marron (on l'appelle aussi *mâcre nageante,* appellation convoquant toute une nouvelle gamme d'images, du genre mâcre gracieusement coiffée d'un bonnet de bain effectuant un crawl stylé), tout ce que je vois est cet horrible mollusque caoutchouteux dont on fait les plus mauvais *clam showders* du monde.

NICOLAS – Lorsque Marie et moi sommes passés par notre phase bouffe asiatique, j'étais très excité par tout ingrédient le moindrement exotique. C'est à moment que j'ai découvert la châtaigne d'eau (ci-après nommée *grmph*).

Le grmph est dépourvu de toute saveur. Sa seule vertu tient à la texture : il ajoute du croquant, par exemple dans les raviolis. Hacher les grmph assez finement demande cependant une certaine opiniâtreté, si l'on n'est pas doté d'un robot culinaire. Le fruit est sphérique et glissant, il faut donc le travailler avec un couteau de chef afin d'obtenir une granulométrie bien fine et aussi uniforme que possible. Hélas, peu importe le temps qu'on y consacrera, il restera toujours un morceau trop gros qui fera saillie dans la farce et déformera votre feuille de pâte à won ton (s'il ne la crève pas carrément).

Mâcres, je vous haïs.

TOPINAMBOUR

DOMINIQUE – Les parents de mon fiancé habitent, à la campagne, un petit domaine comprenant une forêt de chênes plantés par eux-mêmes, des vignes, un immense potager, un étang peuplé de carpes et, de l'autre côté de la route, au milieu de la rivière, une île basse couverte de broussailles et d'herbes folles où mon presque beau-père se rend dans un véhicule amphibie racheté de l'armée.

Sur l'île, il a planté des topinambours. Nous sommes un jour allés déterrer les petites racines tordues, que nous avons ensuite fait poêler. C'était délicieux. Tous les autres topinambours que j'ai mangés depuis m'ont toujours semblé fades en comparaison. Mon presque beau-père était cependant d'avis que l'île offrait un potentiel autrement plus important, c'est pourquoi, une année, il s'est mis en tête de la reboiser. A-t-il planté là aussi des chênes? J'en doute; probablement des aulnes ou des saules, de ces arbres souples qui aiment l'eau. Pendant quelques années, ils les ont regardés grandir depuis la fenêtre de la maison, par où on aperçoit aussi une mangeoire de taille industrielle où viennent se nourrir, à la saison froide, des régiments de gros-becs et des nuées de mésanges. Et puis, à la sortie d'un hiver particulièrement dur, lors de la débâcle, les glaces qui avaient recouvert la rivière ont pris l'île d'assaut et l'ont balayée. Disparus, les aulnes, ou les saules, l'île de nouveau ne portait plus que des broussailles et des herbes hautes. Philosophe, le presque beau-père a continué d'y récolter des légumes-racines, en observant simplement : « Quand la nature a choisi de ne pas mettre d'arbres quelque part, c'est qu'elle avait une bonne raison. »

NICOLAS – MON PÈRE ET LES TUBERCULES (4)

Mon père était de passage à Montréal il y a quelques semaines. Après le dessert, alors que nous sirotons le thé, il esquisse ce petit sourire en coin que je connais bien, les yeux plissés, avant de m'annoncer : « Au fait, est-ce que je t'avais dit que j'avais planté des topinambours? »

DOMINIQUE – Longue, blême et amère, elle fait songer à ces diaphanes araignées des cavernes devenues aveugles au fil des siècles, ou à ces crabes des profondeurs à la carapace molle, et bleuâtre à force d'être blanche. On a beau tenter de la dissimuler sous des rivières de béchamel, l'enterrer sous des montagnes de jambon et des avalanches de gruyère, l'endive me semble tout droit sortie d'un film d'horreur.

J'en veux pour preuve cette définition de Wikipédia, qu'on ne peut taxer de manque d'objectivité :

« L'endive ou chicon est une plante bisannuelle, mais cultivée comme une plante annuelle, de la famille des astéracées, cultivée pour ses "chicons", pousses blanchies obtenues par forçage, consommées comme légumes crus ou cuits. »

Chacun des termes donne le frisson; d'abord ce « chicon » qui évoque le chicot – et qui saurait nier que l'endive pointant hors de son fumier ressemble bien à un reste de dent plantée dans une gencive noire? Ensuite, une plante bisannuelle mais que l'on cultive comme une plante annuelle ne devrait nous inspirer que méfiance, comme cette étrange famille à laquelle elle appartient, dont le nom rappelle l'étoile, mais qui est composée de fausses fleurs. Ses pousses ne sont pas seulement blanches, elles sont *blanchies* (à la chaux? par l'effroi? à fins de dissimulation?) et elles poussent par forçage, ce qui ne peut être qu'une forme de torture infligée aux végétaux peu coopératifs. Enfin, entre nous, si on la consomme *comme* un légume, c'est fatalement parce qu'elle n'en est pas un, n'est-ce pas? Qu'est-elle, alors? Je préfère ne pas le savoir.

NICOLAS – MON PÈRE ET LE MONDE SOUTERRAIN (1)

Je n'aimerais pas que mon père passe pour un personnage d'Italo Calvino, mais il se trouve qu'un jour il décida que nous mangerions des endives.

À l'époque (je parle du milieu des années 80), on ne pouvait acheter l'endive dans aucun supermarché de Rivière-du-Loup. C'était une denrée exotique, comme le kiwi l'avait été quelques années plus tôt. Pour tout dire, je me demande encore où mon père avait entendu parler de l'endive. Sûrement pas à la ferme de mes grands-parents – mais qui sait? Nous serions étonnés de connaître les fruits et légumes cultivés autrefois et dont l'usage s'est perdu en cours de route.

Plus certainement, mon père avait entendu parler de l'endive à la radio, ou avait lu un article à son sujet dans une de ces revues agricoles auxquelles il était abonné. (Je parlerai peut-être de *La semaine verte,* plus bas, si l'occasion se présente.) Quoi qu'il en soit, il s'intéressait à l'endive à cause de ses vertus nutritives aussi obscures qu'exceptionnelles.

Afin de rester blanches, les endives doivent être cultivées à l'ombre et au frais. Mon père installa donc quelques bacs de terreau dans notre chambre froide et y planta le capricieux légume. En le voyant mettre en place ce dispositif, la maisonnée conçut un intérêt, voire une impatience à l'égard de l'entreprise. Ces endives seraient sûrement fameuses, vu les soins démesurés qu'elles nécessitaient. Elles étaient l'aristocratie du potager, un mets rare et fin, et nous jouissions de leur existence dans le sous-sol de notre banal bungalow. (Les expériences de mon père avaient l'heur de nous communiquer le sentiment de transcender la classe moyenne.)

Les endives furent récoltées quelques semaines plus tard et servies à la table familiale, où on les décréta unanimement amères et immangeables.

DINDON

NICOLAS – Avec cette tendance toute moderne à écraser les différentes époques du passé en une seule strate bien dense, je m'étonne depuis le début de voir autant d'espèces américaines – notamment les solanacées et les cucurbitacées – dans un calendrier qui remonte au dix-huitième siècle.

Le dindon est le premier animal du tas, apparemment ramené très tôt en Europe par les Espagnols, et je songe que notre continent semble avoir exporté plus d'espèces végétales que d'espèces animales. Aucune idée de ce qu'il faut en déduire.

DOMINIQUE – En les apercevant, par groupes (familles?) de cinq ou six le long des routes sinueuses ou au milieu des champs du Maine, on se sent étrangement réjoui. Gros comme des labradors, ils ont les plumes d'un brun noir goudron qui luisent au soleil, une petite tête glabre de laquelle pendent divers appendices de chair rosacée, de grosses pattes jaunes, et ils picorent tranquillement sans s'émouvoir du fait qu'ils sont passés à un cheveu de l'extinction. Rien n'est plus typiquement américain que la dinde, ni la tarte aux pommes, ni les feux d'artifice du 4 juillet, ni l'aigle menaçant qu'arbore le sceau du pays. On a d'ailleurs hésité avant de faire du pygargue à tête blanche l'emblème des États-Unis; d'aucuns préféraient en effet le dindon au rapace.

Peut-on se figurer ce que serait aujourd'hui le pays s'ils avaient eu gain de cause? Comment imaginer les diverses guerres impériales menées sous la placide égide d'un volatile qui se sert farci accompagné de sauce aux atocas? Qui peut dire au fond que le monde n'en serait pas meilleur?

CHERVIS

DOMINIQUE – Dans son capitulaire *De Villis* destiné aux intendants chargés de l'administration des terres royales, Charlemagne précise notamment le genre et le nombre d'animaux que doivent compter les métairies (pas moins de cent poules et trente oies, deux bœufs gras, en plus d'une quantité de paons, de faisans et de sarcelles) ainsi que les meubles et objets qu'on doit trouver dans chacune afin qu'on n'ait point besoin d'aller chercher ailleurs l'essentiel à la vie quotidienne : courtepointes, draps de lit, oreillers, plats de bronze, de plomb, de fer et de bois, etc.

Il y est aussi question de la production et de la conservation des produits des terres de l'empereur (notamment le lard, la viande fumée, les salaisons, le petit salé, le vin, le vinaigre, le vin de mûres, le vin cuit, le garum, la moutarde, le fromage, le beurre, le malt, la cervoise, l'hydromel, le miel, la cire, la farine). Mais le capitulaire est surtout célèbre à cause de la liste de plantes dont il stipule qu'elles doivent être cultivées dans tous les jardins royaux pour leurs vertus médicinales ou leurs qualités potagères :

lis, rose, fenugrec, balsamite, sauge, rue, citronnelle, concombre, citrouille, gourde, dolique, cumin, romarin, carvi, pois chiche, scille, glaïeul, estragon, anis, coloquinte, chicorée amère, ammi, séséli (ou chervis), laitue, nigelle, roquette, cresson de terre, bardane, menthe pouliot, maceron, persil, céleri, livèche, sabine, aneth, fenouil, chicorée, dictame, moutarde, sarriette, menthe blanche, menthe, menthe sauvage, tanaisie, calament, grande camomille, pavot, bette, cabaret, guimauve, mauve, carotte, panais, arroche, blette, chou-rave, chou, oignons, ciboulette, poireau, navet, échalote, cive, ail, garance, cardon, fève, pois, coriandre, cerfeuil, épure, sclarée.

Si certains de ces noms nous sont aujourd'hui peu familiers, il est étonnant de constater que, pour la presque totalité, les plantes qu'ils désignent ont traversé le millénaire pour nous parvenir intactes, comme si, d'une certaine façon, on continuait aujourd'hui de se plier aux injonctions de Charlemagne.

Au fait, le capitulaire avait, en matière de végétaux, une ultime recommandation : le jardinier devait planter sur le toit de sa maison de la joubarbe qui, comme chacun sait, a le pouvoir d'éloigner les mauvais esprits. Je ne sais pas ce que tu comptes faire du reste de ta journée, Nicolas, mais je serai aux serres Jasmin.

NICOLAS – Wikipédia dit du chervis que sa racine était autrefois consommée, comme celle du salsifis et de la scorsonère. Elles m'émerveillent, ces innombrables variétés de tubercules reléguées aux oubliettes de l'histoire. C'est récurrent, chez moi : l'obsession de la biodiversité, et donc – en bon citoyen postmoderne – de la sécurité alimentaire, de l'apocalypse imminente : ce moment où s'effondreront les monocultures.

Surveillez bien la sortie prochaine du documentaire choc *L'horticulture au temps des zombies*.

À bien y penser, nos films catastrophes modernes évoquent assez bien une certaine conception du Moyen Âge : épidémies, famines, danses macabres, affaissement des grandes structures. Nous nous sommes habitués à imaginer l'apocalypse en termes d'anticipation et de science-fiction, comme s'il s'agissait d'une peur du futur. Et si c'était au contraire une hantise du passé?

NICOLAS – Je songe à un dictionnaire des cooccurrences historiques, où l'on verrait se voisiner différents concepts, mèmes ou phénomènes culturels ayant joui d'une certaine prééminence au même moment.

1988 : année de l'homme rose et du sandwich au cresson germé.

Dominique – Je ne comprends pas grand-chose à la poésie contemporaine, qui me semble le plus souvent écrite dans une langue étrangère. Ce poème-ci est le premier et je crois bien le seul que j'aie jamais appris par cœur. Près de trente ans plus tard, je le sais toujours. Cela veut sans doute dire que je ne l'oublierai pas.

C'est un trou de verdure où chante une rivière,
Accrochant follement aux herbes des haillons
D'argent; où le soleil, de la montagne fière,
Luit : c'est un petit val qui mousse de rayons.

Un soldat jeune, bouche ouverte, tête nue,
Et la nuque baignant dans le frais cresson bleu,
Dort; il est étendu dans l'herbe, sous la nue,
Pâle dans son lit vert où la lumière pleut.

Les pieds dans les glaïeuls, il dort. Souriant comme
Sourirait un enfant malade, il fait un somme :
Nature, berce-le chaudement : il a froid.

Les parfums ne font pas frissonner sa narine;
Il dort dans le soleil, la main sur sa poitrine,
Tranquille. Il a deux trous rouges au côté droit.

Je me souviens d'un professeur de français expliquant à la classe mystifiée que le poète avait semé exprès à la tête de son soldat du cresson (de la famille des crucifères, c'est-à-dire, étymologiquement : *qui porte une croix*) pour faire office de stèle. Aujourd'hui encore, je ne sais trop s'il faut le croire.

Dominique – « Joséphiiiiine, range tes jouets, apporte ton crochet et ton fil de soie, c'est l'heure de ta leçon de broderie!

— Oh, maman, laisse-moi cinq minutes encore...

— Tout de suite, j'ai dit. Et n'oublie pas ton dentelaire.

— Je l'ai perdu. »

« Joséphiiiiine! C'est l'heure d'aller au lit!

— Oh, maman, laisse-moi encore cinq minutes...

— Tout de suite, j'ai dit. Et n'oublie pas de te brosser les dents et d'enfiler ton dentelaire.

— Le chien l'a mangé. »

Nicolas –

De : Nicolas Dickner

À : Dominique Fortier

Date : 18 brumaire 220 08 :15 :25

Objet : Plaît-il?

Chère Dominique,

N'as-tu pas l'impression parfois que monsieur Fabre d'Églantine se gausse de nous? Ou peut-être économise-t-il ses provisions, effrayé qu'il est de tomber en panne d'essences au bout de quelques mois...

Y a-t-il un historien dans la salle qui puisse me confirmer que la dentelaire revêtait tant d'importance, autrefois?

Peut-être est-ce le cas. Il faudrait alors en déduire que, au chapitre de l'universalité et de la pérennité, les calendaristes républicains ont fait patate.

Enfin, tu m'inviteras (je le suppose) à la patience. Après tout, si on place le marteau dès les premiers jours du calendrier, avec quel outil barbare tiré d'une échoppe mal famée ne devra-t-on pas terminer l'année?

Ton co-chronaute,

N

NICOLAS – L'étymologie de la grenade, celle qui explose, est incertaine. On suppose qu'elle aurait été nommée par analogie formelle avec le fruit. Pour ma part, je ne peux m'empêcher de penser aux graines que l'une recèle, et que l'autre sème, et me dire qu'utiliser ainsi le nom d'un fruit est une déplorable pratique.

Ça vaut peut-être mieux que l'inverse, cela dit. « La marquise prenait le thé sous les shrapnelliers en fleurs. »

DOMINIQUE – Dernière journée à la mer peut-être avant la neige. Quand nous arrivons dans le Maine il flotte sur les champs une lumière dorée, aussi épaisse que le miel, de ces atmosphères ambrées qui font le sfumato du lointain des tableaux de la Renaissance.

Sur la plage, deux trois promeneurs et leurs chiens, des cailloux semés sur le sable et partout des rubans, des frises, des dentelles d'algues noires, rousses et vert bouteille. De longs rouleaux fauves se dévident, humides et caoutchouteux, près de touffes pâles qui ressemblent à de minuscules anémones. Des cloques pleines d'eau accrochent la lumière et flamboient un instant dans le soleil, translucides, comme la chair farcie de pépins de quelque fruit des tropiques.

Cette Elizabeth en l'honneur de qui on a nommé ce morceau de la côte du Maine n'est pas la reine d'Angleterre, mais celle de Bohême, joliment surnommée « la reine d'hiver ».

DOMINIQUE – Trop de télé, paresse orthographique, lectures pêle-mêle en anglais et en français : tout ce que je vois en lisant le mot *herse,* c'est le corbillard vert pomme que conduit Claire Fisher, cheveux au vent, dans le générique de *Six Feet Under*.

(Note à ma réviseure préférée : je le sais bien, Julie, que ça prend un *a*.)

NICOLAS – Contamination fatale de la culture pop-moyenâgeuse et autres tolkienneries : je réapprends ce matin que le mot *herse* désigne aussi un instrument aratoire, et non seulement un dispositif de fermeture de porte dans un ouvrage fortifié.

21 Primidi..... *Bacchante*
22 Duodi...... *Azerole*
23 Tridi....... *Garance*
24 Quartidi.... *Orange*
25 Quintidi.... FAISAN
26 Sextidi..... *Pistache*
27 Septidi..... *Macjonc*
28 Octidi...... *Coing*
29 Nonidi..... *Cormier*
30 DÉCADI..... ROULEAU

BACCHANTE

NICOLAS – En voyant la photo de ce papillon, j'ai tout de suite pensé qu'il s'agissait d'une espèce qui existe au Québec. Je l'ai souvent aperçu, en été, avec deux autres espèces à l'allure insignifiante : la piéride du chou et la coliade de la luzerne. Seulement, j'avais tout faux. Ce n'était pas la bacchante que je voyais, mais le satyre des prés.

Nos campagnes ne semblent pas très fréquentables, peuplées qu'elles sont de satyres et de bacchantes.

DOMINIQUE – Il y avait à la maison quand j'étais enfant un épais album illustré consacré à la mythologie grecque dans lequel je me rappelle m'être plongée pendant des heures. Je le préférais de loin à mes livres de contes car, contrairement à ceux-ci qui présentaient une multitude d'histoires sans liens entre elles, celui-là relatait les aventures de personnages dont chacun revenait hanter les aventures des autres alors même qu'on le croyait irrémédiablement disparu. (Aujourd'hui encore, je préfère les romans aux nouvelles.) Et puis, la majorité des héros étaient apparentés d'une façon ou d'une autre; nymphes, géants, demi-dieux, satyres faisaient tous partie d'une même grande tribu. Il ne faut pas énormément d'imagination pour comprendre que la source d'une bonne partie des romans et des séries télé d'aujourd'hui réside sans doute dans ces récits compliqués d'amours interdites, de transgressions, de quêtes et de vengeances. Longtemps avant les fresques de Gabriel García Márquez et les aventures d'Alan Ball, la mythologie m'avait fait connaître le bonheur d'épier les épopées familiales.

AZEROLE

NICOLAS – Je suppose que tout n'est pas mauvais, dans la débauche de documentation que nous impose ce calendrier depuis quelques semaines. Par exemple, je viens d'apprendre l'existence du porte-greffe nanifiant. J'en ressors grandi.

DOMINIQUE – L'*Encyclopédie* de Diderot et d'Alembert dit de l'azerolier que « cet arbre aime les pays chauds; & celui qui n'est point cultivé est épineux ». En lisant rapidement une première fois, j'ai l'impression que l'auteur abandonne la botanique pour formuler un commentaire de nature sociopolitique : les nations auxquelles la culture fait défaut seraient épineuses. Ça ne veut (presque) rien dire mais ça ne me semble pas (tout à fait) bête pour autant.

GARANCE

NICOLAS – On déclare légendaires ces films dont, des années après, on ne conserve plus qu'une scène, un plan, dans un brouillard noir et blanc... Des *Enfants du paradis,* il ne me reste qu'Arletty prononçant le prénom de son personnage.

Suis-je le seul dont la tête soit si poreuse? J'ai parfois l'impression que ma culture personnelle est un vaste champ de tessons où l'on reconnaît, çà et là, un bout de tasse ou d'assiette, un morceau de mosaïque de Pompéi, une écharde de méthamphétamine bleutée.

DOMINIQUE – On raconte qu'Arletty ayant été emprisonnée à la Libération pour ses amours avec un officier allemand, Marcel Carné la faisait sortir en douce de sa cellule pour des raccords de son des *Enfants du paradis,* en ayant soin de l'y ramener avant l'aube.

Elle avait quarante-sept ans à l'époque, et interprétait un personnage qui en avait vingt-cinq de moins. Et pourtant, comme Baptiste, muet dans sa douleur et son émerveillement, on ne peut s'empêcher au premier coup d'œil de tomber amoureux de Garance.

ORANGE

DOMINIQUE – Il y a de cela quelques années, mon pigeon voyageur de fiancé s'est retrouvé, par un concours de circonstances assez improbable, à siéger au conseil d'administration d'une société indienne.

Lors de l'un de ses premiers séjours à Delhi, Fred s'est vu offrir par le président de l'entreprise une collection d'une douzaine de DVD de Bollywood; à son retour à Montréal, nous en avons regardé quelques-uns avec stupeur, avant de répliquer en présentant à D. Kalhra, au voyage suivant, un florilège de ce que le septième art québécois a à offrir : *C.R.A.Z.Y., L'homme qui plantait des arbres, Pour la suite du monde,* qu'il a dû visionner avec un égal ébahissement.

Mais l'échange ultime a eu lieu environ un an plus tard, lorsque Fred a reçu le jersey numéro 10 des Mumbai Indians (comment ça, vous ne connaissez pas Sachin Tendulkar?), turquoise et orange presque fluorescents. Nul besoin de dire que, le week-end même, nous arpentions les boutiques du centre-ville à la recherche d'un chandail aux couleurs du Canadien de Montréal. J'ai retrouvé le jersey turquoise il y a quelques semaines, l'ai glissé dans l'un des sacs que nous destinions au Chaînon. Quand il a sorti les sacs de la voiture pour les déposer dans le bac réservé aux dons, Fred a aperçu le numéro 10. Alors mon fiancé qui tous les six mois jette la quasi-totalité de ce qu'il possède, qui n'est attaché ni aux voitures ni aux gadgets ni certainement aux vêtements, s'est arrêté parmi les passants au beau milieu du trottoir et a entrepris de déchirer le sac pour aller repêcher le précieux chandail. « C'est un cadeau », m'a-t-il dit avec un rien de reproche dans la voix, et Tendulkar est rentré avec nous à la maison.

NICOLAS – Incomparable saveur d'une orange, en mars, assis au milieu de la forêt, cependant que la neige crépite autour.

FAISAN

NICOLAS – À notre chalet, mon père a élevé toutes sortes de volailles : pintades, cailles, oies, canards, pigeons bisets, bartavelles, sans oublier une déconcertante variété de poules. Je détestais les oies, bruyantes et mordeuses. Les pintades étaient amusantes, comme les poules Bendy. J'avais trouvé cocasses, puis exaspérants, les gloussements paniqués des pintades.

Mais l'oiseau le plus étonnant de notre basse-cour, je ne l'ai jamais vu vivant. C'était un faisan, que mon père décapita et fit empailler chez un taxidermiste de Saint-Antonin. Le volatile trône aujourd'hui encore sur une armoire du chalet. Je me souviens avoir été fasciné, dans mon enfance, par ses yeux de verre, sa raideur surnaturelle. Nous possédions un animal empaillé : quelle bizarrerie.

DOMINIQUE – Dans ma longue liste de livres à lire (mis bout à bout, il y aurait de quoi aller de la Terre à la Lune, facile), ce titre de Marc Angenot, hommage en forme de boutade à Lévi-Strauss : *Le cru et le faisandé*.

PISTACHE

NICOLAS – Résolution d'un mystère de longue date : c'est la chlorophylle qui donne sa couleur verte à la pistache, laquelle d'ailleurs n'est pas une noix véritable, mais une graine. Les deux hémisphères de la pistache constituent en fait les deux feuilles embryonnaires du pistachier.

La couleur verte ne peut s'exprimer que grâce à la coquille délicatement entrouverte de la pistache qui, en plus de faciliter le décorticage, laisse filtrer la lumière. Les cultivateurs auraient encouragé cette caractéristique par sélection artificielle, mais reste à savoir ce qui les intéressait vraiment : des pistaches vertes ou des pistaches ouvertes?

Dominique – Ce calendrier, plutôt que de m'inspirer des méditations sur les merveilles toutes françaises que sont les végétaux qui nous entourent, est en train de devenir un bestiaire des animaux qui ont partagé ma vie. Mon tout premier chien, un samoyède, s'appelait Kimo – les risques sont donc plutôt faibles de le retrouver dans la ménagerie Fabre d'Églantine. Mon deuxième chien cependant s'appelait Pistache, même si ce n'était pas tout à fait mon chien parce que nous étions allés le chercher chez une autre famille qui devait s'en défaire, et qu'il me semble que Pistache a passé les années qu'elle a vécues chez nous à soupirer et à regretter cette première famille.

Nous l'avons gardée quelques années. Elle se faisait un peu vieille, sautait moins vite sur ses pattes quand on lui proposait de l'emmener en promenade, aimait surtout rester couchée sur le canapé où elle avait la permission de passer la nuit. Partie un automne étudier à Montréal, je suis rentrée à la maison à Noël en me réjouissant de voir le chien. Mon père et ma mère se sont regardés en silence – je suis d'une famille où l'on juge préférable de ne pas dire les choses.

Macjonc

Nicolas – Je déteste les mots croisés, sans doute parce que je n'ai jamais eu beaucoup de talent pour les faire. J'ai une bonne mémoire, mais un accès médiocre à son contenu (non, il ne s'agit pas d'une contradiction).

Il m'arrive cependant de penser que j'aimerais bien être verbicruciste. Construire des pièges de mots, des embuscades. Placer par exemple deux mots ridiculement aisés. Trois lettres, vertical, étendue d'eau. Lac. Cinq lettres, vertical, mignonne. Jolie. Imaginer le joueur qui suit la piste, inscrit ses lettres, et se dit aussitôt, stupéfait, qu'il a fait une erreur. Que dans aucun mot en français les lettres c et j ne se voisinent. Visualiser son cerveau qui disjoncte avec un claquement sec. Macjoncté, pour ainsi dire.

Dominique – Cette jolie fleur rose composée d'un large pavillon double surmontant un renflement qui rappelle une lèvre boudeuse a aussi pour nom : *châtaigne de terre*, *gland de terre*, *pois tubéreux* et *souris de Hollande*. On la nomme également *souris de terre,* et c'est là que les choses se compliquent, puisqu'il faut prendre garde, prévient l'encyclopédie, de la confondre avec le petit rongeur de l'espèce *Apodemus sylvaticus* et surtout avec le mammouth mythologique des tribus sibériennes, qu'on appelle aussi tous deux *souris de terre*.

Je me félicite bien sûr d'avoir lu cet avertissement, car on imagine sans mal l'épouvante de la promeneuse se baladant innocemment dans les prés pour y composer un bouquet de fleurs des champs, cueillant ici une marguerite, là une campanule, deux ou trois souris de terre, quelques soucis, et qui se rend compte avec stupéfaction, en baissant les yeux, qu'elle a plutôt assemblé une gerbe de mammouths laineux.

DOMINIQUE – J'aime ce *g* à la fin de *coing*, comme le *c* de *jonc* et le *p* qui fait la queue du loup, ces lettres inutiles, restes de latin ou d'ancien français, qui nous rappellent que la langue que l'on parle s'est façonnée petit à petit au fil des siècles, gardant des traces et des cicatrices de ses combats, de ses bonds en avant et de ses sauts de côté. Rien ne m'ennuierait comme une orthographe où chaque lettre correspondrait à un son, toujours le même, où l'on admirerait des nénufars au mois d'aout avant de rentrer manger de la soupe à l'ognon.

g

NICOLAS – Je déteste ce substantif, qui constitue un double piège : sémantique et phonétique. Petit *a*, je n'arrive pas à me mettre dans la tête l'idée que le coing est un fruit, et non une série de coordonnées spatiales ou une figure géométrique. Ça m'énerve d'entendre chaque fois mon cerveau rigoler en entendant « confiture de coings ». Petit *b*, que vient ce *g* foutre là ? Comment deviner son existence lorsqu'on l'entend ?

Voilà bien le genre de fruit susceptible de me convaincre de l'utilité d'une réforme orthographique (mais n'allez pas en tirer de conclusions).

NICOLAS – Me voilà tout confus. D'abord, j'avais toujours cru que le sorbier et le cormier formaient une seule et même espèce, que je nommais *mascou*. Il paraît que la méprise est fréquente. Je croyais aussi, par ailleurs, que l'espèce était indigène en Amérique – d'où le nom *mascouabina* que lui donnaient les Algonquins. Or, il appert que les deux espèces appartiennent au genre *Sorbus*, et que je vois mal comment les deux arbres auraient pu se développer indépendamment (mais avec de telles similarités) sur deux continents aussi distants l'un de l'autre – ce qui est pourtant le cas.

Du coup, il me revient le regret de ces études de biologie que je n'ai jamais faites.

DOMINIQUE – Je maintiens que l'arbre de la maison de mon enfance était plutôt un sorbier des oiseleurs.

Il y avait aussi sur ce terrain deux érables que j'avais plantés avec ma mère à l'occasion d'une leçon de choses (regarde, c'est une samare, si on la met en terre, il poussera un arbre), minces perches que mon père évitait soigneusement en passant la tondeuse à gazon et qui doivent maintenant être plus hauts que la maison.

Il y avait encore dans cette cour de banlieue une piscine hors terre, une grosse roche où brillaient des éclats de mica, un semblant de terrain de badminton dans le gravier duquel je me souviens avoir enfoui, enfant, une bouteille contenant un message destiné à celle que je serais adulte et que je ne suis jamais allée déterrer, et deux, ou étaient-ce trois, pruniers. J'ignore d'où ils venaient, il me semble que cela avait quelque chose à voir avec un de mes oncles Gilles (j'ai trois oncles en tout, dont deux s'appellent Gilles, qui est aussi le nom de mon père, c'est comme ça) qui les avait peut-être offerts à mes parents, ou bien leur en avait conseillé l'achat. Ces pruniers étaient des arbres peu remarquables, d'assez petite taille, au feuillage clairsemé. Or, un été, après des années d'inactivité, ils se sont mis à porter des fruits. Des centaines et des centaines de prunes parfumées, d'un violet presque noir, à la peau tendue couverte d'une fine pellicule cendrée. Comme s'il s'agissait d'une sorte de maladie, chaque automne pendant des années, mes parents en ont rempli des sacs en plastique qu'ils traînaient jusqu'au chemin le jour des poubelles, haussant les épaules d'impuissance quand on leur demandait pourquoi ils ne faisaient pas plutôt des confitures.

NICOLAS – Suffit de jeter un coup d'œil à ce calendrier pour déterminer que Philippe-François-Nazaire Fabre, dit Fabre d'Églantine, était un poète médiocre et un pense petit. J'en veux pour preuve ce 30 brumaire, soporifiquement dédié à l'instrument aratoire que l'on nomme *rouleau,* alors qu'il aurait pu être consacré – avec juste un modeste surplus d'audace – Journée Officielle et Universelle du Brise-Motte.

DOMINIQUE – Voir : *Grenade.*

Frimaire

1re DECADE
1 Primidi .... Raiponce
2 Duodi ...... Turneps
3 Tridi .... Chicorée
4 Quartidi.... Nèfle
5 Quintidi .... COCHON
6 Sextidi ..... Mâche
7 Septidi ..... Choufleur
8 Octidi ...... Epicia
9 Nonidi ..... Genièvre
10 DÉCADI..... PIOCHE
PRISE DE FIGUIERES

RAIPONCE

NICOLAS – On le sait, Rapunzel porte le nom du radis qui causa sa perte. Cette saveur de métonymie, qui consiste à réduire le destin d'un personnage à un aliment, ne se retrouve pas que chez les frères Grimm. On pense à l'ancêtre de ce conte, la Petrosinella (ou persil) de Giambattista Basile, ou au cas récent (et parodique) de Nacho Libre, cuisinier *luchador* incarné par Jack Black.

Le cas le plus ancien est, à ma connaissance, ce pauvre Ésaü, dans la Genèse, que l'on rebaptisa Édom (« rouge ») en référence à la couleur du ragoût contre lequel il troqua son droit d'aînesse. Faut-il être dénué de jarnigoine pour bazarder son destin de la sorte.

En attendant de trouver le nom de ce procédé (qu'un obscur universitaire aura forcément inventorié quelque part), j'aimerais temporairement le baptiser : *erythronymie*.

DOMINIQUE – Découverte de la journée : Sarah Harris, du *Vogue* anglais, célèbre pour la tignasse d'un gris argenté qu'elle arbore fièrement depuis ses seize ans, a les cheveux de la même nuance exactement que le pelage lilas de Violette.

TURNEPS

DOMINIQUE – Devant ce « turneps » qui évoque irrésistiblement le *turnip* anglais, je me souviens de l'exposé agro-gastronomique que m'a un jour fait Judith Cowan, qui n'est pas uniquement écrivain et traductrice mais aussi historienne de la langue anglaise. Nous étions au restaurant, à nous interroger sur les appellations imprimées sur le menu. (Il y aurait toute une thèse de doctorat à faire, sans doute même plusieurs, sur le vocabulaire des menus de restaurants, leur grammaire propre, leurs ellipses, euphémismes, pléonasmes, leurs métaphores et leurs champs lexicaux.)

Comme je m'étonnais que l'anglais ait deux noms pour un même animal selon qu'il se trouve à brouter dans un champ ou servi en sauce dans une assiette, elle m'expliqua que ces deux termes appartenaient en fait à deux civilisations. Les noms de viande *veal, beef, pork* viennent en effet tous trois du français, dont ils gardent les traces, tandis que leurs équivalents « vivants », *calf, cow, pig,* dérivent plutôt du vieil allemand et du moyen anglais (*kalb, kuo, pigge*). Les petites gens, gardiens de bétail et fermiers, parlaient la langue du peuple, tandis que ceux qui apprêtaient et dégustaient la viande des animaux s'exprimaient en français, la langue des élites. C'est donc tout naturellement que l'anglais moderne a adopté la racine germanique pour nommer les premiers et le terme français pour désigner les seconds.

J'étais ravie de l'explication, mais n'entendais pas en rester là et voulus lui soumettre une question que je me posais depuis longtemps : pourquoi diable appelle-t-on en anglais le plat principal *entrée,* alors que le mot, à l'évidence, sert à nommer un mets qu'on sert en début de repas? Elle a haussé les épaules : « Par ignorance. »

NICOLAS – *Neps* est un mot qui signifie tout bonnement navet, auquel on a ajouté *turn* à cause (je suppose) de la forme rotonde du tubercule.

Il s'agit en somme d'un navet derviche.

NICOLAS – C'est une thèse chère à William Gibson que les vêtements de rue nord-américains constituent souvent des versions atténuées de la garde-robe militaire et industrielle : les jeans, les blousons d'aviateurs, les Doc Martens – sans oublier les tissus développés par DuPont en temps de guerre, comme le nylon, qui sont aujourd'hui des matériaux essentiels de l'industrie textile.

C'est à cette dérive que je pense, lorsqu'on me dit *chicorée* – car le mot me renvoie au souvenir confus d'une pub de café de chicorée de mon enfance. Comment le café de chicorée a-t-il pu être assez populaire pour qu'on le mette en marché?

Je ne vois qu'une hypothèse : ce goût pour le café factice remonte à la Grande Guerre, alors que la rareté du café véritable obligea une importante tranche de la population mondiale à ingurgiter n'importe quelle substance torréfiable. Céréales, racines diverses (je parlerai plus tard, si l'occasion s'en présente, de l'usage que fit mon père du pissenlit), chapelure de pain, carton, bran de scie et autres pelures de patates.

Le café de chicorée, en somme, tout comme la caroube d'ailleurs, carbure à la nostalgie du bunker.

DOMINIQUE – Alors que par acquit de conscience je vais vérifier de quoi la plante a l'air, certaine de n'en avoir jamais rencontré (la chicorée n'est-elle pas cette racine amère par quoi on remplaçait le café pendant les guerres? Je ne vis pas à la bonne époque ni sans doute sur le bon continent pour la connaître), je me rends compte qu'il s'agit de cette fleur bleu ciel en forme d'étoile, aux longs pétales délicats, fins comme du papier de soie, au rebord dentelé, qui poussait d'abondance dans les champs de mon enfance. Quelle surprise me réserve encore Fabre d'Églantine? Me révélera-t-il le nom de cette autre fleur, d'un violet profond, celle-là, consistant en des dizaines de minuscules pochettes ventrues, semblables à de petites oreilles repliées, refermées sur elles-mêmes et disposées serré sur une tige souple, entourées de feuilles à peine plus grosses qui s'enroulaient en vrilles? Il me semble, j'ignore pourquoi, qu'on les appelait des oiseaux.

Petite, je n'étais pas une amoureuse des fleurs, mais bien des escargots. Je partais sous la pluie munie d'un contenant de crème glacée vide et je ramassais tous ceux qui me tombaient sous la main. Certains étaient d'un beige doré ou d'un jaune d'ambre, d'autres avaient la coquille rousse rayée de noir; tous, ils luisaient comme des bijoux vivants, sortant de temps en temps leur tête aux antennes mobiles en signe de curiosité paresseuse. C'est en retournant les feuilles à la recherche d'escargots que, par ricochet, j'apprenais les plantes.

NICOLAS – Je viens d'apprendre, merci Wikipédia, que le blettissement consiste à faire mûrir un fruit jusqu'à ce que s'enclenche une légère fermentation. Le fruit blet a donc, sans surprise, « un goût un peu vineux ». Blette et pompette. « La figue, le coing, la nèfle, la corme », précisent les anonymes wikipédistes, « se mangent blets ».

Note métacalendaristique : je remarque à l'instant même que notre ami Nazaire (ou bien son comparse André Thouin) a choisi de consacrer les journées du calendrier républicain non aux arbres, mais aux fruits. Je suis indécis quant aux implications idéologiques d'un tel choix – mais, à vrai dire, je trouve que ça sent mauvais.

Monsieur Fabre d'Églantine, je soupçonne votre calendrier d'être blet.

DOMINIQUE –

Il est recommandé, surtout à table, d'utiliser le mot *nèfle* de préférence au surnom du fruit, qui peut entraîner de fâcheux malentendus.

« Ah, chère Hortense, vous voilà! Vous prendrez bien une tasse de thé?

— Avec plaisir, Edgar.

— Sucre?

— Jamais.

— Du lait?

— Un nuage.

— Puis-je vous offrir un scone, douce Hortense?

— Je ne dis pas non, Edgar.

— Un peu de confiture de cul de chien? »

Regard indigné; silence lourd de malaise; raclement de chaise; Hortense a disparu; Edgar se retrouve gros-jean comme devant.

COCHON

NICOLAS – Je me rétracte. L'apparition de ce mammifère sauve (momentanément du moins) l'œuvre églantinienne – car si ce calendrier républicain n'est pas toujours heureux, il est vrai en revanche que le bacon bonifie tout.

DOMINIQUE – Enfin, après des plantes à foison, quelque chose d'un peu plus consistant. Je me sens comme une carnivore contrariée qui, condamnée depuis des semaines à mâchouiller de tristes verdures, voit tout à coup arriver devant elle un plateau de charcuteries. Je ne sais par où commencer : le prosciutto, la pancetta, le saucisson?

Pourtant, comme le narrateur de *L'art français de la guerre,* curieux roman lauréat du Goncourt, j'ai de plus en plus de mal à voir de la viande sans penser à l'animal qu'elle était. Alors qu'il est au supermarché, le personnage s'immobilise devant l'étal de boucherie, prend une barquette de styromousse contenant des cubes de bœuf et la scrute, stupéfait, pendant plusieurs minutes. Quand sa femme le sort de sa contemplation, il remarque : « Aucun animal n'a cette forme. » Il se rend ensuite au marché où il achète, entre autres gourmandises, quelques livres d'entrailles et de viscères et trois têtes de mouton entières qu'il servira, telles quelles, à ses invités horrifiés. Sa femme le quitte, on la comprend. Le comportement est certes extrême, mais il a quelque chose de fondamentalement sain. Combien d'entre nous pourraient, comme jadis, mener jusqu'à la grange le cochon engraissé pendant l'année et devenu un animal familier, là le suspendre par les pattes de derrière, l'égorger et le regarder saigner à mort avant de se mettre en chantant à fabriquer du boudin?

MÂCHE

DOMINIQUE – La légende veut que Fabre d'Églantine, sur la charrette le menant à l'échafaud, se soit mis à pleurer de n'avoir pas eu le temps de terminer le poème auquel il travaillait.

Danton assis à ses côtés, lui aussi condamné à la guillotine, lui aurait lancé, excédé : « Ne t'inquiète pas, dans quelques semaines, des vers, tu en auras fait des milliers. »

NICOLAS – Le mot *mâche* viendrait du mot *pomache,* lui-même issu du latin vulgaire *pomasca,* qui signifie « fruit », et qui ferait possiblement allusion à la saveur sucrée de la mâche. De pomache, cependant, on est passé à mâche. La pomme a été évacuée dans le processus et, avec elle, le sens.

L'étymologie, tout comme l'histoire, sert à démontrer combien le sens de la vie est une construction arbitraire et aveugle.

NICOLAS – Lorsque j'ai mis en scène, dans *Tarmac,* un personnage qui tentait de comparer l'électricité produite par un citron avec l'énergie produite par la bombe atomique d'Hiroshima, je voulais en fait illustrer, avec un zeste d'humour, la banalisation extrême de cet épisode effroyable. Je ne croyais pas si bien viser : je suis tombé récemment sur les œuvres d'un photographe qui reproduit des explosions célèbres – non seulement celles d'Hiroshima et de Nagasaki, mais aussi de la navette Challenger et de l'Hindenberg – en utilisant des morceaux de chou-fleur.

DOMINIQUE – DE L'IMPORTANCE DES LÉGUMES DANS LES SCIENCES ET LA LITTÉRATURE

Le chou romanesco est, comme son nom ne l'indique pas, un chou-fleur.

À la manière de ces curieuses pastèques rectangulaires créées il y a quelques années par des Japonais désireux d'optimiser le stockage des fruits dans les cageots, le chou romanesco semble avoir été inventé par l'homme pour illustrer quelque principe mathématique – l'éclatante merveille des fractales, dans le cas qui nous occupe. Le terme proposé par Mandelbrot au milieu des années 1970 désigne une surface de forme irrégulière qui se constitue selon des règles impliquant une homothétie interne; il s'agit, en gros, d'une figure ou d'un objet au contour irrégulier présentant une structure qui se répète, mais à une échelle différente, jusqu'à l'infiniment petit.

Or, loin d'être le fruit de la physique moderne ou des mathématiques avancées, le romanesco est cultivé dans les potagers italiens depuis le seizième siècle. Et pourquoi au fond cela devrait-il nous étonner? Ces mathématiques, cette physique dont nous sommes si fiers, nous ne les avons pas inventées : ce ne sont rien d'autre que les manifestations de nos pauvres tentatives pour saisir et appréhender le monde dans lequel nous vivons, où la moindre feuille, le plus petit caillou, une goutte d'eau un éclair une montagne une fourmi sont une sorte de miracle qui nous dépasse et devrait nous inspirer le respect.

Chaque fois que nous nous prétendons plus intelligents ou plus forts que la nature, nous montrons de façon éclatante l'étendue et la profondeur de notre ignorance. C'est en partie pourquoi j'aime tant les romans; là où la science à travers les siècles, reniant aujourd'hui les évidences d'hier, ne cesse de claironner : « je sais, je sais, je sais », les écrivains soufflent qu'il n'est de vérité que dans le doute.

NICOLAS – Une rumeur persistante voudrait qu'à sa mort, Alexandre le Grand ait été immergé dans le miel. Puis (cela est historiquement avéré) on entreprit de le ramener depuis Babylone jusqu'en Macédoine. En cours de route, cependant, Ptolémée détourna le sarcophage et l'apporta à Memphis, d'où son successeur le transféra enfin à Alexandrie.

J'imagine Alexandre, pendant tout ce temps, trimballé sur des milliers de kilomètres, ballottant mollement dans le miel.

DOMINIQUE – Depuis quelques années on nous annonce que partout en Amérique du Nord les populations d'abeilles connaissent un déclin sévère; les Américains qui sont gens efficaces ont même donné un sigle au phénomène : le CCD (*colony collapse disorder*). Dès 2007, de trente à cinquante pour cent des populations ne survivait pas à l'hiver, alors que le taux de mortalité normal se situe autour de 10%. On s'interroge sur les causes de l'hécatombe, que l'on impute notamment à l'usage répandu de pesticides (et cela n'aurait rien de bien étonnant que des substances conçues pour tuer les insectes tuent effectivement les insectes) et à la destruction des habitats naturels. Il faut aussi prendre en compte les conditions de vie des butineuses, que l'on trimballe en train d'un bout à l'autre du continent tant et si bien qu'elles en viendraient à perdre leurs repères. Quoi qu'il en soit, elles tombent, si l'on peut dire, comme des mouches. Certains se demanderont sans doute pourquoi cela est si grave, arguant qu'on peut bien vivre sans miel. Ils oublient qu'aujourd'hui encore les abeilles sont responsables de la pollinisation de la vaste majorité de nos cultures. (Et j'ajouterais à bien y penser que non, on ne peut pas vivre sans miel.)

J'y vois une raison de plus d'aimer les miels d'Anicet, miels de printemps, d'été, d'automne, miels de menthe et de sarrasin, chacun d'une teinte différente, chacun exhalant un parfum rappelant celui de la fleur à partir duquel il a été confectionné et qui, comme les grands vins, ont été fait avec patience, amour et humilité.

* * *

Pour qui ne croirait pas encore que les abeilles sont un monde en soi, il n'est besoin que de consulter la liste de leurs différentes espèces, parmi lesquelles on trouve, sans blague : l'abeille coucou, l'abeille russe, l'abeille découpeuse de la luzerne, l'abeille loup, l'abeille tisserande et sa cousine la tapissière, l'abeille maçonne, l'abeille à orchidée, l'abeille des sables, l'abeille de la sueur, l'abeille masquée et l'abeille cotonnière.

* * *

Acheté hier *Le piège à mouches* de Fredrik Sjöberg, publié aux Allusifs sous couverture jaune miel et dont la première phrase lue à un feu rouge dans l'auto m'a réjouie : « Cela se passait à l'époque où, le soir, je parcourais les alentours de la place Nybroplan avec un agneau dans mes bras. »

NICOLAS – Dans mon enfance, et jusqu'à tout récemment, mon père buvait du De Kuyper. C'était une sorte de fierté familiale. Nous appelions *gin* ce distillat, mais il s'agissait en réalité de genièvre, un genièvre à réveiller les morts, d'ailleurs, à ne pas boire pur. Nous le consommions avec du Seven Up et de la glace, durant les tournois de 500, et il servait également à baptiser le sirop de vinaigrier, remède radical et domestique contre la toux.

À quel moment suis-je passé du genièvre au London dry gin ? Je ne m'en souviens pas exactement. Mais je me souviens clairement de mon état d'esprit lorsque ma main bifurqua, à la SAQ, et s'en alla saisir une bouteille de Tanqueray plutôt qu'une bouteille de De Kuyper : l'indéniable sentiment de renier les traditions familiales.

Ces mille petites trahisons grâce auxquelles on devient soi-même.

DOMINIQUE – Une fois le thé du matin préparé et bu, dans des gobelets d'étain que le sieur Sifis transportait dans son sac, ils partirent ensemble. Sal Sifis semblait connaître tous les sentiers, tous les bosquets de la forêt. Il lui arrivait même de s'arrêter pour poser la main sur l'écorce d'un arbre et murmurer quelques paroles de salutation auxquelles Balsamine avait l'impression que répondait une révérence de branches hautes accompagnée d'un froissement de feuilles.

Après deux heures de marche, il ralentit le pas. « Nous arrivons», expliqua-t-il, et elle s'avisa qu'elle n'avait pas songé à lui demander où il la menait. Non loin se découpait une colline au sommet de laquelle était perchée une maisonnette toute blanche dans l'ombre de deux ormes. « C'est là qu'habite Genièvre, poursuivit-il, puis il baissa la voix. Il est... comment dire... »

Balsamine attendait, inquiète. Le reste ne venait pas.

« Méchant? souffla-t-elle.

— Non, ce n'est pas ça du tout. Simplement, il est...

— Timide?

— Mais non, qu'allez-vous croire. Il est...

— Malade?

— Non, encore que... Il est... allons... »

Mais il ne put finir sa phrase; ils étaient arrivés devant la porte, qui s'était ouverte devant eux. Dans la pénombre, Balsamine distinguait la silhouette d'un long jeune homme au teint pâle.

« Je vous attendais », dit-il doucement.

D'un pas légèrement hésitant, comme si c'était lui qui était ébloui par la lumière du dehors, Genièvre retourna s'asseoir devant un chevalet, il prit un pinceau et une palette laissés sur une table et se remit à peindre.

Les murs de la pièce étaient tapissés de toiles de diverses tailles, certaines immenses et carrées, d'autres à peine plus grandes que des cartes à jouer, quelques-unes de la hauteur et de la forme de hublots de navire, d'autres hautes et minces comme des tours. Toutes représentaient des paysages différents.

« C'est vous qui les avez peintes? » demanda Balsamine.

Genièvre répondit par un sourire et un hochement de tête. Il travaillait à petits gestes précis. Il avait le regard étrangement fixe, on aurait dit qu'il peignait sans regarder sa toile, mais en voyant au travers, ou au-delà, quelque chose qu'il n'avait qu'à recopier. Balsamine s'approcha des tableaux suspendus au mur; ils dégageaient une faible lueur, comme des fenêtres couvertes d'un rideau que le soleil traverse à moitié. L'un d'eux l'attirait particulièrement : une petite toile qui montrait un paysage marin, une falaise rouge donnant sur la mer, un grand pan de ciel où volaient des oiseaux blancs. Elle fit encore un pas en avant, il lui semblait presque humer le sel et sentir le picotement de gouttelettes d'eau sur son visage.

« Attention! » s'écria Sal Sifis, mais c'était trop tard.

* * *

La princesse Balsamine n'aimant point les contraintes, elle s'est enfuie des cases trop sages du calendrier pour continuer ses aventures où bon lui semblait. Voici donc la suite de ses pérégrinations :

Elle était sur une haute falaise battue par les vents. Elle entendait, en contrebas, les vagues frapper le rivage; la mer était bleu marine et brillait de mille éclats d'argent sous le soleil. Balsamine chercha un instant un moyen de descendre jusqu'à l'eau, et trouva un étroit sentier sablonneux où elle s'engagea avec précaution.

Une fois sur la grève, elle fut accueillie par un gros et gras personnage à la fourrure brune, aux moustaches courtes et raides, qui possédait des bajoues considérables et de longues dents de devant qui ressemblaient à deux cornes de licorne. Balsamine en avait déjà vu des semblables dans un bestiaire au château.

« Pardon, êtes-vous un éléphant? » demanda-t-elle à la créature. Celle-ci éclata d'un rire rauque, avant de répondre : « Mais pas du tout, je suis une morse. » Balsamine resta songeuse un instant. Elle n'avait jamais entendu parler de cela, mais elle se rappelait maintenant que les éléphants possédaient une trompe, de larges oreilles, et qu'ils ne vivaient pas dans l'eau. Elle soupira. Le monde était vaste et elle n'en connaissait encore presque rien.

« Et vous êtes une princesse, je suppose? enchaîna la morse.

— Comment avez-vous deviné? demanda Balsamine en tâtant ses cheveux; elle ne portait pourtant ni sa couronne ni aucun de ses diadèmes.

— Vos chaussures. »

Elle baissa les yeux. Ses pantoufles de vair pleines de sable et détrempées par l'eau de mer ressemblaient à des chatons mouillés. À ce moment, elle aperçut, autour de ses pieds, des dizaines de bouteilles de verre. Quelques-unes avaient volé en éclats en frappant les galets de la plage, mais la plupart étaient encore intactes et contenaient un mince feuillet enroulé. Relevant les yeux, elle se rendit compte que ce qu'elle avait pris pour les reflets du soleil sur l'eau était en fait l'éclat de centaines d'autres bouteilles flottant sur les vagues.

« Oh! s'exclama Balsamine en saisissant la bouteille la plus près d'elle. Je peux?

— Mais bien sûr, faites comme chez vous, dit la morse. Pour ma part, je me suis fatiguée de les ouvrir, mais ça ne peut pas faire de mal. »

Le cœur battant, Balsamine déboucha la bouteille, en sortit le papier, qu'elle déroula.

La feuille était blanche. Déçue, Balsamine la retourna dans tous les sens avant de choisir une deuxième bouteille, plus petite et plus ronde, dont le verre était légèrement bleuté. Peine perdue, s'il y avait déjà eu un message sur le feuillet qui y reposait, il avait depuis longtemps été effacé.

« Qu'est-ce que je vous disais? reprit la morse. Les bonnes bouteilles ne se rendent pas jusqu'ici. Nous ne recevons que celles qui ont été envoyées trop tard, et dont les messages se sont effacés avant d'avoir été lus. »

Mais Balsamine n'était pas prête à abandonner si vite. Elle continua d'écumer les bouteilles jusqu'à ce qu'elle découvre un bout de papier jauni et rongé par l'humidité où l'on arrivait encore à distinguer quelques lettres à demi délavées.

« Jsdjfkl hmdu pé;sdfdu dsrwe, lut-elle avec difficulté.

— Celle-là est différente : elle a été envoyée en rêve », expliqua la morse.

Balsamine s'assit, dépitée, dans le sable humide. Les bouteilles dans les vagues faisaient un cliquetis de vaisselle qu'on lave. Au-dessus de leurs têtes tournoyaient les oiseaux blancs qu'elle avait vus sur la peinture. Ils criaient d'une voix nasillarde. L'air sentait la crevette.

Elle regretta de n'avoir pas mieux choisi.

Elle saisit un coquillage spiralé à moitié enseveli dans le sable, en dégagea délicatement les nervures, puis le porta à son oreille.

La tranquille morse eut tout juste le temps de lui dire adieu; la princesse Balsamine avait déjà disparu.

* * *

Elle se retrouva dans la pièce aux cent peintures, aux côtés de Sal Sifis qui l'attendait.

« Faites attention, dit-il. Il y en a certaines auxquelles on ne peut pas résister. »

Elle fit oui de la tête. Non loin, Genièvre continuait de peindre en silence une toile où l'on voyait dans le lointain un château à mille tourelles. La lumière avait changé dans la pièce; des rayons obliques venaient éclabousser le mur et dorer les tableaux. Ce devait être la fin de l'après-midi.

Balsamine recommença à examiner le mur où étaient suspendues les toiles. Il lui sembla qu'elles avaient changé de place, ou peut-être s'agissait-il de nouvelles peintures? Si c'était le cas, où donc étaient passées les anciennes? Cela signifiait-il qu'elle n'avait qu'une chance d'explorer ces mondes qui s'ouvraient devant elle?

Elle étudia avec attention une prairie où poussaient des herbes hautes; un village dont les maisonnettes avaient des toits de chaume et des volets mauves; un sentier s'enfonçant dans une forêt de sapins presque bleus à force d'être verts; une rivière agitée serpentant entre des collines; puis, enfin, un champ constellé de coquelicots où l'on apercevait, au loin, la silhouette d'un moulin à vent. Ce fut d'abord le ciel qui l'attira; d'un bleu profond, il occupait plus de la moitié de la toile, et un troupeau de nuages semblaient y jouer à saute-mouton.

Cette fois, elle se prépara, salua poliment Sal Sifis et prit une profonde inspiration avant de plonger.

* * *

Le paysage qui se déployait devant elle était exactement semblable à celui qu'elle avait vu sur la toile mais, en se retournant, elle découvrit une scène bien différente. Le champ avait été ravagé, la terre éventrée et noircie. Non loin se trouvaient les restes d'un village à demi brûlé. De la fumée montait encore des chaumières incendiées. Quelques arbres dépouillés de leurs feuilles ressemblaient à des épouvantails.

« Hum. Que faites-vous là? Vous êtes ici chez moi! aboya une voix sèche, et Balsamine aperçut un personnage revêtu d'une armure d'argent, le visage recouvert d'un heaume, une épée à la main, sur un grand cheval gris.

— Je vous demande pardon, dit-elle en cherchant quelque part une trace de vie. Où suis-je exactement?

— Dans mon royaume, je viens de vous le dire.

— C'est ça, votre royaume? » demanda-t-elle en montrant le village dévasté.

Le roi tenta de hausser les épaules, mais l'armure l'en empêcha, les articulations grinçant comme une porte qui a besoin d'être huilée. Il souleva la grille de son casque, mais Balsamine n'arrivait pas à voir son visage encore plongé dans l'ombre.

« Mes sujets n'étaient pas suffisamment loyaux, expliqua le roi.

— Et le sont-ils davantage maintenant? » s'enquit-elle.

Il baissa la tête.

« Maintenant, avoua-t-il, je n'ai plus de sujets. Ils sont tous partis. »

Pourtant, Balsamine croyait apercevoir une petite silhouette cachée derrière un mur à moitié démoli. Elle s'approcha discrètement.

« Enfin, il vous reste votre cheval, dit-elle d'un ton encourageant en faisant quelques pas de côté pour tenter de mieux voir.

— C'est bien vrai », dit le roi en bombant le torse, mais à ce moment sa monture se cabra, se levant haut sur ses pattes de derrière, et projeta le roi au sol. Le cheval retroussa les babines pour montrer les dents et s'en fut au petit trot.

Balsamine put enfin voir qui se cachait derrière le mur : un petit garçon, accroupi, un doigt sur les lèvres, lui enjoignait de garder le silence. Il ressemblait à Genièvre. Se forçant au calme, elle revint sur ses pas pour tenter d'aider le roi à se relever, ce qui s'avéra impossible en raison de son armure. Il gisait dans la boue comme une tortue sur le dos, remuant inutilement bras et jambes.

« Vous voulez bien m'aider à me débarrasser de ça? » demanda-t-il enfin quand il fut évident qu'il ne parviendrait pas à se remettre sur ses pieds, et ensemble ils pelèrent une à une les plaques de métal qui l'enserraient. Dessous, il portait un pyjama à rayures qui avait connu des jours meilleurs. Puis il retira son heaume, s'assit par terre en secouant la tête et reprit : « Jusqu'au dernier! Ces ingrats m'ont laissé tout seul! » Et il enfouit son visage dans ses mains.

Le petit garçon émergea lentement des décombres.

« Je suis là, moi », dit-il.

Le roi leva la tête, plein d'espoir. « Oh, un petit sujet! s'exclama-t-il.

— Euh, non, dit l'enfant. Je ne suis pas votre sujet, ni à personne. Je m'appelle Louis et je suis ici chez moi. Mais vous avez détruit notre maison et j'aurais bien besoin d'aide pour la reconstruire.

— Vous ne voulez pas sérieusement que je joue au menuisier? demanda le roi avec un rire de fausset.

— Les villageois vous donneront un coup de main, si vous le leur demandez gentiment, dit l'enfant. Ils ne sont pas partis bien loin.

— Hum. Leur demander... », fit le roi. Manifestement, c'était là une chose dont il n'avait pas l'habitude.

Il se leva, balaya le plus dignement qu'il le pouvait la terre sur son pyjama et tendit la main au petit garçon, qui fit un clin d'œil à Balsamine. À ce moment-là, elle se rendit compte qu'elle ignorait de quelle couleur étaient les yeux de Genièvre.

Il y avait tout près une flaque d'eau où se reflétait le ciel. Jetant un dernier regard aux coquelicots et au moulin à vent, Balsamine sauta à pieds joints dans les nuages.

* * *

La pièce était maintenant plongée dans la pénombre. Par la fenêtre, on apercevait les premières étoiles qui clignotaient dans le ciel presque noir. Sal Sifis, assis sur une chaise, semblait assoupi, mais Genièvre travaillait toujours, achevant une grande toile où l'on voyait une allée bordée de peupliers.

« Il vous faudrait de la lumière, dit Balsamine en allumant une lampe posée près de lui.

— J'ai toute la lumière qu'il me faut », répondit-il en levant vers elle ses prunelles recouvertes d'une sorte de voile sans couleur.

À ce moment, elle comprit ce qu'avait tenté de lui dire Sal Sifis à leur arrivée. Genièvre n'était ni méchant, ni timide, ni malade : il était aveugle. Comment alors s'y prenait-il pour peindre? Le faisait-il par le souvenir, par l'imagination, par miracle?

Sal Sifis cependant se réveillait, s'étirait, rectifiait le nœud de sa lavallière. Il regarda Balsamine d'un air perplexe.

« Vous n'avez pas trouvé?

— Non.

— Mais qu'est-ce donc que vous cherchez, au fond?

— Je ne sais pas, admit Balsamine.

— Dans ce cas, comment saurez-vous quand vous l'aurez trouvé?

— Je ne sais pas, répéta-t-elle en baissant la tête.

— Elle saura », intervint Genièvre.

Sal Sifis se leva pour se dégourdir les pattes, se frotta les mains d'un air efficace. « Allons, soyons méthodiques, dit-il. Vous devez bien aimer quelque chose? »

Balsamine réfléchit.

Elle aimait les fleurs.

Justement, sur une petite toile carrée grande comme la main était peint un massif de roses échevelé qui lui rappela un peu les buissons du jardin de son enfance. Elle se pencha pour en sentir le parfum.

* * *

C'était un véritable mur de roses qui se dressait devant elle, plus haut que sa tête, un mur au feuillage impénétrable se poursuivant à perte de vue, où les fleurs faisaient des taches claires. Elle avança de quelques pas, voulut toucher une corolle et en fut empêchée par des dizaines d'épines qui se refermèrent autour de sa main comme des griffes. Elle poussa un petit cri et lança un regard de reproche aux fleurs.

Non loin s'ouvrait une brèche dans la paroi verte. Balsamine s'y engagea. Deux nouveaux murs s'élevaient à sa droite et à sa gauche, puis le sentier de sable bifurquait, se scindait en deux, chacun des embranchements bordé de murs de fleurs. Pas de doute, elle était dans un labyrinthe. Elle prit à gauche, marcha tout droit quelques instants, arriva dans un cul-de-sac, voulut revenir sur ses pas, eut l'impression que le tracé du sentier s'était modifié, continua d'avancer sans pouvoir dire si elle était déjà passée par là.

Il n'y avait nulle part de point de repère, que ces fleurs par centaines dont l'odeur commençait à lui donner mal à la tête. Pour ce qu'elle en savait, ce labyrinthe était grand comme une forêt, jamais elle ne réussirait à en trouver la sortie, elle passerait le reste de ses jours à errer au milieu des roses. Mais il lui semblait justement qu'un murmure s'élevait de quelques corolles à sa droite. Elle pencha prudemment la tête vers le rosier en prenant garde aux épines.

« Par ici... soufflaient les fleurs.

— Oui, oui, par ici... », chuchotaient leurs voisines de l'autre côté du sentier.

Balsamine se laissa guider, prenant à droite quand on le lui disait, bifurquant à gauche lorsque les fleurs le lui conseillaient. Après plusieurs heures de ce manège, elle sut qu'elle tournait en rond.

« Par ici... continuaient de chuchoter les roses devant, derrière, partout autour d'elle.

— Vous devriez avoir honte! » cria-t-elle. Elle s'immobilisa au milieu du sentier, croisa les bras. Les roses éclatèrent de rire. Elles n'avaient pas souvent de distractions.

Balsamine savait qu'il lui faudrait se montrer plus maligne qu'elles. Elle se souvint d'un lointain cousin, le petit Poucet, qui avait plusieurs fois réussi à retrouver son chemin en semant derrière lui des petits cailloux, ou était-ce des miettes de pain? Mais Balsamine n'avait ni cailloux, ni pain, ni rien qui puisse être semé. Elle aurait bien voulu laisser derrière elle un chemin de pétales mais, regardant les égratignures qu'avaient faites les épines sur sa main, elle renonça à l'idée.

Comme souvent lorsqu'elle réfléchissait, elle se mit à fredonner. Une voix d'abord hésitante s'éleva pour l'accompagner, puis une seconde, et une troisième, et bientôt la chorale de fleurs au grand complet chantait avec elle. Balsamine sauta sur ses pieds et se mit à courir en semant derrière elle les paroles de sa chanson, qui se transforma en canon tandis qu'elle se déplaçait.

Elle eut bientôt atteint le centre du labyrinthe, où reposait un immense coffre en bois devant lequel elle s'agenouilla pour en soulever le couvercle. Les roses, curieuses, tendaient le cou et retenaient leur souffle. Personne n'était jamais arrivé jusque-là. À l'intérieur du coffre se trouvait une lourde boîte d'ivoire. Balsamine eut une pensée pour la morse aux longues défenses et elle sortit la boîte, qui contenait une cassette plus petite, en argent, celle-là, laquelle révéla à son tour un écrin. Dans l'écrin se trouvait un sac en soie fermé par un cordon, et dans le sac, une plume, une seule, blanche et légère, qui s'envola, et Balsamine avec elle.

* * *

La nuit était tombée maintenant. Sal Sifis s'était rendormi dans son fauteuil et ronflait, bouche ouverte. Genièvre était assis sur une chaise, sa tête blonde posée entre ses bras sur la table de la cuisine. Il dormait aussi. Son souffle était léger. Tout était tranquille dans la maisonnette. Sur le mur, les tableaux plongés dans l'ombre ressemblaient à des fenêtres dont on aurait fermé les volets. Genièvre avait laissé sur son chevalet une toile blanche.

En faisant attention de ne pas les réveiller, Balsamine s'installa devant cette toile. Elle commençait à être fatiguée elle aussi. Elle avait plus voyagé au cours de cette journée que pendant toute sa vie. Pourtant, la blancheur de la toile lui rappelait quelque chose, éveillait en elle une sorte de faim ou de soif, elle n'aurait su dire de quoi. Ce n'était ni de lait, ni de sucre, ni de pain, ni même des rayons de lune dans le ciel; c'était à la fois plus petit et plus grand. Et puis, tout à coup, elle sut : elle n'avait jamais vu la neige. Mais elle en avait entendu parler, elle avait lu des histoires et entendu des contes d'hiver, aussi se mit-elle à peindre du mieux qu'elle le put, inventant ce qu'elle ne savait pas.

Il lui semblait que la neige ne pouvait pas être absolument blanche, mais qu'on devait aussi y deviner du rose et du bleu, du jaune, du vert, de l'ocre et du violet. Elle voulut ensuite dessiner un lac gelé, et pour ce faire imagina une surface bleutée qui était un mélange de verre, de miroir et d'eau. Pour finir, elle esquissa dans le lointain une forêt d'épinettes puis s'éloigna de quelques pas pour contempler le résultat.

Il manquait quelque chose.

Au premier plan, elle traça un sentier et, sous un bosquet de sapins, une cabane de rondins munie d'une grande porte sans serrure. Et puis, épuisée, elle s'endormit à son tour.

* * *

Elle était au milieu d'un paysage tout blanc. La terre était recouverte de neige et les nuages auraient pu l'être aussi tant ils étaient pâles. Il régnait un silence total, comme si le monde avait été enfoui sous un oreiller. Dans le faible soleil d'hiver brillaient des paillettes roses et bleues, jaunes, vertes, ocre et violettes. Balsamine frissonna et s'engagea sur le sentier menant à la maisonnette. Rousse, coiffée de blanc, la cabane ressemblait un peu à une maison de pain d'épices. Balsamine poussa la porte. L'intérieur était accueillant, mais glacial. Au fond de la pièce se dressait un foyer de pierres vide. Soufflant dans ses mains pour les réchauffer, elle se rappela qu'elle avait pensé à dessiner une cheminée mais n'avait pas songé à la fumée. Le bas de sa robe était encore trempé d'eau de mer et sali par la boue, un peu partout les épines de roses y avaient fait des accrocs. Elle s'en défit pour enfiler une chemise et une salopette qu'elle avait découvertes sur un crochet près de l'entrée puis elle se couvrit d'une grande cape, mit un bonnet et des moufles avant de ressortir.

Elle trouva facilement du bois, qu'elle rentra pour allumer le feu, et elle repartit aussitôt. À côté de la trace de ses pas, près de la porte, s'en dessinait une seconde, aux empreintes à peine plus grandes, qui se dirigeait vers le lac gelé. Elle plissa les yeux, tentant de découvrir à qui appartenaient ces pas, mais ne vit personne et décida de les suivre un temps. À travers la glace transparente elle aperçut l'ombre de poissons engourdis qui se frôlaient juste sous ses pieds. Balsamine était pourtant certaine de ne pas les avoir dessinés, pas plus que le grand oiseau blanc qui passa au-dessus de sa tête en battant silencieusement des ailes.

Il se mit à neiger et bientôt des flocons tombèrent à plein ciel. Ceux-là non plus, elle ne les avait pas dessinés. Ravie, Balsamine tendit la main pour attraper les fines étoiles de glace tombées des nuages, mais les cristaux fondaient dès qu'ils avaient touché ses doigts, ne laissant chaque fois qu'une goutte d'eau. Jamais elle n'aurait cru que la neige serait si fragile. Elle avait lu que les flocons étaient tous différents, mais elle avait du mal à le croire et aurait voulu pour s'en assurer les regarder un à un, puis les conserver comme on met des fleurs à sécher entre les pages d'un livre.

Elle pencha la tête vers l'arrière avant de se laisser tomber à la renverse sur le sol, agitant les bras et les jambes en éventail. Elle se releva, fit quelques pas, recommença, reprit son manège trois, cinq, dix fois, jusqu'à avoir dessiné une ribambelle de princesses de neige. Malgré les moufles et les bottes, elle commençait à avoir froid, mais ce n'était pas le froid qu'on ressent quand on s'est fait surprendre par l'orage, ou lorsqu'on descend pieds nus dans un donjon en pierres humide; c'était un froid où il y avait en même temps de la chaleur.

Balsamine retourna à la cabane. Le feu brûlait dans l'âtre, il faisait tiède dans la maisonnette sous les arbres. Elle se rendit compte qu'elle n'avait pas mangé depuis le matin et croqua une pomme, puis elle prépara du thé.

Quand on frappa à la porte, elle ne fut pas étonnée. Elle le reconnut tout de suite. Il avait les yeux bleus.

Genièvre la reconnut aussi, même s'il la voyait pour la première fois.

DOMINIQUE – Le cimetière de Pioche, au Nevada, est un authentique *boothill,* de ces endroits où l'on ensevelissait ceux qui étaient morts « les bottes aux pieds » — lire : lors de duels au revolver, d'attaques de chemins de fer ou de braquages de banques. On raconte qu'une centaine d'inhumations y ont eu lieu avant qu'enfin on n'y enterre un honnête citoyen, décédé de causes naturelles.

La ville aujourd'hui ressemble à un décor de carton-pâte censé évoquer le Far West. Les entrées de mine y ouvrent toujours leurs gueules béantes; on n'a même pas démantelé le téléphérique qui servait à transporter l'argent et le nickel, et dont les nacelles se balancent encore dans le ciel bleu. Tout cela a l'air bon enfant d'un plateau de cinéma, on s'attend d'une minute à l'autre à voir débarquer les figurants costumés en cow-boys et en danseuses de French Cancan. Pourtant, ils sont là, bien réels, sous la terre dont on tirait les métaux précieux, ces cent morts les bottes aux pieds.

NICOLAS – On compte, parmi les outils abandonnés dans notre cave par les occupants précédents, deux magnifiques pioches. L'une à deux pics, l'autre à pic et à tranchant.

Nous voilà clairement suréquipés en pioches, mais dans quel dessein au juste? Creuser un tunnel jusqu'aux caves de la grilladerie portugaise sur Saint-Laurent? Nous enfoncer dans les strates calcaires du groupe de Chazy? Repousser une attaque de zombies?

Toutes les suggestions sont acceptées.

LEX
LEX
IIe DECADE.
11 Primidi.. *Chuya*
12 Duodi ... *Raifort*
13 Tridi .... *Cèdre*
14 Quartidi. *Sapin*
15 Quintidi.. LAYE
16 Sextidi .. *Ajonc*
17 Septidi... *Cyprès*
18 Octidi.... *Lierre*
19 Nonidi... *Bouleau*
20 DÉCADI .. HOYAU
MADAME ROLAND
Me ROLAND A LA CONVENTION
L.M

NICOLAS – Ce n'est pas pour me vanter, mais j'ai déjà été bedeau. Il m'en reste peu de choses. Je sais différencier le corporal du manuterge, et je connais le goût écœurant du vin de messe.

Je me souviens aussi du taux minimal de cire d'abeille que doit contenir une bougie utilisée dans la liturgie catholique romaine. Ce taux a beaucoup varié avec les époques, mais le *Missel romain* a toujours prescrit une *maxima parte* de cire d'abeille, soit cinquante et un pour cent ou plus. L'édiction des normes est laissée aux soins de l'évêque, mais un certain consensus semble régner autour de soixante-six et deux tiers pour cent, taux indiqué sur les bougies mêmes.

Ça ferait plus moderne en décimales, mais je comprends que les manufacturiers aient hésité à estamper le taux de 66,666 % sur leurs cierges pascals.

DOMINIQUE – Écrire sur des lieux que je ne connais pas me laisse le loisir de les inventer à ma guise, ce qui comporte son lot d'avantages. Mais lorsqu'il est devenu évident que l'un des personnages des *Larmes de saint Laurent* devait aller se recueillir à l'oratoire Saint-Joseph, je me suis sentie obligée de m'y rendre d'abord. Je le voyais depuis des années de l'extérieur, son énorme dôme vert-de-gris surgissant au détour d'un sentier du mont Royal alors que nous promenions le chien, mais jamais je n'y avais mis les pieds.

J'ai d'abord été déçue de constater combien l'intérieur ressemblait à celui d'un centre commercial, traversé de toutes parts d'escaliers mécaniques – j'imagine que j'avais en mémoire les images de pèlerins gravissant à genoux les centaines de marches menant à l'entrée. À quelques comptoirs, on vendait des dépliants et des brochures bon marché, des médailles, des calendriers et autres babioles. Ailleurs, on proposait de l'eau bénite en récipients de différents formats, ainsi que des bouteilles de la célèbre huile de saint Joseph, qui clapotait dans de vastes bassins où étaient immergées des mèches brûlant en permanence.

J'ai surtout été étonnée de l'absence de lumière. Même les vitraux de la basilique – une salle aux proportions stupéfiantes, haute et anguleuse, qui n'est pas sans rappeler l'architecture de l'Allemagne des années 1930 – n'étaient que des meurtrières aux couleurs saturées, luisant d'un éclat mat, comme s'ils avaient pour mission d'emprisonner la clarté plutôt que de la faire pénétrer dans la nef. Il n'y avait, dans tout l'édifice, que la petite église originale qu'on appelle la crypte qui me semblait faite à échelle humaine.

J'ai vu le cœur du frère André, serré comme un poing dans son écrin; le sarcophage noir dans lequel est conservé le reste de la dépouille du petit portier; une curieuse exposition où des statues de cire le représentent à différents âges de sa vie, de sorte que le visiteur se trouve entouré d'un essaim de frères André, comme autant d'épouvantails; la chapelle votive où flambent les lampions, éclairant une forêt de béquilles et de cannes laissées par ceux qui ont été guéris.

Je suis ressortie en boitant.

DOMINIQUE – Ce qu'en anglais on nomme *irony* est le plus souvent en français un paradoxe.

Par exemple : le raifort, ***horseradish*** dans la langue de Gordon Ramsay, est en fait fatal aux chevaux.

Envie tout à coup de créer un abécédaire à la manière d'Edward Gorey, mais où ne figureraient que des créatures et des substances délétères, vénéneuses ou empoisonnées, susceptibles, à fortes doses, d'entraîner de fâcheuses conséquences.

A comme aspic

B comme bromure de potassium

C comme ciguë

D comme Dilaudid

E comme...

NICOLAS – Je me suis longtemps demandé pourquoi les piments, l'ail et la moutarde ne manifestaient pas leur puissance gustative au même endroit. Pourquoi le habanero nous brûle-t-il la langue, cependant que la moutarde nous monte au nez?

En attendant de mettre la patte sur un biochimiste capable de nous vulgariser ça dans le détail, notons tout de même que ces denrées contiennent des composés fort différents. Alors que la capsaïcine est responsable du piquant des piments, c'est le disulfure d'allyle qui donne son caractère à l'ail, et l'isothiocyanate d'allyle qui rend la moutarde, le wasabi et le raifort aussi incendiaires.

Il n'y a rien comme mettre des mots sur son ignorance pour s'enfoncer un peu plus creux.

Nicolas – Bien curieux sont les petits pèlerinages privés que l'on s'organise au cours d'une vie.

La première fois que je suis allé à Paris, j'ai tenu à visiter le Jardin des plantes. Non pour le jardin lui-même, pourtant magnifique, mais pour voir de mes propres yeux, toucher de mes propres doigts, le légendaire et immense cèdre du Liban que Bernard de Jussieu rapporta d'Angleterre dans son chapeau.

Et pourquoi? Parce que dans *Tartine de clous,* le bédéiste F'murr fait maintes allusions à des artefacts tous plus singuliers les uns que les autres que Jussieu aurait supposément rapportés dans son chapeau.

La bande dessinée comme guide de voyage. Je suppose qu'on aura vu pire.

Dominique – *Fall on Your Knees,* d'Ann-Marie MacDonald, s'appelle en français *Un parfum de cèdre*. C'est un beau titre, évocateur, mais qui n'exprime absolument pas le malaise qu'on éprouve en lisant le titre anglais ni le mystère de celui-ci. Le titre d'un roman – c'est-à-dire tout à la fois son nom, son programme et sa promesse – fait souvent les frais de la première trahison du traducteur (*traduttore, traditore,* disent les Italiens, qui n'ont pas tort). C'est la plupart du temps dans un livre, qu'il s'agisse d'un des miens ou d'un de ceux des autres, ce qui me donne le plus de mal. *Du bon usage des étoiles* s'est longtemps appelé *Les voiles*; aujourd'hui encore je me demande si *Les larmes de saint Laurent* n'aurait pas plutôt dû être *Le rire de saint Laurent,* et les huit premières versions du manuscrit de *La porte du ciel* portent en page titre : *Tous les parfums de l'Arabie*. Par chez vous, Nicolas, comment ça se passe? Il me semble que tu as dû avoir dès que tu as posé le crayon sur le papier, si ce n'est avant, l'intuition de *Nikolski* et de *Tarmac.*

Achevant ces jours-ci de revoir la traduction de *The Prophet's Camel Bell,* où Margaret Laurence raconte ses années passées au Somaliland, je me demande de quel droit je me propose de l'intituler *Une maison dans les nuages*.

Dominique – Il ne pouvait pas deviner, Fabre d'Églantine, que cette année son sapin tomberait à pic le premier week-end de décembre, un dimanche tout de vert vêtu, sans la moindre trace de neige. L'automne semble s'être arrêté en chemin, il a ouvert la porte pour s'en aller, a changé d'idée et ne l'a jamais refermée. Les arbres ont perdu leurs feuilles depuis belle lurette, les écureuils gavés de noix et de marrons courent les pelouses, ronds comme des boules de billard, il est tombé pendant quelques minutes vendredi une sorte de bouillie blanche sans nom, de la pleige, de la nuie... Le matin, l'herbe est raide sous le pied, chaque brin engoncé dans une chape de glace qui fond avant midi. Il fait noir à quatre heures comme toujours à ce temps-ci de l'année, et le soleil nous réveille au petit matin en frappant tout droit la fenêtre de la chambre à coucher, répandant des flaques de lumière sur les oreillers blancs.

Nicolas – À tous les mois de décembre, je me retrouve aux prises avec le même puzzle : comment faire tenir debout, bien droit, avec une stabilité raisonnable, un sapin de Noël fraîchement tronçonné? J'ai essayé pas mal de trucs : supports commerciaux et faits à la maison, points d'ancrage aux murs et au plafond, chaînes, tiges d'acier. Rien ne fait tout à fait l'affaire. J'ai même songé à planter un sapin en pot sur notre balcon, que nous rentrerions au salon pour le temps des fêtes. J'en suis rendu là.

Quand on songe que les racines remplissent cette fonction avec brio, en dépit du vent et de la neige, on se dit qu'aucun bricolage ne vaut quelques centaines de millions d'années d'évolution.

Nicolas – Ma blonde et moi sommes aux prises avec un désaccord lexical depuis quelques années. Elle insiste pour que nous disions « cerf de virginie », et non « chevreuil », puisqu'il ne s'agit pas du tout de la même espèce, et que le chevreuil ne se croise guère dans les ravages d'Amérique. J'ai beau invoquer l'usage et la tradition, observer que l'on dit « cerf de Virginie » dans le Mile End et « chevreuil » dans le Bas-du-fleuve, rappeler que si on commence avec ces finasseries on n'en finira plus, et qu'il faudra ensuite dire thuya plutôt que cèdre, et gélinotte huppée plutôt que perdrix – je sais bien, au fond, qu'il s'agit d'une cause perdue. Elle a raison, j'ai tort. Je ne m'obstine que pour les besoins de la conversation.

Dominique – Parmi les keys de la Floride qui s'égrènent tranquilles sous le soleil jusqu'à Key West la bariolée s'en trouve une que l'on nomme Key Deer Isle, où vit une importante population de petits cerfs. Il faut prendre garde en voiture de ne pas rouler trop vite car il y en a toujours un au bord de la route, et pour peu que vous fassiez quelques pas dans les bois, vous êtes assuré de tomber nez à nez avec l'une de ces bêtes graciles aux grands yeux.

Ce chapelet d'îlots reliés par une unique route forme une sorte de sentier s'enfonçant toujours plus loin dans l'Atlantique, jusqu'à la toute dernière, ancien repaire de flibustiers et de pirates remplacés, depuis des années, par des flopées d'écrivains – d'Hemingway, qui y a laissé une jolie maison pleine de chats à six doigts, à Tennessee Williams en passant par Michel Tremblay et Marie-Claire Blais, qui l'habitent encore. Cette petite île qui fut un temps la ville la plus riche de Floride en raison de la grande quantité de navires faisant naufrage à proximité de ses côtes (à l'époque, la cargaison revenait de droit à qui la tirait de l'épave, et l'on raconte que les insulaires n'hésitaient pas, le soir venu, à allumer des feux sur la grève pour confondre les marins imprudents ou naïfs) reste encore imprégnée, imbibée de son passé boucanier, comme un morceau de bois flotté garde pour toujours le souvenir de l'océan. Chacune de ses maisons en son jardin fleuri est un roman à écrire, depuis les minces *shotgun houses* en rangées – ainsi nommées en raison du couloir qui les traverse de part en part, et qui fait qu'une balle tirée par la porte de devant ressort par la porte de derrière – jusqu'à la *southernmost house,* vaste construction victorienne ornée de tourelles et de dentelles, la maison la plus au sud des États-Unis continentaux, après laquelle il n'y a plus que la mer à perte de vue.

Dominique –

« Alors? »

De temps en temps, le matin, il accepte de m'aider.

« Ajonc.

— A-quoi?

— Ajonc, comme un jonc, avec un *a* devant.

— Qu'est-ce que c'est?

— Je ne sais pas.

— Mmm.

— ...

— Il me semble qu'il y a un proverbe d'un Japonais... Un truc zen...

— Oui?

— Oui, sur le fait qu'il ne se casse jamais... Attends voir...

— Le roseau plie mais ne rompt pas?

— Oui.

— Jean de la Fontaine?

— C'est ça. »

NICOLAS – J'ai lu tant de dithyrambes agricoles sur les exceptionnelles vertus nutritives de l'ajonc, qui une fois broyé engraisse les vaches, fait briller les soies des lamas et redonne du tonus aux juments, que j'ai violemment envie de m'en verser un grand bol.

J'ai dû être un animal de ferme, dans une vie antérieure.

CYPRÈS

NICOLAS – Pour moi, le cyprès était l'arbre emblématique de l'Empire romain. J'imaginais toujours sa silhouette effilée dans le voisinage des thermes et des aqueducs. Or, j'apprends aujourd'hui qu'il s'agit en fait d'un arbre que l'on plantait dans les cimetières, et que l'expression « dormir sous les cyprès » signifie se retrouver dans sa tombe. Voilà ma perception du Latium complètement bouleversée : ce que je croyais être un élégant aménagement paysager n'était qu'une sinistre plantation.

DOMINIQUE – Curieux arbre, à l'usage bizarrement pointu, puisqu'il semble qu'on le réserve à la fabrication des clavecins et à la confection du cercueil des papes.

On se prend en lisant cela à rêver d'un herbier où feuillus et conifères, succulents, arbres fruitiers, cactus et autres sempervirens seraient regroupés non pas selon la forme de leurs feuilles ou leur mode de reproduction, mais en fonction de leurs usages singuliers, par affinités et accointances.

Le buis, utilisé dans la confection des crucifix et des pièces de jeu d'échec, logerait quelque part non loin de l'ébène, dans le bois duquel on façonne celles du jeu de dames (et, accessoirement, les baguettes de tambour); le tek dont on tapisse le pont des navires côtoierait l'orme employé pour fabriquer les roues des moulins à aubes; le cerisier, le noyer et l'épicéa, dont on fait différentes parties de la guitare, formeraient un petit ensemble à part.

LIERRE

NICOLAS – À une époque où j'étais plus naïf, j'aimais bien *Cyrano de Bergerac*. Je jubilais bêtement lorsque Rostand faisait dire à son Cyrano « Et que faudrait-il faire? / Chercher un protecteur puissant, prendre un patron / Et comme un lierre obscur qui circonvient un tronc / Et s'en fait un tuteur en lui léchant l'écorce / Grimper par ruse au lieu de s'élever par force? / Non, merci. »

On peut évidemment discuter l'éthique du pistonnage et de la pipe, mais il est dommage que ce soit le lierre qui écope dans cette métaphore. Lorsqu'on s'est frotté un peu au monde, on comprend mieux ce qu'est une institution : un grand arbre tropical parsemé d'interstices et de cuvettes, que squattent les plantes araignées et les mousses. Dans cet écosystème pluvial qu'est la Culture, on ne peut capter un peu de lumière qu'en grimpant à l'écorce de quelque chose d'autre.

Au fond, Cyrano était un héros adolescent : une espèce de grand Peter Pan dépressif, qui pratiquait un romantisme de l'entêtement. Aux bravades de Rostand je préfère maintenant cette phrase d'Isaac Newton : « Si j'ai pu voir au loin, c'est parce que je me tenais sur les épaules de géants. » Pour se hisser jusque-là, Newton avait sans doute la nature du lierre.

DOMINIQUE – On le décrit comme une plante à la fois rampante et grimpante, ce qui me semble témoigner d'un caractère double, voire schizoïde, tant les deux démarches sont à l'opposé l'une de l'autre, la première consistant à se coller à la terre, à en épouser au plus près le relief et le contour, la seconde, à la quitter pour se tendre vers quelque chose sans même savoir de quoi il s'agit. Un pragmatique et un rêveur. Mais peut-être à bien y penser la reptation et l'escalade procèdent-elles d'un même désir de voyage chez la plante qui n'a pas beaucoup d'occasions, ni beaucoup de moyens.

SABINE

NICOLAS – Il est une heure du matin. Une voiture est arrêtée au coin de la rue, son clignotant rouge éclaire notre chambre.

C'est l'heure où nous visitent nos anciennes lectures. Les livres oubliés sont comme des vies antérieures. Je m'imagine ici et ailleurs en même temps, allongé dans ce lit, marchant au centre-ville, mangeant un *medium on rye* sur Saint-Laurent, ou à bord d'une voiture roulant pleins gaz vers l'ouest. C'est l'heure où je suis doué d'ubiquité – à l'instar de Sabine, ce personnage(s) de Marcel Aymé qui pouvait se multiplier à volonté.

D'ailleurs, je me demande ce que devient Marcel Aymé? Est-il toujours lu, enseigné? S'est-il lui aussi divisé, multiplié, éparpillé? Reste-t-il encore un Marcel Aymé quelque part, vieux et ridé et hibernatoire?

Je me demande si demain sera le 20 frimaire, ou si le 19 frimaire se répétera.

Je pense à la mort.

La voiture redémarre, quitte le coin de la rue, la chambre retombe dans la noirceur.

DOMINIQUE – L'actrice Sandrine Bonnaire a réalisé il y a quelques années une sorte de documentaire ou, peut-être plus exactement, de témoignage lors des visites qu'elle faisait à sa sœur dans le foyer de groupe où celle-ci habitait. À l'écran, les deux femmes pourtant presque jumelles n'auraient pu apparaître plus dissemblables : là où l'actrice respire la force et la joie, la malade enflée par les médicaments a le regard fixe et l'immobilité des pierres. Un séjour de cinq ans en hôpital psychiatrique l'a brisée.

Car on découvre peu à peu qu'elle n'a pas toujours été ainsi; des films de famille la montrent, enfant, adolescente puis jeune adulte, rieuse et espiègle. Elle joue du piano, nage, marche sur la plage, libre, jolie, le vent soulevant des mèches folles qui viennent lui fouetter les joues. Revoyant ces images quelque vingt ans plus tard, elle passe la main sur son crâne presque rasé et, les larmes aux yeux, chuchote : « C'était le temps où j'avais les cheveux longs », exprimant par là tout ce qu'elle est incapable de nommer mais qu'elle sait avoir perdu.

J'ai mis du temps à retrouver trace du film ce matin, cherchant un peu partout des informations sur *Elle s'appelait Sabine* – sans me rendre compte que ç'aurait été un titre horriblement triste. Il s'intitule *Elle s'appelle Sabine*.

NICOLAS – Chère Dominique, tu n'imagines pas dans quels recoins obscurs du web j'atterris, certains matins, en suivant une piste documentaire.

Aujourd'hui, je me suis retrouvé sur un forum consacré aux outils antiques. J'ai fait le tour, stupéfait. D'authentiques geeks y discutent de l'origine d'une virole ou d'un ressort, de la fonction d'un mystérieux poinçon, et ça s'échange moult .jpg de houes, de hoyaux, de sapes, de fourches à javelle et à gerbes, de volants, de chevilles à lier, de fléaux de guignette, de cauchoirs, de viroles et de poinçons. Ce forum semble toujours à deux doigts de dégénérer — comme le veut la loi 34 — en une version pornographique de lui-même.

Savais-tu, Dominique, que ces gros ciseaux dont on se sert pour tondre les moutons, et que l'on a sans doute utilisés pour couper les cheveux des futurs guillotinés, se nomment des *forces*?

DOMINIQUE – Le mot vient du moyen français *hoël* et désigne, outre un outil aratoire d'allure plutôt inquiétante, un instrument servant à gratter les parchemins. Si le scribe avait besoin de les gratter, c'est que parfois il faisait une erreur qu'il lui fallait effacer, mais aussi que, le parchemin coûtant cher, il arrivait qu'on le nettoie de la sorte de vieux textes passés de mode pour y en inscrire de nouveaux davantage au goût du jour. Or le résultat était rarement parfait; il subsistait toujours des traces de ce qu'on avait tenté d'effacer entre les lignes de ce qu'on y inscrivait, de sorte que les deux textes, l'ancien et le nouveau, s'enchevêtraient et paraissaient se répondre.

D'une certaine façon, on pourrait dire que toute littérature est palimpseste, comme le roman tel que je le comprends procède toujours d'une forme de contrepoint. Il faut pour que l'œuvre soit vivante qu'on y entende au moins deux voix. Qu'elles se répondent, se complètent, se contredisent, se chevauchent ou s'ignorent n'a pas grande importance; il arrive que cette seconde voix ne soit inscrite dans le texte que sous la forme d'une absence que le lecteur viendra combler, et cela a quelque chose de vertigineux puisqu'il s'agit alors en écrivant de construire tant bien que mal une conversation dont une moitié sera écrite demain ou dans dix ans par un inconnu.

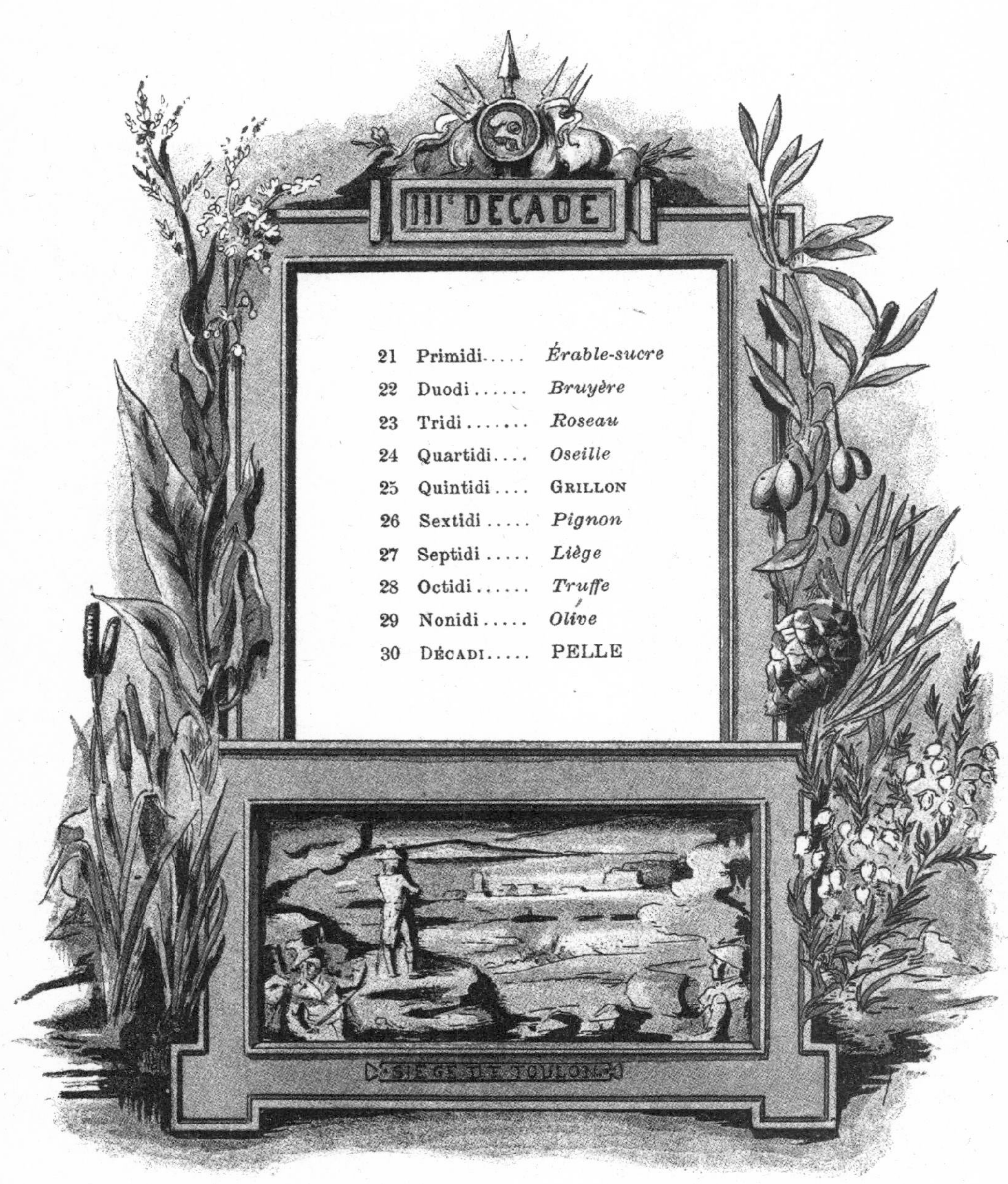
IIIe DECADE
21 Primidi..... Érable-sucre
22 Duodi...... Bruyère
23 Tridi....... Roseau
24 Quartidi.... Oseille
25 Quintidi.... GRILLON
26 Sextidi..... Pignon
27 Septidi..... Liège
28 Octidi...... Truffe
29 Nonidi..... Olive
30 DÉCADI..... PELLE
SIÈGE DE TOULON

NICOLAS – Quelle étonnante anomalie que cet érable typiquement québécois dans ce calendrier typiquement français.

Il m'a fallu m'entêter un peu avant de trouver la clé de l'énigme dans le *Nouveau cours complet d'agriculture théorique et pratique* (1823), ouvrage collectif auquel a contribué André Thouin – il était de toutes les initiatives ce type. On y lit en effet cette étonnante information : « On a essayé de tirer du sucre de l'érable rouge, de l'érable sucre et de l'érable à feuilles de frêne, dans les environs de Paris, et on n'a pas réussi à en obtenir probablement parce qu'on n'a pas su choisir le moment favorable. Ray, Lister, Fougeroux de Boudaroy et autres ont retiré du sucre des érables d'Europe. Depuis que le sucre de canne est devenu fort cher on a renouvelé ces essais : c'est principalement en Bohême qu'on en a obtenu. »

Qu'est-t-il advenu de ces expériences? Les historiens ne s'y sont pas beaucoup intéressés. La fin du petit âge glaciaire a peut-être rendu la production de sucre d'érable européen encore plus difficile. La betterave sucrière a possiblement supplanté l'érable à sucre, ou bien alors le cours du sucre de canne a baissé. Quoi qu'il en soit, de nos jours, dans Google, la recherche « acériculture en Bohême » donne très exactement zéro résultat.

DOMINIQUE – Cet érable à sucre me confond autant ce matin que le feraient un baobab ou un bonzaï apparus pendant la nuit au coin de la rue : que vient-il fabriquer dans le jardin soigneusement aménagé par Fabre d'Églantine (que, soit dit en passant, je commence à avoir l'impression de connaître comme on connaît un personnage de roman)?

J'ai beau fouiller, je suis à peu près certaine que l'érable à sucre ne pousse qu'en Amérique du Nord. Sa présence dans le calendrier républicain est-elle due à André Thouin, jardinier du Jardin des plantes, qui a épaulé Fabre d'Églantine dans son entreprise et a peut-être éprouvé le désir d'y glisser quelques-uns de ses spécimens favoris, tous continents confondus? Ou bien tous les deux jugeaient-ils que d'une certaine façon la Nouvelle-France continuait de leur appartenir, et ses castors, ses loutres, ses lynx, ses bleuets et ses érables sucrés?

Celui qui pousse devant ma fenêtre ne donne pas de sucre. C'est l'arbre le plus haut de la rue, et sans doute aussi le plus vieux. A-t-il l'âge de la maison, bâtie dans les années 1910? J'ignore à quelle sous-espèce il appartient; il ne vire pas au rouge mais au jaune à l'automne, produit chaque année des milliers de samares vert chou, abrite au printemps des familles d'écureuils et le reste de l'année des ratons laveurs qui vont de temps en temps se réfugier à la fourche de ses deux branches maîtresses et restent là longtemps, blottis l'un contre l'autre, à regarder le monde qui s'agite en bas.

BRUYÈRE

NICOLAS – J'aurais de la difficulté à choisir une citation préférée dans *Le baron perché* d'Italo Calvino. J'aime bien ce passage, néanmoins, où Côme et le brigand Jean de Bruyère se croisent dans un arbre : « Ils se regardèrent, d'un air poli, comme deux personnages considérables qui se sont rencontrés par hasard et se félicitent de ne pas être inconnus l'un de l'autre. »

DOMINIQUE – Comme tous les autres *aficionados,* les amateurs de pipes ont leurs cercles, leurs associations et leurs clubs, qui servent notamment à faire connaître les meilleurs artisans et fournisseurs et à dispenser des informations pour le novice désireux de s'initier à la chose. Sur le très complet www.fumeursdepipe.net, les conseils d'entretien de l'outil (différents selon que la pipe est en bruyère, en écume, en terre, en porcelaine ou en maïs) font à eux seuls plusieurs pages détaillées.

« La pipe, explique-t-on, est au départ un plaisir solitaire.

« N'ayez aucune honte à rallumer plusieurs fois votre pipe.

« Utilisez votre main : vous devez sentir un fourneau légèrement chaud, bien sûr, mais si le serrer en main est difficile, marquez le pas.

« Ne gardez pas en tête les durées de fumage dont vous avez pu entendre parler : il n'y a aucune règle, la durée du fumage dépendant bien sûr d'un bon bourrage, mais aussi [...] de la taille du fourneau. »

Lorsque vient le temps de prendre soin de la chose pour la polir, « d'aucuns préfèrent la méthode "naturelle", qui consiste à passer sa pipe sur la peau, entre la joue et le nez ».

On explique ensuite comment procéder au culottage de l'appareil, en précisant : « Dans tous les cas, ne jamais déculotter jusqu'au bois vierge. »

Je pourrais continuer, mais la pudeur me l'interdit.

ROSEAU

DOMINIQUE – Apparemment, les noms Rousseau (de *roux,* donné à l'origine à ceux qui avaient les cheveux de cette couleur) et Roseau, qui vient de la même famille, n'ont longtemps constitué qu'un seul patronyme.

Le douanier Roseau; Jean-Jacques Roseau...

Cela me rappelle qu'une étudiante, dans un cours de littérature où j'avais été invitée à parler du *Bon usage des étoiles,* m'avait demandé pourquoi j'avais ressenti le besoin de créer un personnage français parmi mon équipage de Britanniques, et de lui donner le curieux nom de Crozier.

C'est Robert Grenier, archéologue subaquatique, chef de nombreuses expéditions visant à retrouver les épaves du *Terror* et de l'*Erebus,* notre Indiana Jones national, en outre ferré en généalogie, qui m'a appris que le nom vient de « Croisé », et qu'il désignait tout naturellement des familles dont l'un des aïeux avait pris part aux Croisades. À partir de ce moment-là, je me suis mise à imaginer mon Crozier seul sur la banquise blanche, tel une sorte de chevalier donquichottesque.

Nicolas – L'hiver dernier, Marie et moi avons beaucoup joué à Agricola, un jeu de société allemand où les joueurs doivent faire croître et prospérer une ferme médiévale. Les règlements sont si compliqués qu'il nous a fallu une semaine avant de pouvoir jouer une partie à peu près complète, le livret toujours à portée de la main.

Parmi la multitude de contraintes, les joueurs doivent amasser divers matériaux afin de construire ou d'agrandir les bâtiments, et, parmi ces matériaux, on doit toujours compter quelques jetons de roseau. Je me demandais pourquoi le roseau était si important, et je croyais à un règlement purement arbitraire, dénué de tout fondement historique – jusqu'à ce matin. Wikipédia soit loué, je sais désormais que les toits de chaume étaient en réalité des toits de roseau.

Nicolas – Dans mon enfance, le gazon familial avait indéniablement un petit côté sauvage. Rien à voir avec ces monocultures de Kentucky bluegrass que sont devenus les parterres de banlieue : sur notre pelouse croissaient çà et là le plantain et le pissenlit, la prêle, l'épervière et la marguerite, quelques pensées évadées, et des coprins chevelus en automne. Sur le talus d'en avant, près de la rue, on était sûr de pouvoir trouver quelques plants de surette qui ne parvenaient jamais à fleurir, entre deux passages de tondeuse. Les feuilles étaient frêles et tendres, et je me souviens d'en avoir ajouté quelques fois à notre salade. Tout était bon, dans le gazon.

Dominique – Dans *A Room of One's Own,* Virginia Woolf écrit qu'une femme doit, pour être à même d'écrire de la fiction (je lis : des romans), posséder une chambre à elle, dont la porte est munie d'une serrure.

C'est le passage qu'on cite le plus souvent, préférant généralement passer sous silence la première partie de la phrase, qui dit que pour être à même d'écrire, une femme doit posséder de l'argent, suffisamment en tout cas pour être financièrement indépendante. Ce n'est pas la porte fermée à clef qui gêne aujourd'hui, on est bien prêt à admettre qu'un écrivain, fût-il femme, ait besoin de son jardin secret où se retirer pour créer, mais cet argent suspect qui, pour certains, ravale d'emblée l'écrivain féminin indépendant de fortune – il y en a – au rang de dilettante, comme si la construction d'un roman était pour ces dames un agréable délassement entre le tricot, le bridge et la confection de cupcakes.

GRILLON

DOMINIQUE – Le dernier est disparu il y a quelques semaines à peine. Il stridulait encore tout seul, le soir, dissimulé dans la haie entourant la grande demeure en pierre taillée, au coin de la rue, qui a l'air d'une maison hantée avec son toit d'ardoises fatiguées, ses fenêtres cassées et sa serre derrière les carreaux de laquelle on aperçoit les silhouettes longilignes et les moues boudeuses d'une collection d'orchidées. Il pleut sans discontinuer depuis cette nuit; les ultimes plaques de neige ont disparu, lapées par le chien aussi désespéré qu'un assoiffé au milieu du désert. À un peu plus d'une semaine de Noël, il fait encore un temps presque printanier; le magnolia devant la maison hantée a recommencé à faire de timides boutons, toute la journée je regarde suinter les nuages et la pluie perler au bout des branches de l'érable détrempé.

NICOLAS – Ma copine d'alors tenait mordicus à visiter la maison de Salvador Dalí, à Port Lligat. J'étais plutôt porté sur Miró, mais j'ai consenti. Je garde un souvenir vaporeux de ma visite. À vrai dire, je ne me souviens que d'une chose : ces minuscules cages à grillons, grosses comme des figues, accrochées aux murs. Paraît que Dalí adorait le chant des grillons. Un goût étrangement simple, il me semble, pour un homme aussi excentrique.

PIGNON

DOMINIQUE – Il y a quelques années, les héritiers de Lucy Maud Montgomery ont demandé à un écrivain canadien-anglais auteur de plusieurs romans destinés à la jeunesse d'écrire un antépisode (un *prequel*) à *Anne... la maison aux pignons verts*. Elle s'est exécutée, pondant un pavé de quelque trois cents pages relatant la naissance et la petite enfance de la rousse orpheline avant son arrivée chez Matthew et Marilla Cuthbert à Avonlea. Le résultat n'est pas un mauvais livre, mais c'est un ouvrage à mille lieues de l'univers de L. M. Montgomery qui, en subtile portraitiste, offrait dans ses romans une véritable peinture de mœurs, brossant avec un égal bonheur les personnages de commères et les fillettes exaltées. Les aventures d'Anne se distinguaient surtout par la tendresse bourrue et l'ironie dont elles étaient baignées. L'antépisode, bien différent, est dépourvu d'humour et fait dans l'analyse psychologique et le pathos assez pesant – un peu comme si l'on avait demandé à Chrystine Brouillet de terminer un manuscrit inachevé de Jane Austen.

Une autre forme de trahison : l'hommage.

Nicolas – Un de mes amis, à la fin des années 1990 – autant dire l'âge de bronze –, a fondé une compagnie de design de sites web qui se nommait *Pignon sur Web*.

La métaphore était chargée : nous imaginions ce nouvel endroit comme une zone habitable, un espace où nous finirions par vivre. Nous n'avions peut-être pas entièrement tort, puisque nous passons désormais l'essentiel de nos carrières – et un bout appréciable de nos vies personnelles — plus ou moins directement sur le web. Le réseau est devenu notre environnement de travail, comme les poutrelles et les passerelles autrefois pour les constructeurs de gratte-ciel.

Il s'agit, toutefois, d'un espace impropre à la vie. Nous y passons nos journées, certes, mais comme ces scaphandriers qui, dans les grandes profondeurs, en respirant de l'hélium, font de la soudure aux pieds des plateformes pétrolières.

Liège

Nicolas – En dépit des frustrations que cela occasionne, j'avoue que j'aime tomber sur un vin bouchonné. J'aime confirmer qu'il me reste assez de nez pour percevoir, au travers des parfums de baies et d'agrume, l'odeur cavernicole du liège.

Dominique – Envie aujourd'hui d'une correspondance livrée par bouteilles lancées à la mer.

En écrivant ces mots, je me rends compte que c'est déjà ce que nous sommes en train de faire.

Truffe

Dominique – Les Anciens l'appelaient *champignon du diable,* persuadés qu'elle ne poussait que là où la terre avait été frappée par la foudre. Si Théophraste affirme que les truffes sont « engendrées par les pluies d'automne accompagnées de coups de tonnerre », quelques siècles plus tard, Pline l'Ancien estimera plutôt qu'elles consistent en simple « agrégat des éléments du sol ». Pour tous les deux, la truffe demeure un mystère. Dépourvue de racines, elle pousse capricieusement au pied de certains chênes, mais aussi de tilleuls et de noisetiers, où on ira la débusquer grâce à un cochon, à un chien ou à une mouche – car on ne fait pas que pêcher, on cueille aussi à la mouche.

Apparemment, l'odeur terreuse et musquée du champignon rappelle au verrat le suave parfum de sa femelle en chaleur. On comprend pourquoi l'animal traque les truffes avec un tel entrain. Mais qu'en est-il de la mouche? La prédilection de l'*Helomyza tuberivora* pour la truffe s'explique par ce qu'elle pond ses œufs à même le sol, exactement au-dessus du champignon dont ses larves se nourriront.

Quant au chien, en regardant de près la surface sombre, caoutchouteuse et finement craquelée de son nez frémissant, il semble évident qu'en creusant la terre il espère tomber sur une truffe amie.

NICOLAS – Le philtrum, ce canal qui surplombe notre lèvre supérieure, est un vestige de la truffe. On peut d'ailleurs, chez le chien ou le chat, contempler le philtrum dans son état pleinement fonctionnel : il s'agit de cette incision verticale qui descend jusqu'à la bouche, et qui assure apparemment l'irrigation de la truffe. Les fluides de la bouche seraient drainés vers le haut, par capillarité, afin d'humecter la surface et de lui assurer une plus grande efficacité olfactive.

Chez l'humain, le philtrum ne sert plus à rien : nous sommes myopes du pif.

OLIVE

DOMINIQUE – Depuis des millénaires, les peuples du bassin méditerranéen se nourrissent des fruits et de l'huile de l'olivier, qui a aussi longtemps été utilisée pour alimenter les lampes, tandis que son bois dense et noueux servait de combustible. Voilà un arbre qui sustente, éclaire et réchauffe.

On se prend à regretter qu'il n'y ait pas davantage de livres semblables.

NICOLAS – Parmi les nombreuses choses qui me fascinèrent, lors de mon premier voyage en Espagne, l'olivier occupe une place toute spéciale.

Je séjournais alors en Estrémadure, terre des *conquistadores,* et partout les collines poussiéreuses étaient couvertes d'oliveraies. J'aimais le vert de leur feuillage, qui ondoyait à la moindre brise (la face supérieure de la feuille de l'olivier est en effet d'un vert brillant, cependant que sa face inférieure est vert argenté).

On trouve, dans mes cahiers de l'époque, toutes sortes de croquis de rameaux d'oliviers, de troncs, de drupes. J'aimais beaucoup dessiner la silhouette des vieux arbres, dont le tronc était pratiquement conique, énorme à la base comme le pied d'un sauropode, et s'affinant vers le haut pour se terminer par ce bruissement de branches fines.

À mon retour sur Paris, où je devais prendre l'avion, j'ai noté que la pièce d'un franc portait un rameau d'olivier. Encore tout imprégné de l'Estrémadure, je me souviens avoir songé que les Français étaient décidément bien imbus de leur Midi, pour oser ainsi frapper monnaie à l'image d'un arbre qui pousse nettement mieux chez le voisin.

PELLE

DOMINIQUE – 30 frimaire, à cinq jours de Noël, il n'y a toujours pas un flocon au sol. J'en suis réduite à écrire des histoires de neige pour la retrouver. Sur le mont Royal, en fin de semaine, le chien en a aperçu au loin une large tache qui avait miraculeusement survécu au redoux. Il est parti au grand galop, comme lorsqu'il était petit, mais c'est un vieux danois à la face blanchie que nous avons, et il s'est emmêlé dans ses longues pattes, incapable d'aller la rejoindre. Remis debout avec un peu d'aide, il est reparti d'un pas plus mesuré, sans quitter des yeux le cercle blanc. Malheur : ce n'était pas de la neige, mais de la glace opaque, qui s'est mise à craquer sous ses pieds.

Dans ces moments-là, il nous regarde avec dans les yeux un reproche incommensurable, comme s'il nous soupçonnait d'être de mèche avec la nature.

Nicolas – À l'âge de dix ans, à la suite d'une visite sur les plaines d'Abraham, je conçus le projet de bâtir une tour Martello. Pas grandeur nature, mais presque. Mon père, qui me connaissait trop bien, s'engagea à payer le coût des matériaux de construction (« en pierre de taille », précisa-t-il avec un sourire en coin) si d'aventure je parvenais au bout de cette entreprise qui consistait à creuser le trou destiné à loger les fondations.

Je trimballai pioche et pelle jusqu'au site de la future tour Martello, traçai un cercle de trois mètres de diamètre et me mis au boulot.

Ce devait être le secteur le plus increusable de notre terrain : un endroit à la fois aride et argileux, semé de cailloux et veiné de racines de pin. C'est à peine si je parvins à scalper la parcelle de sa coriace couche de chiendent, et les premiers cailloux m'arrêtèrent net. Je rebouchai mon amorce de trou et ramenai les outils à la remise, la mine basse.

Durant quelques semaines, un étrange cercle de gazon jauni rappela mes ambitions mortes. Comme la trace d'une soucoupe volante qui se serait posée là quelques instants, avant de s'envoler pour de bon.

NIVÔSE

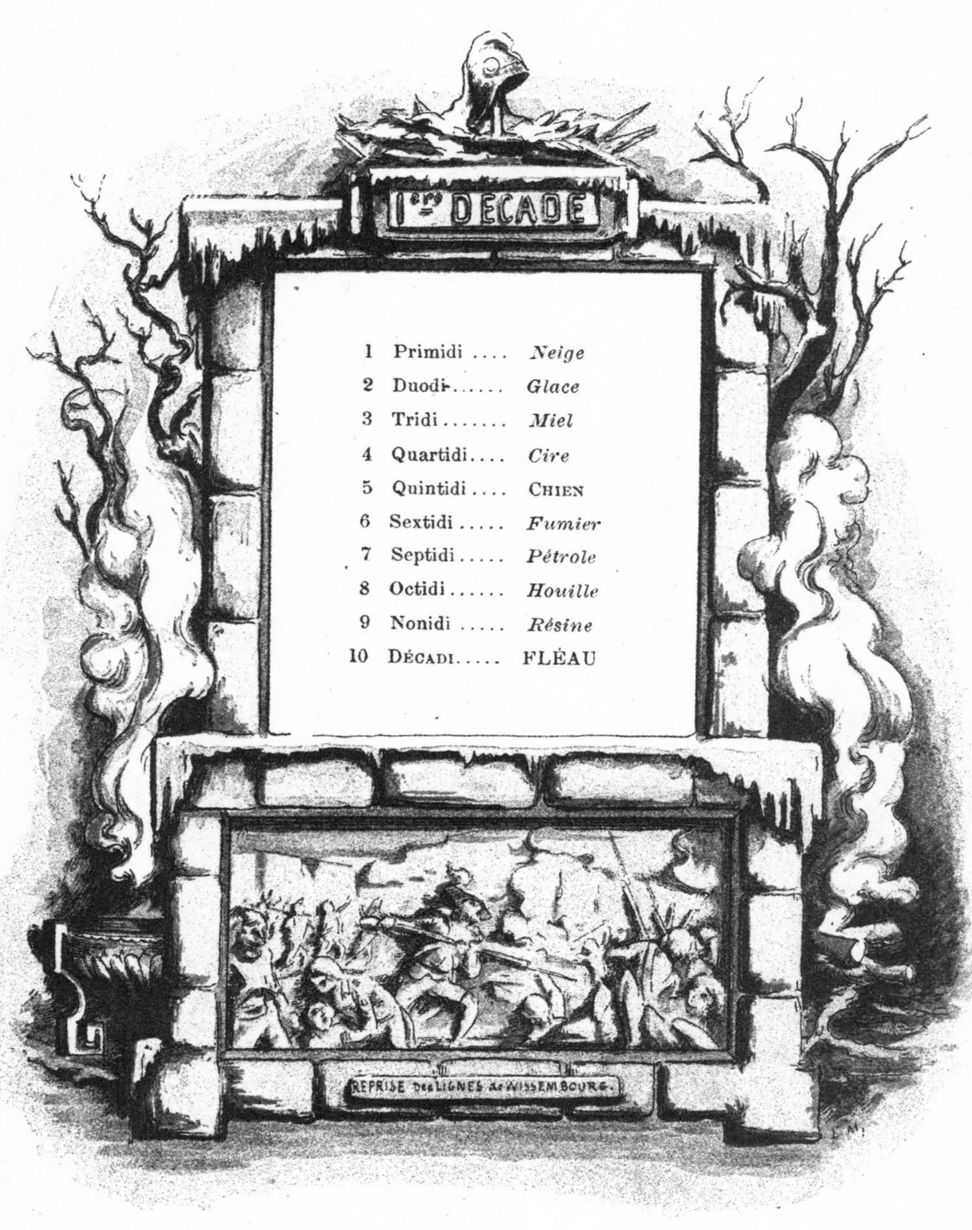
1ère DECADE
1 Primidi .... *Neige*
2 Duodi ...... *Glace*
3 Tridi .... *Miel*
4 Quartidi .... *Cire*
5 Quintidi .... CHIEN
6 Sextidi ..... *Fumier*
7 Septidi ..... *Pétrole*
8 Octidi ...... *Houille*
9 Nonidi ..... *Résine*
10 DÉCADI .... FLÉAU
REPRISE Des LIGNES de WISSEMBOURG

DOMINIQUE – Est-ce un hasard si ce 1er nivôse, premier jour de l'hiver, journée la plus courte de l'année (par conséquent la nuit la plus longue), est inscrit sous les auspices d'une matière noire et lourde comme le plomb?

On apprend dans l'*Encyclopédie* de Diderot et d'Alembert l'existence d'une région des Pays-Bas du nom de Peel, laquelle est « entièrement composé[e] de tourbe, c'est-à-dire de débris de végétaux, de feuilles, de plantes, détruites & devenues compactes ». Mais cette vaste étendue n'est pas un marais ordinaire, puisqu'on y trouve aussi « une grande quantité d'arbres, & surtout de sapins, ensevelis quelquefois à une très-grande profondeur, & cependant très-bien conservés; ces arbres sont tous couchés vers le sud-est ».

La description évoque une forêt de conte soufflée par quelque vent terrible qui, déracinant les sapins, les aurait sagement étendus côte à côte entre les strates de sphaignes, de boues, d'argile, de coquillages et d'autres fossiles, comme on met des fleurs à sécher entre les pages d'un livre.

NICOLAS – À l'époque où j'habitais en Allemagne, je travaillais à un roman portant sur les greffes cardiaques et les momies. Or, il me vint à l'esprit que je me trouvais à quelques heures de train du Danemark, véritable Mecque des momies de tourbières. L'occasion était trop belle.

Je googlai les diverses étapes de mon voyage : d'abord Schleswig, afin de visiter l'Homme de Rendswühren, l'Homme de Damendorf et la Fille de Windeby, puis le Musée national du Danemark, à Copenhague, afin d'y visiter les momies de Borremose, et enfin le petit musée de Silkeborg, clou du pèlerinage, où je présenterais mes respects au légendaire Homme de Tollund.

Je partis un vendredi matin à l'aube et je traversai l'Allemagne de part en part, depuis la Bavière jusqu'à la mer du Nord.

À Hambourg mon train accusait une heure de retard. Décidé à prendre les choses avec philosophie, je dînai d'un sac de chips et d'une bière. Lorsque nous quittâmes enfin Hambourg il se mit à pleuvoir. Nous filions vers le nord en traversant des plaines interminables, plantées d'éoliennes surréelles et de vaches neurasthéniques. Je changeai plusieurs fois de train, chacun d'entre eux plus lent et plus décrépit que le précédent, jusqu'à me retrouver dans un minuscule convoi de trois wagons qui arrêtait dans le moindre village.

En fin d'après-midi, je débarquai finalement à la gare de Schleswig. Le temps de consulter le plan de ville affiché au mur, je partis en direction du musée municipal. Au guichet du musée j'achetai mon billet en ignorant les tourniquets de cartes postales et les chopes commémoratives. Je déposai mon sac à la consigne et me précipitai vers les salles d'exposition.

Dès mes premiers pas dans le vestibule, j'éprouvai un mauvais pressentiment. J'espérais découvrir d'énormes panneaux indiquant :

Ne Manquez Surtout Pas Les Momies!

Les Momies Sont Par Là!

Momies : Troisième Étage, Grande Salle d'Exposition!

À la place, une multitude de flèches annonçaient une exposition multimédia sur les samouraïs, une installation interactive sur la technologie des Vikings, une rétrospective des eaux-fortes de Goya et un panorama de l'industrie du hareng fumé à Schleswig à travers les âges. Rien sur les momies. Autour de moi s'agitaient des lycéens tapageurs et j'eus soudain l'intuition accablante d'être l'unique personne venue voir les momies.

Il me fallut vingt minutes de recherches pour les trouver, dans une minuscule salle tout au bout du cinquième étage, dans le coin des artefacts de Papouasie. L'endroit était désert. Dans la pénombre brillaient faiblement trois aquariums, éclairés par des ampoules de 40 watts.

Je m'approchai de la première momie, les mains jointes.

Le haut de son corps était parfaitement momifié, mais sa poitrine semblait avoir écopé d'un tir d'obus. Je tentai de déchiffrer les panneaux explicatifs, mais tout était en allemand, et je ne parvins à comprendre qu'une seule chose : il s'agissait de la Fille de Windeby. Je regardai son bras craintivement replié, son thorax à ciel ouvert, son crâne rasé et, surtout, le bandeau sacrificiel qui recouvrait ses yeux.

Ce que je trouvai dans le deuxième aquarium n'améliora pas mon état d'esprit : couché sur le côté, l'Homme de Damendorf levait le bras afin de protéger son visage d'une menace invisible. Malgré le passage des siècles, son épouvante demeurait intacte. Son corps, en revanche, souffrait d'un singulier aplatissement : il ne dépassait pas les deux centimètres d'épaisseur. Qu'était-il advenu de ses os? Aucune trace du bassin, de la cage thoracique ou de la colonne vertébrale. Même la boîte crânienne était mince comme un sac de papier. L'Homme de Damendorf avait déserté son propre corps, ne laissant derrière qu'une peau froissée.

Je me grattai la nuque avec perplexité, soudain moins enthousiasmé par mon petit pèlerinage. Au fond du troisième aquarium, l'Homme de Rendswühren semblait en proie à une intense crispation, les chairs ramassées sur son squelette, les articulations soudées dans une variété d'angles impossibles. Une longue cicatrice grossièrement recousue traversait son abdomen, relief sans doute d'une autopsie archéologique, et tout son corps paraissait d'une fragilité extrême, vulnérable comme un nouveau-né.

Je reculai en dehors de la lumière jaunâtre que diffusaient les aquariums. Le temps de récupérer mon sac à la consigne, je sortis à l'air libre en titubant. De retour à la gare, debout devant le distributeur de billets, je pensais à l'Homme de Tollund, allongé dans son aquarium quelque part au nord, de l'autre côté de la frontière danoise, dans un autre musée.

Je pris le premier train qui allait vers le sud.

NICOLAS – Hiver 2002, mon amie Pamela m'invita à l'accompagner chez son fiancé, Martin, qui étudiait l'ingénierie à Cottbus, en ex-Allemagne de l'Est. Il partageait avec trois confrères d'université un immense logement qu'ils louaient pour une bouchée de pain.

J'appris avec surprise que l'endroit était chauffé au charbon – comme la plupart des résidences de Cottbus, d'ailleurs. Il s'agissait du combustible est-allemand de prédilection : bon marché, mais polluant. Certains matins d'hiver, m'expliqua-t-on, il flottait dans les rues de la ville une sorte de smog typiquement postsoviétique.

Amusé par mon enthousiasme, Martin me montra la fournaise. Elle possédait une certaine stature. Pas tout à fait belle, mais imposante. Elle était toutefois moins poétique que je l'aurais pensé : on n'y enfournait pas des morceaux d'anthracite lustré, mais de vulgaires briquettes de coke, similaires aux briquettes de charbon de bois que l'on brûle dans les hibachis.

DOMINIQUE – La houille est en quelque sorte la quintessence de la tourbe qui nous occupait hier.

Je soupçonne Fabre d'Églantine d'avoir possédé un esprit binaire, un concept chez lui en appelant irrésistiblement un autre qui vient non pas tant compléter le premier que le renforcer et le confirmer. Les cases de son calendrier font penser aux cartes de ces jeux de mémoire qu'il faut retourner deux à la fois pour en trouver des semblables. Chaque date aurait ainsi une jumelle qui lui fait écho : pomme de terre–topinambour; citrouille–courge; pelle–pioche; bœuf–âne.

Cela rappelle un peu *Le miroir des idées* où Michel Tournier explorerait, quelque deux cents ans plus tard, des couples où « les idées s'éclairent en s'opposant deux à deux », livre qui présente notamment des réflexions sur le rapport entre la chasse et la pêche, Pierrot et Arlequin, la cave et le grenier, le soleil et la lune, le sel et le sucre.

Mais il n'est pas défendu d'imaginer à partir du calendrier républicain des paires moins convenues, comme on assemble dans certains jeux d'enfants le nez d'un personnage aux yeux d'un second pour donner naissance à des créatures qui tiennent à la fois du chien et du lézard : safran–hoyau; dindon–garance; coing–pignon.

Et si ce livre écrit à quatre mains était de ce genre d'hybrides? Journalmanach; éphémémoires; calencyclopédie?

NICOLAS – En me documentant sur les momies, je fus navré d'apprendre tous les trucs de charcutier mis en œuvre autrefois, en Égypte, par les embaumeurs.

Le fait est bien connu, les corps étaient éviscérés, puis écervelés. La pelure restante était récurée, suspendue à sécher au soleil et entreposée dans le carbonate de sodium – plus ou moins dans l'ordre.

Le résultat était laqué au bitume, m'sieurs-dames, rien de moins.

Depuis, je ne vois plus comment on peut s'épater de l'art des embaumeurs égyptiens. D'une part, le corps humain a une tendance naturelle à se momifier; on le constate régulièrement en découvrant un octogénaire oublié sur son sofa depuis deux ou trois ans, la télé encore allumée. D'autre part, les Égyptiens l'avaient facile. Donnez-moi des sacs de sel et de bicarbonate de soude, un climat où l'air accuse dix pour cent d'humidité relative et une bonne couche de bitume pour colmater les orifices, et je vous en bricolerai, moi, des pharaons capables de traverser les millénaires comme des obus.

DOMINIQUE – Je comprends bien que les républicains souhaitaient sans doute effacer toute trace de Noël, fête fâcheusement chrétienne, et que par ailleurs à ce temps-ci de l'année il devait commencer à faire froid dans les logements parisiens, mais de là à entonner une aussi triste litanie de noirs combustibles à la veille du 24 décembre...

Chose certaine, ils ne pouvaient pas savoir que, trente ans à peine après qu'ils eurent imaginé leur calendrier, un homme, leur contemporain, inventerait un procédé quasi miraculeux, qu'il baptiserait *héliographie*. L'histoire n'a pas retenu son nom aussi bien que celui de son associé, Louis Daguerre.

Il reste que c'est Nicéphore Niépce qui réalisa le premier cliché photographique, une vue de la fenêtre de son grenier à Saint-Loup-de-Varennes, en exposant pendant plusieurs heures une plaque de cuivre enduite de bitume de Judée qu'il trempa ensuite dans un solvant. De cela, je gardais un vague souvenir pour avoir subi, à l'université, un cours de photo. Mais je suis à peu près sûre qu'à l'époque on ne nous avait pas dit en quoi consistait ce solvant; or je découvre ce matin seulement qu'il s'agissait d'essence de lavande. Alors qu'on ne nous épargnait rien des détails du fonctionnement du diaphragme et de l'obturateur, de la mesure de la profondeur de champ et du calcul du temps d'exposition, comment n'a-t-on pas jugé bon de nous informer que la toute première photographie fleurait bon les draps frais?

SOUFRE

DOMINIQUE – Désormais, dans mon esprit, *héliotrope* et *soufre* sont liés, si bien qu'en découvrant le mot du jour je soupçonne que Jeeves a fait une erreur et qu'il bégaye.

Ce soufre apparaît comme une façon pour nos calendaristes – dis-moi, Nicolas, toi qui es sûrement plus calé que moi en musique, n'est-ce pas le nom d'un band de rock indie? – de marquer de façon particulièrement éclatante leur mépris des bondieuseries; un ultime pied-de-nez aux préparatifs de l'Avent. Du coup, j'attends avec impatience de découvrir ce que nous auront réservé ces messieurs pour demain. Un morceau de charbon dans le bas de Noël?

NICOLAS – Je prétends qu'il n'existe aucun triomphe comparable à celui d'allumer un feu de camp sous la pluie battante avec une seule et unique allumette.

CHIEN

NICOLAS –

De : Nicolas Dickner

À : Dominique Fortier

Date : 18 nivôse 220 08 :15 :25

Objet : Votre animal

Chère Dominique,

Elle est à jamais gravée dans ma mémoire, cette matinée d'octobre où vous me présentâtes votre deutsche Dogge. Même si je m'attendais à un animal considérable, préparé en cela par la photo que vous publiâtes à l'occasion de la journée internationale et républicaine du cheval, je suis resté impressionné. Par ses mensurations, assurément, mais par son attitude surtout, que je peine toujours à décrire. Curieusement belliqueux? Burlesquement anthropophage? Aléatoirement menaçant?

Vous fîtes, ce jour-là, bien des efforts pour me faire croire que votre mastodonte avait un caractère primesautier, un brin sauvage peut-être, et qu'il ne fallait y voir rien de personnel, mais j'ai depuis compris, en vérité je vous le dis, qu'il réprouvait tout bonnement notre entreprise. Voir sa romancière de maîtresse se transformer en chroniqueuse fantaisiste n'a pas dû lui plaire, et il a tout fait pour me décourager d'en discuter avec vous.

Faites-lui savoir, je vous prie, que je persisterai.

Votre cochronaute,

N

DOMINIQUE – Victor malade depuis trois jours, nous hésitons à partir pour Québec et prenons finalement la route en fin d'après-midi le 24, nous attendant à moitié à devoir faire demi-tour à Saint-Hyacinthe. Avenue Papineau, les voitures avancent à un rythme de tortue, pare-chocs à pare-chocs dès Marie-Anne, les conducteurs étonnamment calmes. Le soleil se couche, il fait bleu foncé. Du pont on aperçoit les tours de bureaux, les clochers et la fumée des cheminées qui montent ensemble vers le ciel. Le thermomètre de la voiture indique -14 puis, à mesure qu'on roule, -17, et bientôt -22. La nuit est cloutée d'étoiles.

À Sainte-Anne-de-Beaupré, les gens ont bariolé leurs maisons de courants d'ampoules multicolores. L'auberge Baker scintille, bleue et blanche. Ma cousine Véronique prépare les mêmes meringues exactement qu'autrefois ma grand-mère.

Petit matin à Saint-Antoine-de-Tilly, le fleuve est une bande de clarté entre deux rubans gris : la berge et le ciel.

Arrêt obligé chez Ashton avant le retour. Une journée s'est écoulée. Noël. Outremont ressemble à une crèche sous la neige avec ses maisons de briques rousses et ses promeneurs encapuchonnés. Guéri, le chien gambade gauchement entre les arbres du parc Joyce, désert dans la brunante d'hiver.

LAVE

NICOLAS – Je fais mes recherches documentaires sur le web grâce à un formulaire bricolé sur mesure, où les champs de Wikipedia anglais et Wikipédia français se voisinent. Il m'arrive souvent de saisir par erreur une recherche en anglais dans le champ français, et vice versa.

Cela donne parfois d'heureux résultats. Eussé-je bêtement, par exemple, recherché *lave* en français que j'aurais appris l'existence d'une pierre calcaire qu'en

Bourgogne on utilise pour recouvrir les toits. La version anglaise, en contrepartie, m'apprend l'existence du *Lave,* cuirassé de la classe *Dévastation*.

Ce cuirassé, qui comptait parmi les premiers construits en France, fut déployé sur la mer Noire, durant la guerre de Crimée, où il contribua à raser vite fait les fortifications russes, ce qui s'avéra un des grands succès initiaux des cuirassés à coque en fer, sept ans avant l'affrontement du *USS Monitor* et du *Merrimack*.

Bonheur tranquille des petites sérendipités quotidiennes.

DOMINIQUE – Dans la première partie des *Larmes de saint Laurent,* je me suis attachée à suivre le destin de Ludger Cyparis (rebaptisé Baptiste pour l'occasion), unique survivant de l'éruption de la montagne Pelée qui, en 1902, détruisit Saint-Pierre en Martinique. Or ce volcan me causait du souci. J'imaginais assez bien chez les personnages le crescendo d'hystérie précédant l'anéantissement de la ville, mais je n'arrivais pas à appréhender le désastre, à décider de la couleur qu'il fallait donner au récit de l'événement lui-même. L'ironie était exclue, comme la légèreté. Mais aussi le réalisme, et le tragique : Saint-Pierre à l'époque comptait quarante mille âmes; pour réussir à offrir une idée de l'ampleur du cataclysme, il m'aurait fallu recourir à une surenchère descriptive d'avance vouée à l'échec. On ne peut pas gagner à se mesurer à un volcan.

Et puis, un matin, il m'est apparu que le seul moyen de donner au lecteur une impression suffisamment forte de cette apocalypse consistait à lui permettre de se l'imaginer lui-même. J'ai griffonné trois pages jetées telles quelles dans le roman et qui sont peut-être, de tout ce que j'ai écrit, ce dont je suis le moins insatisfaite. Elles ne parlent ni de coulées de lave, ni de torrents de feu ni de tempêtes d'éclairs, mais offrent un minuscule aperçu des dernières minutes de quelques-uns des habitants de la ville surpris dans leurs amours, leurs rapines ou leurs songes.

Pour évoquer la mort, il me fallait non pas tenter de la contempler en face mais tenter de montrer la vie. J'en ai retenu que la solution parfois consiste à regarder derrière ou à côté de ce que l'on croit chercher.

Relisant ces quelques lignes des mois plus tard en vue de la publication, je me rends compte que je n'ai fait qu'appliquer l'une des précieuses leçons d'Yvon Rivard, qui nous enseignait les vertus du regard oblique, dont parle aussi Italo Calvino dans la première de ses Leçons américaines, *consacrée à la légèreté, où il explique que le monde qu'il s'efforçait de saisir par l'écriture lui semblait parfois devenir pierre, comme transformé par l'implacable regard de Méduse.*

« Un seul héros est capable de trancher la tête de Méduse : Persée, qui prend son envol sur des sandales ailées; Persée qui ne tourne jamais les yeux vers le visage de la Gorgone, mais seulement vers son image reflétée dans le bouclier. [...] Pour trancher la tête de Méduse sans devenir pierre, Persée prend appui sur ce qu'il y a de plus léger, les nuages et le vent; et son regard se pose sur ce qu'une vision indirecte est seule en mesure de lui révéler, c'est-à-dire sur une image capturée dans un miroir. »

Les armes propres du poète (et du romancier) : non pas l'épée ni le bouclier, mais le miroir, les nuages, le vent.

Dominique – Enfant, je possédais deux disques : *Le petit prince,* dont l'écoute me plongeait immanquablement dans une sorte de dépression légère doublée d'irritation, non pas tant en raison de l'histoire, il me semble, que du timbre de la voix et des intonations du narrateur (et puis aussi, je l'avoue, à cause de cette insupportable rose), et un album de Sol, dont l'effet était plus complexe.

Sol était drôle, mais il n'était pas que cela; sa drôlerie était empreinte de gravité et, procédant de ce que les choses ne sont jamais tout à fait comme elles devraient être, révélait l'envers de ce qu'elle prétendait montrer. Sur ses lèvres les mots se contorsionnaient, s'étiraient comme des élastiques, se télescopaient pour se réassembler autrement, se tordaient comme ces longs ballons qu'on noue pour en faire des animaux, se rompaient en creusant des gouffres dans lesquels il s'empressait de sauter à pieds joints. Du haut de mes quatre ou cinq ans, je savais déjà que l'énergumène qui apparaissait sur la pochette, coiffé d'un galurin en lambeaux, vêtu d'un long manteau rapiécé – qu'il appelait son « déficient manteau » –, n'était pas un clochard, comme le laissait supposer son costume, ni même un clown : c'était un magicien.

Nicolas – Ma priorité, lorsque nous avons acheté notre maison, c'était d'installer la compostière.

Je sais, je sais. Les gens éprouvent, d'habitude, des désirs domiciliaires plus normaux. Planter des tomates, installer un spa, envoyer les enfants jouer dehors, avoir un bureau, un atelier, un cinéma maison. Moi aussi, je voulais tout ça. Mais la compostière occupait une place de choix dans le panorama.

Je ne chanterai pas ici les vertus de l'écologisme urbain. Il ne s'agit pas de compostage rationnel. Pour tout dire, notre cour est petite et plutôt ombragée, et notre compost ne servira assurément pas à engraisser les tomates et les oignons.

En fait, une épineuse question persiste : que ferons-nous donc de ce bel humus? Où viderons-nous cette compostière, l'automne venu? Je n'y ai même pas pensé, c'est vous dire combien cette histoire est irrationnelle.

Le fond de l'histoire est, en somme, assez simple. J'étais hanté par ce passage de *Cent ans de solitude* où l'un des personnages, parlant de Macondo, affirme qu'un village n'a pas de racines tant qu'on n'y a pas enterré un mort.

La compostière était, en quelque sorte, et en toute humilité, le cimetière de mon petit Macondo à moi.

DOMINIQUE – Hum.

Voilà ces messieurs qui se mettent à recourir aux insultes. Ils auraient pu attendre au moins la demi-année avant de sombrer dans les grossièretés… D'ailleurs, n'est-ce pas au printemps qu'on l'épand, et à l'automne? Que vient faire ce fumier intempestif entre la dinde de Noël et le champagne du Nouvel An?

Quelques noms me viennent en tête, que je tape et efface aussitôt, me disant que, selon le principe du palimpseste ou de l'homéopathie (l'un n'exclut pas l'autre), il en restera bien quelque chose entre les lignes, dans le blanc du papier. Ils sont peu nombreux, cela fait toujours plaisir à constater; je ne cultive pas la rancune.

« Choose your enemies carefully 'cos they will define you », chante Bono dans *Cedars of Lebanon*.

On s'attache aussi sûrement à ceux qu'on hait qu'à ceux qu'on aime. Plus, peut-être.

NICOLAS – Je déteste lorsque ma mémoire transplante une scène d'un livre dans un autre livre, ou pire : que mon imagination l'y ajoute.

Ainsi je pensais que Nicolas Gogol avait narré, dans *Les âmes mortes*, un épisode où Pavel Ivanovitch Tchitchikov jauge la richesse des fermes en évaluant la hauteur du tas de fumier devant leurs bâtiments.

Or voilà, cette scène-là ne se trouve pas dans ce roman-ci.

Du coup, je ne sais plus qui me joue des tours : ma mémoire ou mon imagination. Celle-ci est trop fertile, celle-là est pleine de trous. Faudrait y ajouter un peu de fumier pour y cultiver quelque chose.

NICOLAS – *Le salpêtre républicain* (interlude musical)

Descendons dans nos souterrains
La Liberté nous y convie
Elle parle, Républicains
Et c'est la voix de la Patrie (bis)
Lavez la terre en un tonneau
En faisant évaporer l'eau
Bientôt le nitre va apparaître
Pour visiter Pitt en bateau
Il ne nous faut que du salpêtre

Mettons fin à l'ambition
De tous ces rois, tyrans du monde
De ces pirates d'Albion
Qui prétendaient régner sur l'onde
Nous avons tout ce qu'ils n'ont pas
Nous avons le cœur et les bras
D'hommes libres et faits pour l'être
Nous avons du fer, des soldats
Il ne nous faut que du salpêtre

C'est dans le sol de nos caveaux
Que gît l'esprit de nos ancêtres
Ils enterraient sous leurs tonneaux
Le noir chagrin d'avoir des maîtres
Cachant sous l'air de la gaîté
Leur amour pour la liberté
Ce sentiment n'osait paraître
Mais dans le sol il est resté
Et cet esprit c'est du salpêtre.

On verra le feu du Français
Fondre la glace germanique
Tout doit répondre à ses succès
Vive à jamais la République
Précurseurs de la liberté
Des lois et de l'égalité
Tels partout on doit nous connaître
Vainqueurs des bons par la bonté
Et des méchans par le salpêtre

N.D.L.A. : Nous devons cette ritournelle nationaliste à un citoyen anonyme de la section Mucius Scœvola. *Pour la savourer pleinement, il faut sans doute se rappeler que le nitrate de potassium était à l'époque produit à partir de fumier, d'urine ou de guano.*

DOMINIQUE – Il est certains mots dans la langue française dont la sonorité et la graphie ne correspondent en rien à la signification. (Brève pensée ce matin pour Saussure, son signifiant, son signifié, son arbitraire.) Ainsi *salpêtrière,* outre l'hôpital, a longtemps évoqué pour moi une vieille maison digne et noble, avec peut-être un rien de pavillon de chasse, des têtes de cerfs empaillées sur des murs en lambris, alors que le mot *salpêtre* désigne en réalité, beaucoup plus prosaïquement, une sorte de dépôt blanc se formant en filaments notamment sur la pierre des bâtiments érigés à proximité d'anciennes étables ou porcheries, substance produite par des bactéries qui se nourrissent de l'ammoniac présent dans les déjections d'animaux.

Autre exemple : *transhumance,* par son orthographe et son euphonie l'un des plus jolis termes qui soient, dans lequel se lit un fragile mélange de transcendance et d'humanité, et qui nomme, comme chacun sait, le trajet des troupeaux de bétail qu'on mène du champ à la montagne et de la montagne au champ.

L'inverse est sans doute également vrai; s'il y a des mots beaux comme des poèmes qui expriment les plus plats phénomènes, il doit se trouver des idées ou des êtres rares recouverts par des syllabes insignifiantes, comme il y a dans la vie des Charles-Antonin qui se seraient accommodés d'être simplement Luc, et des Linda à l'âme de Cassandre.

NICOLAS – La culture populaire des arts martiaux est sujette à des modes aussi irrationnelles qu'étonnantes. Notre maître, autrefois, aimait à rappeler les vagues d'inscriptions qui survenaient après la sortie de chaque nouveau film de kung-fu, et il ne faut pas chercher plus loin la raison pour laquelle on trouve des dojos jusqu'aux confins du Témiscamingue.

Parmi les modes un peu burlesques, on se souviendra du katana, arme emblématique des années 1990, et qui régna entre *Highlander* (1986) et *Kill Bill* (2003/2004). Tarantino ayant porté cette épée à un niveau exemplaire, elle put redevenir un objet sous-culturel. À la niche, katana.

Dans les années 1970, le nunchaku occupait cette place de choix. Il y fut propulsé à n'en pas douter par les films de Bruce Lee. *Game of Death* contient d'ailleurs une scène de nunchaku légendaire. Lee y apparaît magnifique de flegme et de précision, un brin cabotin, vêtu de cette combinaison jaune pétant que Tarantino enfila ensuite à Uma Thurman dans *Kill Bill.* Rien ne se perd, rien ne se crée.

Si grand était l'attrait de ces films sur nos esprits juvéniles que mon frère se fabriqua un nunchaku avec des retailles de manches à balai et un bout de chaîne. Cet instrument meurtrier fut l'objet d'une intense fascination dans notre foyer – et sans doute d'une réprobation parentale tacite. Personne n'apprit à le manier correctement, et j'ignore où il se trouve aujourd'hui. Sans doute s'est-il secrètement transporté dans un îlot des Bahamas, en compagnie des milliers de babioles guerrières bricolées aux quatre coins de l'Amérique par des jeunes boutonneux, puis négligées, oubliées.

Là, dans le soleil blanc des tropiques, Elvis Presley passe ses journées à faire siffler nunchakus et tonfas en fredonnant *Don't Be Cruel*.

DOMINIQUE – Si l'on parle aujourd'hui d'espèces « sonnantes et trébuchantes » pour désigner l'argent comptant, c'est qu'autrefois on s'assurait qu'une pièce n'était pas fausse d'abord en la faisant tinter, puis en la pesant à l'aide d'un trébuchet, sorte de petite balance.

En lisant ce matin sur ces instruments de mesure (deux plateaux, un fléau, l'enfance de l'art), j'apprends qu'une bonne balance doit être juste, sensible et fidèle. L'écrivain aussi, le peintre et l'amoureux.

IIe DECADE
11 Primidi.. Poix
12 Duodi ... Térébenthine
13 Tridi .... Argile
14 Quartidi. Marne
15 Quintidi.. LAPIN
16 Sextidi .. Plâtre
17 Septidi... Pierre à chaux
18 Octidi.... Ardoise
19 Nonidi... Sable
20 DÉCADI .. VAN
BARRERE PRESIDENT DE LA CONVENTION
PROCES DE LOUIS XVI

GRANIT

DOMINIQUE – Je préfère les cimetières aux jardins. Ils sont plus tranquilles, mieux entretenus et les oiseaux ont l'air de s'y plaire davantage.

Avec ses pentes douces, ses arbres, ses buissons et ses pierres, le cimetière Mont-Royal est parmi les endroits les plus agréables de Montréal. J'y vais le plus souvent l'été en fin de journée, de sorte qu'il me semble que c'est un lieu où le soleil est perpétuellement en train de se coucher. Les pierres sont tièdes dans la lumière déclinante. Des mausolées s'alignent à flanc de montagne; derrière les portes closes reposent des familles entières dont on imagine les gisants rangés côte à côte. En quelques mots, toujours les mêmes, les stèles racontent l'histoire d'une vie qu'on pourrait croire toujours la même aussi. Des croix, de simples plaques, des statues, des anges blancs qui grisonnent avec le temps. Plusieurs, ailes repliées, mains jointes, ont été décapités – il y a apparemment un marché florissant pour les têtes d'ange – et continuent de veiller, impassibles, sur le bout de terre qu'on leur a donné à garder.

Dans une boutique ce midi, une vendeuse qui cherche à retracer un achat sur son ordinateur me demande mon nom de famille. Je le lui dis. Elle suggère : « Geneviève Fortier? » Je n'arrive pas à lui répondre tout de suite. C'était le nom de ma sœur, que je ne me souviens pas d'avoir entendu prononcer à haute voix tout au long.

Je ne suis jamais allée voir où elle est enterrée.

NICOLAS – Autrefois, il m'arrivait de revenir à pied du centre-ville, tard le soir, en remontant le boulevard Saint-Laurent. J'arrêtais au passage chez S. W. Welsh, cette bouquinerie qui ne fermait jamais. Le ventilateur ronronnait, quelqu'un ronflait sur un divan. Je bouquinais un peu, je repartais. Quelques mètres plus au nord, je passais devant la cour de L. Berson & fils – מצבות – Monuments. La vieille enseigne écaillée annonçait « Manufacturing artistic granite monuments since 1922 ».

Un marchand de livres, un marchand de pierres tombales. Un singulier sens de la continuité.

ARGILE

DOMINIQUE – Nos républicains n'étaient pas détachés du calendrier grégorien au point de se priver de donner à ce premier jour de la nouvelle année un nom qui évoque la mystique chrétienne. En effet, c'est dans l'argile que Dieu façonna le premier homme (*adama* : « terre », en hébreu), et c'est dans l'argile qu'ils ont sculpté ce douzième jour de nivôse dont ils ne pouvaient pas ignorer que c'était ci-devant le premier de l'An.

Dans la traduction française de la Bible par André Chouraqui, Adam n'est jamais nommé autrement que *le glébeux,* homme de terre.

Nicolas – Durant mes premiers mois en arts plastiques, j'ai éprouvé une puissante fascination pour le coffre à argile.

L'argile servait à modeler les projets de sculpture – l'équivalent du croquis préparatoire. On la puisait dans un grand coffre, où elle reposait sous un pouce d'eau, et on la pétrissait longuement sur une dalle de plâtre qui absorbait l'eau résiduelle. Lorsque l'argile atteignait le bon degré d'hydratation, elle devenait souple comme de la plasticine. On pouvait conserver les modèles en les enveloppant d'un chiffon humide et d'un sac en plastique. Une fois le projet terminé, on remettait l'argile à mollir dans le coffre.

J'aimais ce système où les modelages étaient sans cesse recyclés, retournés à la motte originelle. Ma fascination cessa brusquement, toutefois, le matin où l'appariteur me conseilla de ne pas fouiller mains nues dans l'argile si j'avais des égratignures ou des plaies : le fameux coffre était « un véritable nique à microbes ».

Bacille du tétanos : 1. Poésie : 0.

Ardoise

Dominique – En approchant du mont Saint-Michel on ne distingue d'abord qu'une silhouette massive qui s'élance vers le ciel. Il faut attendre d'être tout près pour voir où le roc s'arrête et où commence l'abbaye. On atteint celle-ci par une large rue pavée qui grimpe en colimaçon, bordée de maisons de pierre aux toits d'ardoise. Certains ont été pris d'assaut par des mousses vertes, des lichens ou carrément des algues, comme des coques de bateaux. Chaque tuile offre une nuance différente dans un camaïeu aile de pigeon, allant du bleuté au vert-de-gris en passant par l'acier, le colombin, le gris perle, le sarcelle, le beige huître, le grège pourpré, l'argent, le sable et l'or. Ils font écho aux couleurs de la baie changeante sous le jeu du soleil et des nuages.

Nous y sommes allés par un jour de crachin où les touristes étaient plutôt rares. Les Américains pour la majorité renonçaient assez tôt à gravir la grand-rue qui mène à l'abbaye et s'échouaient dans les crêperies où ils engouffraient les galettes de la mère Poulard. Les Japonais, en meilleure forme ou simplement plus décidés, avançaient en rangs serrés. Nous avons coupé par des ruelles si étroites qu'elles n'étaient en vérité que des sentiers creusés à même la pierre, des escaliers où ne peut monter qu'une personne à la fois, qui nous ont emmenés derrière les maisons; il y avait des rideaux aux fenêtres, des chats qui paressaient au soleil, des gens vivaient là – depuis près de mille ans. Des remparts on découvre Tombelaine, et la baie dont le sable dans le lointain finit par se fondre avec le ciel. On comprend pourquoi au Moyen Âge les hommes affluaient ici de l'Europe entière à la recherche de Dieu et l'y trouvaient sans doute.

À l'été 1895, un incendie (forcément mystérieux) rasa le Murder Castle, ses chausse-trappes et ses fosses à chaux.

DOMINIQUE – Ça ne s'invente pas : Pierre Chaux de Champeaux était un révolutionnaire nantais, à qui les bouleversements de 1789 permirent entre autres de mettre la main sur de fort jolies propriétés. Pour des raisons évidentes, il laissa à cette époque tomber la particule et, sur sa lancée, changea aussi son prénom pour se faire modestement appeler Socrate. Ces révolutionnaires décidément ne semblaient jamais contents du nom qu'on leur avait donné.

Socrate Chaux siégea donc aux côtés de Jean-Baptiste Carrier au comité révolutionnaire de Nantes, qui imagina pour se débarrasser des indésirables un moyen inédit : la « déportation verticale », plus simple et moins coûteuse que l'exil en des terres lointaines. Les proscrits (membres du clergé, prisonniers politiques, mais aussi des femmes et des enfants) étaient enfermés dans des cages en fer, emmenés sur des barges au milieu du fleuve, le plus souvent sous le couvert de la nuit, et proprement noyés.

De novembre 1793 à février 1794, ce sont quelque cinq mille personnes qui périrent ainsi dans les eaux noires de la Loire.

NICOLAS – Le malheur voulut que le film *Camille Claudel* fût populaire à l'époque où j'étudiais en arts plastiques. J'en conçus l'idée qu'il existait une hiérarchie des matériaux, au sommet de laquelle trônaient côte à côte le bronze et le marbre. On ne dira jamais à quel point une influence heureuse ou indue peut jouer un rôle crucial dans le développement intellectuel d'un adolescent, et n'eût été ce satané film, j'aurais peut-être cessé plus tôt d'être obsédé par le marbre pour m'apercevoir que les ordures qui s'accumulaient chaque semaine devant les bungalows de mon quartier étaient au moins aussi intéressantes.

DOMINIQUE – Après avoir soigneusement épierré le champ où ils cultivaient leurs carottes et leurs topinambours, Fabre d'Églantine et consorts se reprennent et nous soumettent à une véritable lapidation depuis quelques jours, ne trouves-tu pas? Tout ce temps, ils remplissaient leurs poches de cailloux.

DOMINIQUE – Selon l'*Edda de Snorri,* texte du treizième siècle présentant l'essentiel de la mythologie scandinave, le loup Fenrir fut enchaîné à un rocher à l'aide d'un cordon aussi fin qu'un ruban de soie. Cette cordelette était impossible à dénouer comme à rompre puisqu'elle était faite de six choses qui « n'existent pas » : le pas d'un chat, les racines d'une montagne, la barbe d'une femme, les tendons d'un ours, le crachat d'un oiseau et le souffle d'un poisson. Les dieux mirent une épée en travers de la gueule du loup, et la bave qui s'en écoulait forma deux rivières : Ván et Víl, Espoir et Volonté.

Ce cordon dont la force réside dans son impossibilité apparaît d'abord comme fabuleux. Pourtant, en y regardant par deux fois, il y a bien des femmes à barbe, elles ne sont même pas si rares. Du coup, le doute s'installe. Il se trouve que je sais par expérience que certains chats ont le pas lourd : la nuit, on entend marcher Pumpkin, notre matou orange, d'un étage à l'autre. Et puis certaines espèces de poissons, les dipneustes, notamment, sont dotées non seulement de branchies, mais de véritables poumons. (À cet égard, leur nom anglais de *lungfish* est plus évocateur.) Il est bien sûr des chaînes de montagnes profondément enracinées dans la croûte terrestre, et les amateurs de nids d'hirondelle savent que ces oiseaux possèdent de la salive. Pour ce qui est des tendons d'ours, par contre, il se puisse bien que je doive m'avouer vaincue.

Voilà tout de même le cordon magique réduit à un ensemble de choses certes assez difficiles à rassembler mais non plus impossibles. On s'étonne que sa confection n'ait pas plutôt exigé une écaille de dragon, un cil de licorne (ou enfin, l'équivalent du dragon et de la licorne dans la mythologie scandinave), une plume de requin, une pincée de sucre de mer. Peut-être au fond voulait-on s'assurer que le loup parviendrait à s'échapper – ce qu'il fit.

NICOLAS – Semer à la volée : tracer des milliers d'arcs de cercle avec le bras. Récolter : tracer des milliers d'arcs de cercle avec la faux. Battre le grain : brandir puis abattre le fléau, recommencer. Vanner le grain : envoyer voler la paille dans les airs, et encore, et encore. Moudre le blé : rotation éternelle de la meule. Pétrir la pâte : plier, plier, replier.

Le pain n'est pas un aliment, mais une succession d'activités hypnotiques.

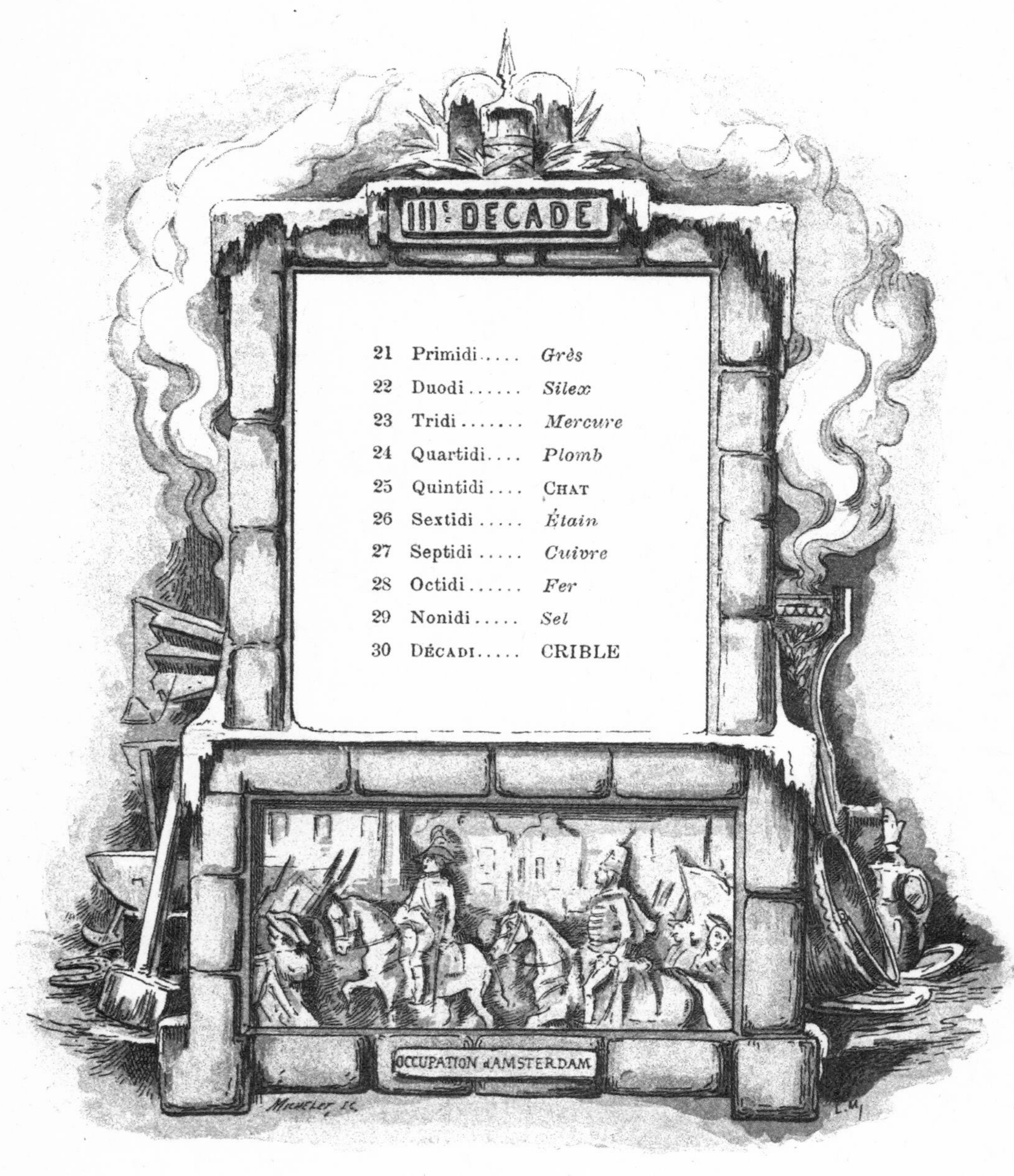
IIIe DECADE
21 Primidi .... Grès
22 Duodi ...... Silex
23 Tridi .... Mercure
24 Quartidi .... Plomb
25 Quintidi .... CHAT
26 Sextidi ..... Étain
27 Septidi ..... Cuivre
28 Octidi ...... Fer
29 Nonidi ..... Sel
30 DÉCADI ..... CRIBLE
OCCUPATION d'AMSTERDAM

NICOLAS – Où qu'il aille, l'archéologue est toujours dans son habitat naturel. Même dans le confort du foyer, il trouve des artefacts et des strates à étudier – surtout si le foyer en question est un vieux duplex montréalais.

Voici l'archéologue posté dans l'escalier de sa cave, à l'endroit où les anciens propriétaires ont retiré un pan de mur, exposant ainsi, sur la tranche, la structure du bâtiment. Un propriétaire normal verrait là un bricolage bâclé; l'archéologue voit une occasion de lire l'histoire des lieux.

Sur la brique du mur mitoyen, les constructeurs ont d'abord posé un lattis horizontal qui supporte un torchis granuleux. Par-dessus ce torchis, on a appliqué une couche de plâtre de Paris (immaculé malgré le passage du temps), puis, à une époque ultérieure, un lattis vertical sur lequel repose une couche de panneaux de plâtre « modernes et propres ». Dans les interstices dépassent des touffes de laine minérale correspondant à diverses époques, et arborant divers degrés de noircissement.

L'archéologue s'intéresse bien sûr aux détails, tels ces crins de cheval que l'on mélangeait au torchis afin de le rendre plus solide. L'émerveillement est cependant la mère de tous les doutes : voici l'archéologue qui cueille un bout de crin et, armé de sa loupe de géologue, inspecte le poil avec attention. S'agit-il vraiment d'un crin de cheval? Au-delà de la couleur, qui varie du beige au noir, la loupe ne révèle rien sur cette mystérieuse fibre.

Le propriétaire normal se rendrait à la quincaillerie chercher le nécessaire pour masquer ce joint. L'archéologue, lui, se magasine un microscope binoculaire sur eBay.

DOMINIQUE – Après nous avoir initiées à l'argile, au vitrail et à la peinture à l'huile, la sœur responsable du cours d'arts plastiques de cinquième secondaire (j'avais pourtant entamé l'année inscrite en physique, avec la meilleure volonté du monde) a un jour imaginé de nous faire réaliser des moulages en plâtre de nos têtes. Étrange expérience. Il fallait d'abord se couvrir les cheveux et s'enduire le visage d'une substance graisseuse, puis rester immobile pendant de longues minutes tandis qu'une autre élève appliquait et lissait, une à une, de longues bandelettes blanches et humides sur notre front, nos joues, en travers du nez et du menton. Cela durcissait lentement. On avait soin de laisser un trou sous le nez pour respirer, mais les oreilles étaient entièrement recouvertes, et bientôt les bruits ne parvenaient plus qu'assourdis, comme on les perçoit au fond de l'eau. Je me rappelle avoir éprouvé la même impression de solitude tranquille, de temps suspendu, assise sur cette chaise droite à attendre que le plâtre sèche, aveugle, sourde et muette.

DOMINIQUE – Dans le bleu du ciel d'Outremont ce matin, des nuages blancs en ribambelles jouent à se faire passer pour des vagues, y réussissent un instant.

Les îles de la Madeleine reposent, dit-on, sur d'immenses piliers de sel formés dès le Carbonifère par la pression exercée par d'autres minéraux, plus lourds, qui ont fini au fil des siècles par hausser au-dessus du niveau de l'eau ces colonnes de sel au milieu du sel de la mer. Avec leur silhouette bossue bien nette se découpant sur l'horizon, les îles ont des airs de dinosaures endormis ou de monstres pétrifiés – changés en statues de sel.

Toujours chez les Madelinots, le pied-de-vent ne désigne pas qu'un fromage (au demeurant délicieux) mais d'abord et surtout une trouée dans les nuages par où le soleil coule un rayon. Un bol de lumière où viennent s'abreuver les jours gris ces grandes créatures de pierre.

NICOLAS – Je redescendais des hauts plateaux qui dominent la vallée de l'Urubamba, marchant sur un petit sentier qui longe une saline aménagée par les Incas.

La saline était magnifique, et toujours en activité. En amont d'une vaste gorge, un ruisselet salé sortait de terre et remplissait des centaines de bassins disposés en terrasses. Selon la météo, l'eau était plus ou moins gorgée d'alluvions, et la couleur des bassins variait du blanc à l'ocre.

On ne voyait presque personne dans la saline. Nous étions tôt le matin, et en semaine. Seul un couple prenait le petit déjeuner, assis sur le rebord d'un bassin. En me voyant passer, ils me hélèrent, me firent signe de descendre les rejoindre.

Je m'exécutai aussi agilement que possible, en marchant sur des sentiers larges comme la main qui bordent les bassins. Lorsque j'arrivai près du couple, ils m'avaient déjà servi un bol de salade de fèves et de maïs. « Desayuno? » L'homme assaisonna ma salade avec une cuillerée de saumure puisée à même le bassin, derrière lui.

Nous avons parlé de tout et de rien, en mastiquant notre salade. De la manière d'entretenir les bassins. Des diverses qualités de sel. De leur fils, aux études à Lima. Saisissant un bidon à essence en plastique, la femme me versa une tasse de bière de maïs. « Chicha? Pisco? » Autour de nous, on entendait le gargouillis de l'eau qui coulait dans les gouttières. Neuf heures approchaient, et pas un touriste en vue. La belle vie.

Je suis reparti au bout d'un moment, sérieusement pompette, en leur laissant la *propina* pour les études du fiston. Aujourd'hui encore, je n'arrive pas à me souvenir comment j'ai réussi à tituber jusqu'au bord de l'Urubamba et à reprendre le bus jusqu'à Cusco.

DOMINIQUE – L'hémoglobine et la chlorophylle sont toutes deux constituées des quatre éléments fondamentaux nécessaires à la vie : le carbone, l'oxygène, l'hydrogène et l'azote, mais alors que le sang végétal a pour cœur un atome de magnésium, la sève humaine s'organise autour d'un atome de fer.

Nous avons plus en commun avec les arbres que nous voulons bien le croire.

* * *

J'imagine ce matin écrire une histoire uniquement composée de ces mots de trois lettres si simples qu'on se dit qu'ils ont dû être parmi les premiers que nous avons inventés pour nommer, dans le monde qui nous entoure, les choses les plus essentielles : *eau, feu, sel, fer, air, blé, foi, vin, riz, thé, sol, mer*. À quoi j'ajouterais peut-être, pour faire bonne mesure, *scotch* et *chocolat*.

NICOLAS – Il y a environ dix mille ans, un météore pénétra l'atmosphère terrestre, se fractionna et s'éparpilla sur la côte nord-ouest du Groenland. Durant des siècles les populations inuites fréquentèrent les fragments de ce corps céleste, qui constituaient une précieuse source de fer pour la confection d'armes et d'outils. Le plus gros morceau avait été baptisé *Ahnighito* (la Tente) et pesait une trentaine de tonnes. La communauté scientifique n'entendit parler de cette météorite qu'en 1818. Plusieurs expéditions tentèrent de la localiser, et c'est Peary qui finalement mit la patte sur le caillou. Il lui fallut trois ans et la construction d'un bout de chemin de fer pour finalement déposer à bord de son vaisseau les différents morceaux de ce que l'on appelait désormais la météorite du cap York.

Les Inuits, bien sûr, ne furent pas consultés et ne reçurent rien en retour. Peary alla revendre *Ahnighito* à l'American Museum of Natural History de New York pour la jolie somme de quarante mille dollars.

On pensera ce qu'on voudra des prétendus primitifs, ce vol n'est ni plus moins odieux que celui des trésors égyptiens.

DOMINIQUE – L'ennui, avec Fabre d'Églantine, c'est qu'il est prévisible. Je suis convaincue que ce n'est pas une qualité pour un romancier, mais tu m'objecteras peut-être, Nicolas, qu'il s'agit d'une vertu cardinale pour un fabricateur de calendrier?

RÉVOLUTIONS

On ne voudrait pas qu'il s'avise d'intervertir les saisons, voire d'en inventer une cinquième, de créer pour rire une semaine des quatre jeudis ou bien de commencer un mois par la fin et d'y enfiler les dates à l'envers…

Le fer et le cuivre que nous rebattons ces jours-ci ont une chose en commun, c'est de connaître deux états, puisque tous deux se transforment de spectaculaire façon par l'oxydation due à l'eau (dans le premier cas) ou à l'air (pour le second). Mais tandis que le fer semble se dégrader, presque s'effriter sous nos yeux lorsqu'il se teinte d'orange, comme s'il pressentait ou annonçait sa fin à venir, le vert-de-gris au contraire exalte la beauté du cuivre, dont il constituerait le stade ultime, une forme d'accomplissement. Poussez-le encore un peu, il se prend pour une pierre précieuse et se métamorphose en turquoise.

NICOLAS – SOIFS IMPROBABLES (3)

Rien ne me donne plus soif qu'un tuyau de cuivre où perlent des gouttes de condensation.

CHAT

NICOLAS – Mark Twain, à la fin de sa vie, avait des habitudes notoirement excentriques. Il traita ainsi ses accès de dépression, à partir de 1897, avec des teintures dont le principal ingrédient actif était de la momie de chat, acheté par correspondance à des antiquaires du Caire, et réduite en une fine poudre. « Grinding the tabby » devint une phrase codée pour parler des accès de dépression de Mark Twain, qui délaissa ce traitement vers 1905.

DOMINIQUE – Dans les divers interrogatoires soi-disant rigolos auxquels on soumet les écrivains, et qui sont toujours une variation plus ou moins réussie sur le questionnaire de Proust, figure régulièrement une question sur les animaux domestiques. Quand on ne vous demande pas de lister ceux que vous possédez, on souhaite savoir si vous êtes chien ou chat, comme si ces deux options étaient non seulement mutuellement exclusives, mais qu'elles constituaient les deux pôles symboliques de la personnalité humaine, entre lesquels s'échelonnent le lièvre et la tortue, la cigale et la fourmi, le carcajou, le goéland, l'éléphant et le poisson volant, toutes créatures avec lesquelles je me sens autant d'affinités qu'avec notre très grand danois et notre aréopage de félins.

On ne saurait nier cependant que chiens et chats diffèrent par plusieurs aspects. Alors que ceux-ci sont secrets, indépendants, capricieux et dépourvus de pitié, ceux-là ont cette bêtise qui vient d'aimer trop; transparents et entiers, ils pèchent par maladresse. Les chats sont des dieux, les chiens des esclaves. Bien sûr, je ressemble presque à parts égales aux uns et aux autres – vous aussi, sans doute. Mais je m'identifie davantage au poisson volant.

ÉTAIN

DOMINIQUE – La prochaine fois que je lirai les mots *or mussif,* je ne croirai pas qu'il s'agit d'une coquille comme je l'aurais pensé jusqu'à aujourd'hui, et m'abstiendrai par conséquent de remplacer mentalement le *u* par un *a,* car je saurai qu'ils désignent le bisulfure d'étain à quoi certaines icônes doivent leur éclat doré. En ancien français, on disait plutôt « or mosaïque » ou « or musique », ce qui suggère un nouvel éventail de possibilités – un pigment utilisé uniquement dans les livres d'heures, et dont les enluminures se liraient à voix haute, sur différents tons chantés.

L'étain qui pleure et crie quand on le plie – jusqu'à se briser.

NICOLAS – Autrefois, les panneaux de verre étaient obtenus par divers procédés qui comportaient tous des inconvénients : les panneaux pouvaient par exemple présenter des fluctuations d'épaisseur, ou nécessiter un polissage. C'est en 1950 que fut perfectionnée la technique du verre flotté, découverte au dix-neuvième siècle par Bessemer : il suffit de couler le verre sur un bain de métal en fusion, généralement de l'étain, afin d'obtenir une surface parfaite et une épaisseur uniforme.

Cette information est étonnante, mais plus étonnante encore est la mise en œuvre de ce procédé. On trouve sur YouTube des vidéos industrielles où l'on voit le verre ainsi flotté sortir du four tel un ruban de papier gommé de huit mètres de large, sans aucune interruption. Des kilomètres et des kilomètres de verre parfait, que l'on coupe en aval grâce à des diamants montés sur des bras robotisés.

Le visionnement de cette vidéo est hautement recommandé aux technoblasés que nous sommes. Impossible de ne pas ressentir combien la profonde banalité de tout ce qui nous entoure est, en vérité, extraordinaire.

PLOMB

DOMINIQUE – On a longtemps cru que les boîtes de conserve (à l'époque une innovation si récente que l'ouvre-boîte n'avait pas encore été inventé) étaient responsables du taux de plomb élevé que présentait le sang de certains membres de l'équipage de l'expédition Franklin dont on a retrouvé et analysé les corps. Fait étonnant, cependant, les officiers semblaient plus gravement atteints que les simples matelots, alors que cela aurait dû être le contraire, les premiers ayant eu accès à davantage de produits frais et de mets cuisinés, les seconds ayant été nourris presque uniquement de viandes et de légumes en conserve pendant trois ans. (Parmi les provisions embarquées : 7 839 livres de carottes, panais et légumes mélangés; 10 452 pintes de soupe; 1 958 livres de mouton rôti; 1 958 livres de bœuf aux légumes.) Or il se trouve que si certaines de ces conserves ont pu être contaminées par le botulisme, c'est plutôt le système de désalinisation de l'eau de mer qui est à blâmer pour les cas de saturnisme. En effet, l'eau destinée à la consommation transitait par les tuyaux utilisés pour le chauffage, lesquels étaient en plomb. Les simples matelots, lorsqu'ils avaient soif, se contentaient pour leur part de faire fondre de la neige.

On ne peut s'empêcher en parcourant ces listes de provisions d'éprouver le même sentiment qu'à la lecture du menu du dernier repas servi à bord du *Titanic*. Il y avait là des gens qui allaient mourir et ne le savaient pas, mais nous, nous savons.

NICOLAS – Dans mon enfance, les sceaux des sacs postaux étaient de petites rondelles de plomb que l'on écrasait sur un fil d'acier tressé. La pince utilisée pour cette opération frappait au recto les armoiries royales et au verso, si je ne m'abuse, la date. Mon père en a ramassé des dizaines et des dizaines, que l'on retrouvait dans tous les coins de son atelier, et qu'il fondait en lingots.

Les temps changent : de nos jours, je ne ferais même pas entrer un de ces lingots chez moi.

NICOLAS – Des années après, je m'ennuie encore des eaux minérales que je buvais en Allemagne. La variété de Mineralwasser offerte dans la moindre épicerie bavaroise est époustouflante, et plusieurs de ces eaux ont un goût autrement plus marqué que ce que l'on boit au Québec.

D'ici à ce que je sois suffisamment riche pour importer ma propre Franken Brunnen Quelle Mineralwasser, il me reste toujours la possibilité de la cloner.

En effet, les eaux minérales disponibles sur le marché affichent toutes leurs teneurs en minéraux en ppm (parties par million). Par exemple, le verre de Saint-Justin que je bois en tapant ces mots contient les minéraux et éléments suivants :

HCO_3	560
Ca	7
Cl	350
Cu	0
Mg	6
NO_3	0
Pb	0
K	3
Na	415
SO_4	0
Zn	0

Le blogue *Edible Geography* annonçait récemment l'existence d'un logiciel permettant de cloner diverses eaux minérales. Il suffit de sélectionner une eau minérale et de suivre la recette. Vous vous procurez d'abord les ingrédients, en vous assurant qu'ils soient de qualité alimentaire (importante nuance, puisqu'on compte parmi ces substances le plâtre de Paris, le sel d'Epsom, la craie et la chaux éteinte). Une fois vos minéraux mélangés et dissous dans l'ordre approprié, il ne vous reste qu'à gazéifier la solution à l'aide d'une machine (que vous vous serez procurée en ligne) – et voilà : savourez votre *hausgemachten* Franken Brunnen.

Restera-t-il bientôt quelque aspect de nos vies qui n'aura pas été hacké?

DOMINIQUE – Depuis quelques jours, je scrute les métaux qui composent les objets de mon entourage avec la même inquiétude que s'ils menaçaient à tout moment de prendre vie, car je sais bien qu'un matin, quand j'ouvrirai le message quotidien de ton fidèle Jeeves, ils risquent de me sauter au visage. Nous ne sommes qu'au tiers de l'année et déjà Fabre d'Églantine et Thouin ont, il me semble, largement exploité légumes, fleurs, arbres et minerais pour le bien de leur entreprise. Que leur restera-t-il au printemps, puis à l'été? Et s'ils nous surprenaient? S'ils allaient – rêvons un peu – nous offrir des pierres précieuses, ou bien des spécialités locales – bêtises de Cambrai, gratin dauphinois, tripes à la mode de Caen –, voire des créatures mythologiques : basilicoq, sirène, hippogriffe et autres harpies? On m'objectera que ceux-là ne sont pas très français. Mais le zinc non plus.

Il est par contre bien montréalais, car tu n'ignores pas, Nicolas, que les bureaux de Fred sont situés dans la fonderie de zinc de Mr. Fish. Quand nous sommes allés pour la première fois y visiter les locaux qu'il allait louer, ceux-ci étaient toujours occupés par le personnel administratif de l'usine. Les travaux de démolition commencés, la plupart des employés avaient déjà été relogés; par une porte entrebâillée, on apercevait, au mur, ce qui ressemblait à une vaste collection de papillons épinglés sur des cartons blancs. Il fallait s'approcher pour voir qu'il s'agissait plutôt d'échantillons de poignées d'armoires et de commodes en zinc, chantournées à l'ancienne, aux fioritures comme des ailes.

NICOLAS – Parmi les images qui m'ont hanté au cours des dernières années, je repense souvent à cet extrait du livre *Meadowlands* où Robert Sullivan raconte que la pollution au mercure était telle, dans ces marécages périphériques de New York, que « as recently as 1980, it was possible to dig a hole in the ground and watch it fill with balls of shiny silvery stuff ».

DOMINIQUE – Je me souviens, enfant, après avoir brisé un thermomètre, d'avoir voulu suivre du doigt les perles argent qui glissaient sur le plancher. Ma mère m'en avait empêchée, bien sûr, m'expliquant que c'était dangereux, et je l'avais écoutée sans la croire : comment cela pouvait-il être dangereux? C'était tout petit, brillant et joli. Aujourd'hui on n'a plus besoin de me convaincre que le mercure est hautement toxique, mais j'apprends qu'il entre pour moitié dans la composition des alliages utilisés pour réparer les dents, et que ces « plombages » ont, après vingt ans, perdu quelque quatre-vingt-dix pour cent de leur masse de mercure. Quelqu'un peut me dire pourquoi les mères des dentistes ne leur ont pas expliqué, à eux, quand ils étaient petits, combien c'était dangereux?

* * *

Réveillée par le vent au milieu de la nuit; le ciel est d'un jaune de soufre. L'érable qui se tord dans les bourrasques semble vouloir briser le carreau et entrer par la fenêtre. Je ne peux m'empêcher de songer à Tchekhov, qui a énoncé la règle voulant que le fusil suspendu au mur au premier acte doive tirer un coup de feu avant la fin de la pièce. J'espère que le calendrier républicain ignore les lois du théâtre, sans quoi cet arbre va finir par s'abattre sur la maison.

DOMINIQUE – Un pic mineur sonde brièvement le tronc de l'érable (toujours debout) avant de repartir à tire-d'aile dans le froid de janvier. Je n'ai que le temps d'apercevoir sa huppe rouge orangé et de voir se découper le damier de son plumage sur l'écorce grise.

Son cousin le grand pic descend rarement jusqu'ici, préférant la montagne où il a, au bord du sentier, ses troncs d'élection, déjà criblés de trous de différentes tailles et qui ressemblent presque, avec ces rangées d'ouvertures rondes, à des cabanes d'oiseaux tout en hauteur. On l'entend de loin marteler l'écorce, des copeaux de bois larges comme la paume se détachent de l'arbre pour tomber en pluie sur le sol. Il nous laisse approcher avec une parfaite indifférence, tourne parfois sa tête de coucou mécanique pour faire admirer son long bec jaune, sa huppe de feu, son œil qui reflète la forêt sans nous voir.

NICOLAS – Un crible est un tamis, c'est-à-dire un contenant percé permettant de séparer des granulats : billes, grain, cailloux, boulons, bleuets. Ce nom nous a donné le verbe *cribler* – comme dans « cribler de balles » – qui signifie (au sens littéral) « trouer un objet, un corps, jusqu'à le convertir en crible ». Saint Sébastien, martyr romain, est notoirement mort criblé de flèches. Ses ennemis l'ont transformé en ustensile de cuisine.

Pluviôse
AU NOM
VENTE

1 Primidi .... *Lauréole*
2 Duodi ...... *Mousse*
3 Tridi .... *Fragon*
4 Quartidi.... *Perce-neige*
5 Quintidi .... TAUREAU
6 Sextidi ..... *Laurier-thym*
7 Septidi ..... *Mnie*
8 Octidi ...... *Mézéréon*
9 Nonidi ..... *Peuplier*
10 DÉCADI..... COIGNÉE

LAURÉOLE

NICOLAS – Ce drôle de nom suggère une sorte de couronne, à mi-chemin entre les lauriers qui couronnaient les Romains et l'auréole des saints. Considérant cependant que la lauréole est toxique pour l'humain, et son suc, corrosif, on aurait plutôt envie d'en coiffer certains personnages qui sévissent à Ottawa.

DOMINIQUE – On dirait l'un de ces noms fantaisistes dont les parents aujourd'hui croient original d'affubler leur progéniture (Mikaeve, Kedrik, Maydianne, Kamylle, Lovie, Roxelle), mais il s'agit plutôt d'un arbrisseau qui a la particularité de fleurir de février à mai. On le nomme aussi bois-gentil, ou bois-joli.

***

Parc Joyce, la lumière du petit matin découpe le paysage en deux : or et bleu. D'un pinceau très fin, les ombres longues dessinent sur la neige un deuxième érable de Norvège, une deuxième épinette, un deuxième thuya. Car ce parc a la particularité d'être semé d'arbres appartenant tous à une essence différente. Il faut la lumière pour faire à chacun un compagnon.

***

Nous avons aujourd'hui accompli un tout petit peu plus d'un tiers de cercle (122 degrés, 122 pages, dont une blanche), et je suis ainsi faite que je commence à penser à *après*. Je vais m'ennuyer de ce mail que dépose Jeeves dans ma boîte aux lettres pendant mon sommeil et que j'ouvre chaque matin comme un cadeau dont je ne sais jamais s'il contient une babiole, un bijou précieux ou du poil à gratter.

MOUSSE

DOMINIQUE – Le sentier du grand pic monte en zigzaguant vers l'un des trois sommets du mont Royal, celui où il ne vient jamais personne, que des promeneurs de chiens avec leurs meutes bruyantes et quelques adeptes du vélo de montagne. C'est là que je me suis baladée chaque jour pendant des années avec Victor, trop vieux maintenant pour entreprendre une telle ascension mais qui parfois, quand nous marchons dans Côte-Sainte-Catherine, essaye encore de me tirer de ce côté. C'est là, entre la forêt et le cimetière, que se déroule la troisième partie des *Larmes de saint Laurent*, écrite au fil de ces promenades. Le sentier monte à flanc de roc; au printemps et à l'été, de l'eau de fonte ruisselle sur la pierre comme d'une source, pure et glacée; quand il pleut, des troncs tapissés de mousse d'un vert électrique se couvrent d'escargots jaunes. Du sommet, on se trouve face à une large étendue de ciel où les avions volent à hauteur d'yeux. En bas, la balafre du Sanctuaire, les parcs d'Outremont et les ruelles du Mile End, le Plateau sagement quadrillé, Ville-Mont-Royal semblable à un Union Jack déplié sur le sol, puis les autoroutes, la tache grise du Marché Central et, très loin, les Laurentides serpentant sur l'horizon.

Deux pins jumeaux poussaient là, au sommet, à l'endroit d'où la vue est la plus belle. Collés l'un sur l'autre, ils croisaient leurs branches, leurs aiguilles entremêlées. Un matin, il n'en restait plus qu'un; le second, grossièrement abattu à la hache, gisait renversé dans la pente menant à l'Université de Montréal. Quelqu'un avait tracé à l'aérosol un graffiti illisible sur le tronc de l'arbre épargné. Depuis ce jour, chaque fois que j'arrive en haut de la montagne, je retiens mon souffle.

Nicolas – Ce qui me frappe avec l'humble mousse, c'est l'absence presque totale de données préhistoriques à son sujet. Par comparaison, la fougère est la superstar du Carbonifère – mais on pourrait aussi évoquer le cas du ginkgo, de la prêle, du séquoia – sans compter toutes ces espèces qui n'existaient pas alors, mais dont on peut retracer le lignage grâce aux fossiles. Dépourvues de racines, et même de lignines, les mousses n'ont laissé que de rarissimes et discutables fossiles.

Pauvres mousses, condamnées aux sous-bois de la science.

Fragon

Nicolas – Plus d'une fois, devant un mot inconnu de ce calendrier, j'ai tenté de trouver un sens en agglutinant plus ou moins consciemment des bouts de mots. Ce matin, par exemple, je jongle avec fréon (gaz de réfrigération inventé par DuPont), Aragorn (personnage mal rasé de Tolkien), Aragon (poète ou communauté autonome, tout dépend) et le verbe allemand pour poser une question : *fragen*.

Je réalise que devant l'inconnu, mon cerveau fonctionne par agglomération.

Dominique – Ce faux-houx est aussi appelé « plante des jambes légères ». Certains prétendent que c'est parce qu'il est bénéfique à la circulation du sang, mais ils se trompent.

Gare à celui qui en consomme les pousses ou, pire, les baies : dans l'heure il fera son baluchon, quittera la maison en ayant soin de ne pas faire grincer la porte ou bien se glissera par la fenêtre, partira par les chemins, s'arrêtera ici et là dans un village le temps de séduire une fille qu'il laissera, encore endormie, aux premières lueurs de l'aube; il volera du lait et du pain quand il aura faim, d'autres fois se régalera de rôtis et de friandises; il traversera les forêts et les villes en changeant de nom toutes les semaines, se fera tantôt jardinier, tantôt forgeron et tantôt ramoneur, ne dormira jamais deux fois dans la même chambre ni au creux des mêmes bras, fera en rêve d'autres voyages – jusqu'à la Lune – qu'il ne parviendra pas à oublier une fois le soleil levé; finira à force de marcher par faire le tour de la terre et rentrer chez lui où personne ne le reconnaîtra, se recouchera dans son lit, croira au matin avoir tout inventé.

DOMINIQUE – Y a-t-il réellement de l'autre côté de l'Atlantique des fleurs qui éclosent à ce temps-ci de l'année ailleurs que sous les serres ou aux vitrines des boutiques? Pour la première fois depuis des semaines, il me semble, le temps est clément. Un gigantesque glaçon qui s'est formé au coin du pignon surplombant mon bureau brille dans un rayon de soleil blême, de l'eau s'en écoule goutte à goutte comme dans quelques mois la sève des érables.

De toutes les fleurs choisies par Thouin et Fabre d'Églantine, le perce-neige est sans conteste celle qui possède les plus jolis noms dans les langues et les dialectes romans : fleur d'orange d'Espagne, violette blanche, clhu de nouvê, alhou de couchou, petite nue, clochette d'hiver, grelot blanc, fleur de saint Joseph, broque-neige, galantine d'hiver, cocotte, claudinette, pucelle, violette de la Chandeleur, béguinète, jeannette de printemps, baguenaude d'hiver, goutte de neige. Ensemble ces cousines composent un bouquet dont le blanc connaît autant de variations que la neige sous le soleil : une corolle au teint de clémentine pour l'orange d'Espagne, des pétales aux replis lilas et or pour la violette de la Chandeleur, un éclat rose sur les joues fraîches de la pucelle, des reflets jaunes et vert pomme pour ces petites folles qui croient le printemps arrivé au milieu de l'hiver.

NICOLAS – J'ai commencé à écrire, lors de mes cours de math, au secondaire, en détournant des contes traditionnels.

Je me livrais à des mélanges incongrus, cultivais une prédilection pour le petit chaperon rouge punk. Je pensais faire glauque — ce qui prouve que je n'avais pas lu les frères Grimm. Il m'arrive de songer que j'aurais fait une carrière plus simple dans la littérature d'horreur. Le conte traditionnel ne mène-t-il pas naturellement vers le sordide et le sinistre?

Perce-Neige au lieu de Blanche-Neige, ça ouvre plein de possibilités.

TAUREAU

NICOLAS – Je suis plutôt opposé aux corridas, mais ça ne m'empêche pas de lire *Death in the Afternoon* d'Hemingway et d'y voir une grande œuvre. J'en déduis qu'il existe un concept, cousin de la fameuse *suspension de l'incrédulité* : ce serait la *suspension des convictions,* qui prédispose à la lecture (et à l'appréciation) de textes avec lesquels on serait, autrement, en désaccord.

DOMINIQUE – Le droit coutumier reconnaissait le « taureau banal », animal appartenant au seigneur et par lequel les vassaux étaient tenus de faire saillir leurs vaches. Selon le dictionnaire étymologique, le terme désignerait aussi, par extension, « un homme à qui toutes les femmes sont bonnes », formule qui me semble fort peu délicate, en plus de n'être pas très claire. Veut-on dire que toutes les femmes sont bonnes pour lui, c'est-à-dire qu'elles le font profiter de leurs faveurs, ou bien qu'il les aime toutes sans distinction? Cette dernière hypothèse a en outre quelque chose de gênant : y en a-t-il vraiment qui sont indignes des attentions de notre taureau, y a-t-il des femmes qui ne sont pas « bonnes »? Et lesquelles?

LAURIER-TIN

DOMINIQUE – Ce laurier a de petites fleurs blanches au cœur jaune et aux étamines poudreuses qui rappellent celles de la fraise. Aujourd'hui encore, spontanément, ce mot n'évoque pas pour moi ces fruits insipides, gros comme des œufs, à l'intérieur si blême qu'il en est presque translucide, qu'on nous vend sous le nom de fraises dans des contenants en plastique au supermarché, mais les minuscules baies qui tapissaient la cour arrière de la maison de ma tante Michèle et de mon oncle Gilles (pas celui des pruniers, l'autre).

Acides et sucrées, ces fraises sauvages rouge vif, petites comme des perles, tachaient les doigts et picotaient la langue. Il fallait retourner une à une les feuilles des plants pour les découvrir, au ras du sol, irrégulières et sablonneuses. En cueillant et en équeutant pendant un quart d'heure, on avait de quoi faire une bouchée.

Quand je finissais par avoir chaud, le dos courbé, au soleil, j'allais me réfugier dans le saule pleureur qui poussait au fond du terrain. C'était un arbre considérable, il aurait fallu une demi-douzaine d'enfants pour l'encercler de leurs bras, mais j'étais toujours toute seule. Je grimpais jusqu'à la première fourche, laissais pendre mes jambes et m'adossais contre une grosse branche, aussi confortable que dans un fauteuil. Les feuilles bruissant sur leurs longs fils faisaient tout autour un rideau doré à travers lequel le monde apparaissait lointain, ocellé de lumière. Tout en restant parfaitement tranquille, invisible, dans l'ombre verte, j'avais l'impression de partir à l'aventure, comme en ouvrant un livre. C'est aussi l'un des premiers souvenirs que j'ai du désir ou du besoin d'écrire – pour rendre compte tout à la fois de l'arbre et du voyage immobile.

NICOLAS – Précisons-le : ce laurier-tin n'est ni du laurier, ni du thym. Il s'agit de viorne. Limpide, non?

NICOLAS – Bien que l'étymologie de l'amadou soit imprécise, on sait en tout cas qu'elle est intimement liée à celle du verbe *amadouer,* qui viendrait du verbe *aimer.* Je soupçonne pour ma part que la douceur spongieuse de l'amadouvier, dont on pouvait notamment tirer un feutre, n'est pas étrangère à cette association.

L'amadou servait aussi (et plus notoirement) de substance d'allumage. L'espèce est d'ailleurs nommée *Fomes fomentarius,* du latin *fomentum,* « allumer », qui nous donna aussi le subversif et incendiaire verbe *fomenter.*

Oxymorique champignon, tout à la fois capable d'amadouer et d'incendier.

DOMINIQUE – Il n'est pas que les courges qui soient créatures de contes : les champignons aussi.

Celui-ci, blanchâtre, sculptural et liégeux, a l'allure d'un sabot de cheval et peut vivre jusqu'à trente ans. Il lui faut cependant beaucoup moins que cela pour avoir raison de l'arbre auquel il se fixe, se transformant, après la mort de son hôte, de parasite en décomposeur. Il a surtout comme propriété de s'embraser rapidement, et était pour cette raison, de la préhistoire au Moyen Âge, utilisé pour allumer les feux.

Les mendiants quant à eux s'enduisaient le visage d'amadou afin de se jaunir le teint et d'attirer la pitié des passants – ils s'amadouaient pour les amadouer. Car le verbe désigne encore le fait d'émouvoir, ou de flatter par de belles paroles et surtout, en provençal, de se prendre de passion, de s'enflammer pour quelqu'un.

Ce champignon est tout bonnement shakespearien, qui réunit sous son chapeau la mort, le feu, la tromperie et l'amour.

***

Depuis quelques jours la lumière a changé. Ce n'est pas encore le soleil du printemps, mais les rayons ont cessé de nous parvenir obliques dès deux heures de l'après-midi. Il y a dans la journée des moments de vraie clarté, non plus dorée, mais transparente comme du verre. Même les ombres ne sont plus les mêmes, grises plutôt que bleutées; on n'a plus l'impression que le vrai paysage est couché par terre dans la neige.

Nicolas – Le mézéréon tire son nom du latin *mezereum,* qui viendrait lui-même de l'arabe *mazriyoun,* signifiant « toxique ». En faisant des recherches, j'ai découvert que son nom flamand était *mezere-boom,* ce qui m'apparaissait une forme aussi explosive que distrayante – jusqu'à ce que je réalise qu'en flamand, le mot *boom* désigne tout bêtement un arbre.

Rien n'est plus désolant qu'une révélation qui se dégonfle comme un soufflé.

Dominique – C'est apparemment celui-ci (*Daphne mezereum*) qui s'appelle bois-joli, ou bois-gentil, et non pas la lauréole (*Daphne lauerola*). Mille excuses. On soupçonne qu'il n'y a pas des tonnes de plantes qui fleurissent à la fin du mois de janvier, ce qui explique sans doute que Thouin et Fabre d'Églantine aient résolu d'exploiter au maximum les ressources de cette famille d'arbustes dont, quelque jolis ou gentils qu'ils se prétendent, les baies sont toxiques pour les êtres humains. On retient du coup qu'il conviendra de faire montre de prudence la prochaine fois qu'on ira en forêt, et d'apporter une collation plutôt que de remplir un panier de jolis fruits rouges.

***

À la toute première page de son journal, Saint-Denys Garneau liste les achats qu'il a faits ce jour-là : cahier, cahier à feuilles mobiles, tabac, thé, aiguilles de gramophone, timbres.

Voilà un homme qui s'embarque pour un long voyage, et emporte tout ce qu'il lui faudra pour rester en vie.

NICOLAS – J'ai autrefois méprisé le peuplier faux-tremble, pour plusieurs mauvaises raisons.

Sa première faute, à mes yeux, était de ne pas appartenir à une espèce noble, comme l'érable, le chêne ou le merisier. Le peuplier faux-tremble n'était, en somme, qu'une sorte d'aulne un peu plus ambitieux, une mauvaise herbe de dix mètres. Et que dire de ce nom incertain, de cette identité qui n'en était pas une? Peuplier ou tremble? Ah : *faux*-tremble. Mais existait-il seulement un tremble vrai? Non, pas au Québec, en tout cas. Ce qu'ici on appelait le tremble était toujours du faux-tremble. Un arbre incapable d'accéder à la vérité.

Et puis un jour, j'ai changé d'avis. Je ne sais pas quand au juste, mais j'ai compris que le peuplier faux-tremble était un arbre audacieux et résilient, capable de peupler, justement, les friches, les brûlis, les parcelles où aucun arbre ne parvenait à pousser. Une espèce pionnière, dit-on en sylviculture. L'humble Marco Polo des terrains vagues, à l'écorce pâle et soyeuse, à la silhouette souple, et qui l'automne, avec la sensibilité typique des grands mélancoliques, compte parmi les tout premiers arbres à larguer le vert. Il prend alors une éclatante teinte jaune, reconnaissable de loin.

DOMINIQUE – Peut-être le saviez-vous? On appelle la culture de peupliers *populiculture,* un nom qui évoque davantage, il me semble, les commentaires de Mario Dumont et les chroniques de Richard Martineau que l'art sylvestre.

***

Juste à côté de cette cour de mon enfance dont je croyais pourtant avoir terminé de faire le tour, la Ville a un jour décidé d'aménager une passerelle destinée à permettre aux enfants de la rue d'en haut d'accéder à la nôtre pour y prendre l'autobus scolaire. Émoi des voisins, si je me souviens bien, et de mes parents, qui craignaient de voir leur intimité menacée. Ces messieurs de la Municipalité proposèrent donc de planter chez nous une haie qui protégerait des regards indiscrets. Des dizaines de petits cèdres s'élevaient bientôt, espacés de quelque cinquante centimètres, devant la clôture de mailles losangées. Seulement, ils ne s'élevaient pas bien haut. On entreprit donc de planter, entre cèdres et clôture (ou bien était-ce plutôt devant les cèdres?), une seconde haie, de peupliers, celle-là, destinée à faire écran le temps que la première puisse prendre le relais. Or le peuplier n'est pas un arbuste; à maturité, il fait dans les trente mètres. Je ne suis jamais retournée à cette maison depuis que nous l'avons quittée il y a près de trente ans, mais je suis sûre qu'on la reconnaît à des kilomètres à cette barrière de géants flanquant un étroit sentier d'écoliers.

Nicolas – Chaque foyer devrait posséder une hache, comme on possède un tire-bouchon ou une brosse à toilette – et je rêve du jour où, ayant amassé assez de sous, je pourrai nous payer une hache Gränsfors.

Non seulement ces haches sont fabriquées dans une petite usine suédoise par huit forgerons émérites, mais leur variété suppose une diversité extraordinaire d'usages subtils : hachette et mini-hachette, hache de sculpture, hachette de menuisier et de charpentier, hache et hachette forestières, hache de jet, merlin (pour fendre les grands morceaux de bois), petite et grande cognées, hache de chasseur, coin éclateur et hache à mortaiser.

Ces outils sont de véritables œuvres d'art. Chaque fer est d'ailleurs frappé des initiales du forgeron. La dureté de l'acier est soigneusement calibrée à 57 sur l'échelle Rockwell C, et chaque cognée est ajustée à la fréquence de 442 Hz avec un accordeur stroboscopique, ce qui permet (si vous le désirez) d'accorder votre piano à queue tout en fendant quelques quartiers d'érable.

Dominique – En ancien et moyen français, le son [ɲ], que l'on représente aujourd'hui graphiquement par les lettres *gn* s'écrivait *ign*. On ne prononçait pas le *i*, dont il reste des traces dans quelques noms en français moderne (où il devrait aussi théoriquement être muet).

Démonstration :

— Qu'est-ce que tu lis?

— Les essais de Montagne.

Un monde sépare les *Essais* de Montaigne de ces essais de montagne – on imagine ici un homme, petit, seul, mais aux ambitions de géant, se colleter avec une plaine unie, la prendre à bras-le-corps pour tenter de la soulever dans l'espoir d'y inscrire un relief qu'elle n'a encore jamais connu, d'y tracer un paysage dont il lui faut inventer les contours au fur et à mesure, de hausser une partie de la terre en pleine lumière. On n'est peut-être pas si loin de la vérité.

11	Primidi..	*Ellébore*
12	Duodi ...	*Brocoli*
13	Tridi	*Laurier*
14	Quartidi.	*Coudrier*
15	Quintidi..	VACHE
16	Sextidi ..	*Buis*
17	Septidi...	*Lichen*
18	Octidi....	*If*
19	Nonidi...	*Pulmonaire*
20	DÉCADI ..	SERPETTE

NICOLAS – Lorsque j'étais enfant, nous connaissions l'ellébore, ou vérâtre vert, sous le nom de *tabac du diable*.

Je me méfiais instinctivement de cette plante printanière, aux feuilles d'un vert pétant qui tranchaient avec le brun des sous-bois. Les feuilles me paraissaient malveillantes parce qu'elles étaient nervurées longitudinalement, à l'instar du plantain, ce qui est une configuration rare – et dans la nature, on se méfie de tout ce qui a l'air un peu trop rare : l'amanite tue-mouche (qui ressemble à une maison de schtroumpf écarlate), le fruit de la clintonie boréale (au bleu appétissant) ou les baies de la hart rouge (d'un blanc ectoplasmique) sont aussi excentriques que toxiques.

Je me méfiais donc du tabac du diable, qui avait d'ailleurs la réputation d'être un violent poison. Par la suite, à cet âge où l'on remet tout en question, j'ai cru qu'il s'agissait d'une superstition de grand-père, dénuée de fondement – mais Marie-Victorin m'a remis à ma place vite fait : le vérâtre vert contient de la vératridine ($C_{36}H_{51}NO_{11}$), un alcaloïde qui provoque « salivation excessive, vomissements, purgation violente, douleurs abdominales, faiblesse musculaire, paralysie générale, spasmes et convulsions ».

Si le poison n'est pas rejeté par vomissement, ce qui est généralement le cas, la mort survient par asphyxie.

Grands-pères : 1. Scepticisme : 0.

DOMINIQUE – Il faut, si l'on en croit le second tome de *L'histoire generale des plantes* publiée par Jacques Dalechamps en 1615, se garder de confondre l'ellébore noir avec le *confiligo* qui lui ressemble quelque peu, toutes deux plantes à longues feuilles dentelées, dépourvues de tiges, et dont les fleurs éclosent « au bout de queües qui fortent immédiatement de la racine, & ont environ une paume de hauteur ». Alors que le premier guérit de la folie, le second peut être utilisé pour soulager d'autres maux, pour peu que l'on respecte la marche à suivre :

> Il la faut arracher deuant que le Soleil leue auec la main gauche : car on tient qu'eftant cueillie en cefte façon elle en fait plus d'operation. Quant à l'vsage : il faut efgratigner l'oreille de la befte à l'endroit où elle eft la plus large auec vne aleine d'airain en forte que le fang en coule, & qu'il face vn cercle rond, comme la lettre O. Cela eftant fait tant au-dedãs qu'au dehors de l'oreille, il faut percer l'oreille avec ladite aleine au beau milieu du fufdit cercle, & paffer la fufdite racine par ledit trou : car la playe fe vient à referrer de forte que ladite racine ne fçauroit tomber. Par ce moyen tout le mal court fur cette oreille, & la partie d'icelle qui a efté cernee tõbe morte.

Sans aller jusqu'à faire tomber morte quelque partie que ce soit ni même jusqu'à entailler les honnêtes gens, il me semble que certains matins nous aurions tous avantage à nous passer derrière l'oreille qui un brin de romarin (afin de faciliter la digestion), qui un bouton de rose (pour prévenir les migraines), qui quelques feuilles de menthe (réputée pour ses vertus toniques). On aurait ainsi, vu de haut, de fort jolis bouquets, et l'odeur ambiante dans les métros, les autobus, voire les salles de classe, s'en trouverait grandement améliorée.

DOMINIQUE – J'ai passé les douze premières années de ma vie sans connaître la faim. Je ne veux pas dire que j'avais suffisamment à manger, mais que je n'ai pas souvenir d'avoir éprouvé le besoin ou l'envie de le faire. Parfois je prenais plaisir à croquer dans une pomme, mais c'était surtout à cause de la peau craquante et du parfum qui se dégageait du fruit; ou bien, en mangeant des frites, j'appréciais le goût du sel sur ma langue. Mais cela n'avait rien à voir avec la faim; c'était comme faire craquer une branche sous le pied, ou lécher le sel de la mer séché sur ses doigts.

Trois fois par jour je m'asseyais à table avec une légère nausée. Chaque bouchée était une épreuve. Je n'aimais pas la viande, sauf grillée jusqu'à en être presque carbonisée, les légumes cuits m'écœuraient, la seule odeur du lait et du fromage suffisait à me serrer la gorge, les œufs me répugnaient, le poisson me donnait le haut-le-cœur, les sauces me faisaient frissonner. Les fruits crus et le pain sec m'inspiraient un dégoût moins violent, mais je ne voyais pas pourquoi j'aurais dû vouloir les porter à ma bouche. Je n'aimais ni les bonbons ni les pâtisseries auxquelles on a recours pour convaincre les enfants de finir leur assiette.

Mes parents ont dû il me semble tout essayer : dissimuler des aliments que je détestais dans d'autres que je haïssais moins, menacer, plaider, ordonner, cajoler, recommencer. Je me souviens de quelques crises de larmes, peu nombreuses, de l'odeur du jambon et des haricots qui tiédissent devant moi, écœurants, gris rose et vert gris. Je me rappelle surtout l'incompréhension totale qui m'habitait : qu'est-ce donc qu'on attendait de moi, et comment se faisait-il que j'en sois incapable?

L'appétit m'est venu à l'adolescence. Mais aujourd'hui encore dès que je suis inquiète, malheureuse ou troublée, même sans le savoir, même quand je continue à dormir sur mes deux oreilles, à travailler comme si de rien n'était, à rire et à écrire, j'oublie à nouveau ce que c'est que d'avoir faim.

NICOLAS – J'avoue être incapable de lire le mot brocoli sans penser à la coccinelle de Gotlib.

Ce qui me fait penser à un truc que ladite coccinelle n'aurait pas manqué de souligner : on ne trouve pas le moindre insecte, dans ce calendrier républicain. Je réalise soudain combien cette discrimination à l'endroit des agents pollinisateurs est révélatrice. Non seulement elle suggère une conception assez grossière des écosystèmes, basée sur le visible et la permanence, mais elle indique surtout le désir de créer une mythologie arbocentrique, sans doute d'inspiration sourdement païenne.

Suffit d'écarter le clergé pour retrouver les Celtes en dessous, à peine aplatis.

LAURIER

NICOLAS – Je me souviens (comme disait Georges Perec) que dans mon enfance notre voisin se nommait Laurier Bellefleur. Il était optométriste.

DOMINIQUE – Dans la Grèce et la Rome antiques, la coutume voulait que l'on ceigne le crâne des généraux vainqueurs d'une couronne de feuilles de laurier. Mais ces lauriers destinés à récompenser l'excellence ou à célébrer la victoire étaient aussi déposés sur le front des poètes, puis, au Moyen Âge, sur celui des médecins nouvellement reçus. Ce sont ces dernières couronnes entremêlant les feuilles et les baies du laurier (*bacca laurea*) qui ont donné son nom au *baccalauréat* moderne.

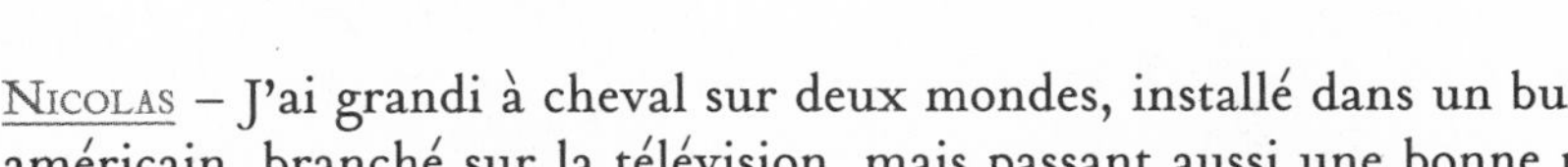

AVELINIER

NICOLAS – J'ai grandi à cheval sur deux mondes, installé dans un bungalow nord-américain, branché sur la télévision, mais passant aussi une bonne partie de mon temps dans les champs et la forêt. Je me suis souvent demandé laquelle de ces dimensions de mon existence prévalait, et sans doute vais-je mourir sans avoir répondu à cette question.

Je peux néanmoins certifier que, sur le plan alimentaire, je suis l'indécrottable descendant de mes aïeux : lorsque je dois choisir entre une espèce indigène ou un cultivar, je préfère systématiquement l'espèce sauvage. Pour moi, le bleuet sauvage est supérieur à son vis-à-vis cultivé, et ainsi en va-t-il de la fraise, de la framboise, de la mûre, de la gadelle (à poils ou non), du pimbina (que j'oppose arbitrairement à la canneberge) et même de ces pommes difformes et acides qui poussent dans les pommiers retournés à l'état sauvage.

En ce qui concerne l'aveline, mon désintérêt pour le cultivar est sans fond. Impossible de comparer cette grosse noix sèche avec l'amande fine et subtile du noisetier à long bec, au goût d'aubier frais, que l'on dégage à la pointe de l'Opinel.

DOMINIQUE – À la Chandeleur (incidemment, de ce côté-ci de la grande mare, le jour de la marmotte), renommée 14 pluviôse, l'on servait des crêpes censées symboliser le retour du soleil après le plus noir de l'hiver. Je ne serais pas étonnée que nos révolutionnaires aient choisi l'aveline, elle aussi ronde et dorée, en hommage déguisé, détourné, à la fête chrétienne qu'ils souhaitaient supplanter.

Alexandre Dumas n'offre ici ni menu ni recette mais une anecdote surprenante : « Les avelines poussent sans culture dans les ravins et les ruines qui environnent Avelines. *Victor Hugo enfant a failli se tuer dans un de ces ravins en cueillant des avelines.* » L'épisode ne figure pas dans la monumentale biographie qu'Alain Decaux a consacrée à l'auteur, mais cela ne signifie pas qu'il soit inexact : Dumas et Hugo étaient contemporains, et ont entretenu une longue amitié ponctuée de querelles. Il ne serait pas si étonnant qu'ils aient échangé des souvenirs d'enfance.

N'empêche, comment savoir si ce qu'un romancier (par définition un fabulateur, c'est-à-dire un menteur) raconte est bien vrai? Cela a-t-il même quelque importance? Peut-être si l'on a pour objectif de traquer la vérité dans les livres; on exigera alors des auteurs qu'ils se montrent fidèles à la réalité. Mais il est déjà, il me semble, suffisamment difficile de débusquer cette vérité dans le réel appréhendé directement, je veux dire sans la médiation du narrateur et de sa mise en récit, qu'on ferait mieux de chercher autre chose dans les romans (j'entends ici le mot dans un sens très large, qui inclut le *Grand dictionnaire de cuisine*). Que peut-on donc espérer trouver de valable dans ce discours qui se présente lui-même comme inventé?

Peut-être quelque chose comme l'envers ou le dessous de la vérité, qui ne serait pas le mensonge, mais une forme de complication, d'*épaississement* du réel, comme si le roman avait le pouvoir de déplier d'un coup une ribambelle de silhouettes dont on n'apercevait avant lui que la première, et qui se révèlent toutes subtilement différentes. Peut-être l'ombre des choses, elle aussi multiple et changeante, où se dissimule parfois leur vraie forme. Peut-être simplement des histoires, qui ne sont ni plus ni moins belles selon qu'elles sont vraies ou fausses.

VACHE

DOMINIQUE – Écrivain n'ayant jamais vraiment écrit autre chose que des lettres et de courts textes épars, dessinateur et peintre, ami d'André Breton sur qui il exerça une influence marquante, Jacques Vaché (1895-1919) est considéré par certains comme l'un des précurseurs du surréalisme. Si la version française de Wikipédia lui consacre une assez longue notice, étoffée de citations et de témoignages, la page anglaise n'offre qu'une description sommaire du personnage, qui se clôt par une manière d'épitaphe lapidaire, un zeugme lui-même pas loin du poème surréaliste :

« He was known for his indifference and for wearing a monocle. »

NICOLAS – J'ai toujours eu un penchant pour l'accumulation d'objets disparates, et sans doute aurais-je assemblé, à une autre époque, mon propre cabinet d'amateur.

Parmi les objets étranges que j'ai possédés, je garde une pensée émue pour six ou sept vertèbres coccygiennes enfilées sur un fil à pêche. Elles provenaient d'un veau que nous avions élevé à notre fermette – Brin-de-foin ou Agrippine, je ne saurais dire lequel. Les vertèbres me furent données par mon père, qui me savait friand de sciences naturelles, mais aussi pour me faire une blague. J'étais en effet assez turbulent, et ma famille me surnommait *queue-de-veau.*

Il m'apparaît soudain de manière douloureusement flagrante que je suis né dans un autre siècle.

DOMINIQUE – Au mur il n'y a ni crucifix ni rameau mais, outre le diplôme d'embaumeur, une branche de cotonnier, une illustration encadrée des inséparables figurant sur la couverture des *Larmes de saint Laurent* offerte par notre éditeur préféré, un autre cadre, ancien, doré celui-là, au rebord qui s'écaille, où on lit sur un papier fané : « £20,000 Sterling Reward to be given by Her Majesty's Government to such private Ship, or ditributed among such privates Ships, or to any exploring party or parties, or any Country as may, in the judgement of the Board of Admiralty, have rendered efficient assistance to Sir John Franklin, his Ships, or their Crews, and may have contributed to extricate them from the Ice » – fabriqué à partir d'un document d'époque par Fred, qui me l'a donné comme un talisman quand j'ai cru la première fois pouvoir faire un roman. Des bibliothèques sur trois murs, au fond, à gauche et à droite; sur les rayons la Bible et le Coran, le Mahâbhârata, *L'art de la guerre,* Hugo, Dostoïevski, Márquez, Allais, Gary, Bobin, Cervantes, Proust, Eco, tous aimés à des époques et pour des raisons différentes – mais semblables au fond. Un appareil photo, un hippopotame sculpté, un tapir en bois de rose. Une pleine boîte de photos de famille des années 1930 ou 1940 sur lesquelles je ne reconnais presque personne. Un oiseau en origami bleu et vert qui bat des ailes quand on le tire par le bec et par la queue, cadeau de Sophie, une roche volcanique offerte par Martine, des cailloux jaunes, gris et blancs de la plage à Cape Elizabeth, des coquillages troués. Neuf cahiers à couverture rigide aux pages couvertes d'écritures multicolores. L'agrandissement d'un cliché de ma grand-mère, enfant, entourée de ses sœurs, toutes les sept entre deux et dix ans, vêtues de broderies blanches, les cheveux au carré retenus par d'énormes boucles blanches amidonnées, le regard espiègle et le sourire terriblement vivant. Des lettres, des livres d'amis, une cabane sous les arbres pour les jours gris; dictionnaires, grammaires, grimoires, le Ramat, *Le grand Robert,* le *Dictionnaire historique de la langue française* avec leurs fines pages en papier bible. Sur le mur couleur sable devant moi, trois photos en noir et blanc : Fred blond avec en travers de la joue une tache de terre qui ressemble à une peinture de guerre, Victor en très gros plan, dans son œil le reflet de la photographe, le bas de la porte d'une chapelle à Saint-Antoine-de-Tilly, deux rosaces en bois au-dessus de l'herbe. Sept cœurs de tailles différentes, comme des poupées russes, en pierre, en marbre, en granit, en terre cuite et en verre, gris et rouge, l'un contenant une sorte de grelot qui tinte quand on le soulève. Deux plantes, un ancien pupitre en chêne sur lequel reposent une théière blanche, une tasse et un chat; ordinateur, écran, clavier, souris et leurs cascades de fils. Des crayons, une plume, des enveloppes, des timbres. Une corbeille à papier. Papier : feuilles vierges, épreuves corrigées, premières versions découpées aux ciseaux, recollées avec du ruban gommé, pliées et assemblées. Un fauteuil pour les invités, une chaise en bois blanc pour travailler. Une porte. Une fenêtre : six carreaux, l'érable, au-delà la montagne, très loin, la mer, le ciel.

NICOLAS – Recette facile de buxine.

La buxine remplace la quinine dans le gin and tonic, provoque l'éternuement et épate les copains. Pulvérisez 500 grammes de branches et de feuilles de buis (*Buxus sempervirens*), que vous épuiserez dans l'acide sulfurique. Précipitez cette solution avec du carbonate de sodium. Lavez et faites sécher le précipité, puis dissolvez-le dans l'alcool pur. Contrairement à la croyance populaire, la vodka n'est pas un substitut acceptable. Distillez la solution et traitez le résidu à l'acide sulfurique dilué afin d'en retirer la parabuxine. Si à cette étape vous n'avez pas déjà fait sauter votre cuisine, décomposez le sulfate de buxine au carbonate de sodium, et transférez le précipité dans de l'eau. Rassurez les voisins au sujet de cette drôle d'odeur qui semble provenir de chez vous. Non, il n'y a pas le feu. Pas la peine d'appeler les pompiers. Dissolvez le précipité en faisant passer de l'acide carbonique dans la solution. Vous n'avez plus d'acide carbonique? Courez vite en acheter au dépanneur. Portez la solution à ébullition : le carbonate de buxine restera en suspension, cependant qu'une résine se déposera au fond de votre casserole. Réservez la solution. Votre casserole est irrécupérable, jetez-la. Munissez-vous d'un masque à gaz et d'une bouteille d'ammoniac. À l'aide de l'ammoniac, et en gardant votre sang-froid, provoquez sans hésiter la précipitation du précieux alcaloïde.

La semaine prochaine, nous ferons des cupcakes.

NICOLAS – Voilà des décennies que nous scrutons le cosmos en quête d'une manifestation de vie intelligente. Armés de paraboles colossales, les radioastronomes cherchent inlassablement des signaux dans le spectre électromagnétique – des signaux similaires, en somme, à ceux que nous émettons nous-mêmes. Nous négligeons cependant une chose : la diversité des formes de vie (et d'intelligence) doit nécessairement se traduire par une diversité des modes de communication.

Nous cherchons au ciel alors que le message se trouve à nos pieds.

Plutôt que de communiquer avec nous par de banales ondes radio, nos voisins ont implanté leurs messages dans l'ADN du lichen géographique (*Rhizocarpon geographicum*). Voilà des millénaires que cette humble plante trace inlassablement, sur les rochers et les pierres tombales, le contour de continents inconnus qu'éclaire *Proxima centauri*.

Ce lichen est comme ces plaques vissées sur les sondes Pioneer : tout à la fois carte géographique et carte de visite.

Même les lichenologues n'ont rien remarqué, bien sûr. Ils prétendent poétiquement que ce lichen trace des géographies imaginaires. Comment pourraient-ils imaginer la terrible vérité : non seulement une forme de vie (supérieurement) intelligente existe bel et bien dans notre voisinage galactique, mais elle a évolué à partir des cyanobactéries.

DOMINIQUE – Il existe quelques dizaines de milliers d'espèces de lichens, certaines employées en teinturerie, d'autres par les parfumeurs, d'autres encore en pharmacie, selon un usage qui varia au fil des siècles – on voulut jadis guérir l'épilepsie grâce à l'*Usnea plicata,* l'usnée du crâne humain, réputée ne pousser que sur la tête des pendus. Aujourd'hui encore, le papier de tournesol qu'on utilise pour mesurer le pH d'une solution (de lilas qu'il est à l'état neutre, il tourne au rouge quand on le trempe dans un liquide acide et au bleu quand on l'immerge dans une solution alcaline) est fabriqué en imprégnant un papier d'une poudre extraite du lichen *Ochrolechia parella,* l'orseille des Canaries.

Tantôt rêches comme de l'écorce, tantôt délicatement dentelés, ailleurs chevelus ou moussus, ces êtres à moitié algues et à moitié champignons ressemblent à des plantes des grands fonds exilées sur terre par erreur. Ce sont créatures étranges et diverses, dont il va de soi que nous n'avons pas encore découvert toutes les variétés. Ainsi le *Rocella pinochia,* dont on fera un test semblable au papier tournesol; il suffira de le tenir quelques instants devant la bouche d'un amant pour recueillir ses paroles et savoir s'il dit vérité ou mensonge, le papier dans ce dernier cas s'enflammant spontanément. Et son cousin *Cladonia chronossica* qui, pareillement utilisé pour filtrer les mots d'une promesse, permettra grâce à une gamme chromatique subtilement graduée – du blanc au vermillon en passant par toutes les nuances de roses – d'en connaître la durée.

If

NICOLAS –

```
<?php
if ($var_if == “plante”) :
include (“./adn/taxus_canadensis.php”);
elseif ($var_if == “structure_conditionnelle”) :
                    include (“./blagues_douteuses/abyme_booleen.php”);
else :
echo (“<p><img src=\”./img/conrad_kirouac.jpg\”></p>”);
endif;
?>
```

DOMINIQUE – Bien sûr, le château d'If le plus célèbre est cette forteresse où fut emprisonné Edmond Dantès et dont il ressortit déjà presque comte de Monte-Cristo, après que l'abbé Faria, qui fit son éducation, lui eut révélé l'emplacement du trésor des Spada.

C'est aussi le nom d'un autre palais, moins connu, un château des possibles où mille portes semblables donnent sur mille pièces différentes. En ouvrant la première, vous voyez ce que vous seriez devenu si vous aviez été plutôt votre frère ou votre sœur. La seconde vous révèle le destin de ceux avec qui vous vous êtes brouillé pour ne jamais vous réconcilier. La troisième pièce est déserte, mais sens dessus dessous : les lustres poussent sur le sol comme des arbres aux feuilles de cristal et le plafond moutonne de tapis persans; vous-même, en y mettant le pied, en êtes renversé. La quatrième est remplie de miroirs qui se réfléchissent l'un l'autre et dans lesquels votre image vous apparaît chaque fois un peu plus déformée mais aussi, curieusement, un peu plus reconnaissable. Dans la cinquième a lieu un dîner d'apparat auquel assiste une foule vêtue de brocart, portant perruques; alléché par le fumet des plats, vous entrez sur la pointe des pieds; on vous ignore : vous y êtes invisible. Le mur de la sixième pièce est percé d'une fenêtre qui vous montre le monde tel qu'il aurait été si vous n'aviez pas existé; étrangement semblable. Dans la septième, il neige. La huitième vous révèle le visage de ceux que vous auriez pu aimer mais avez croisés dix minutes trop tôt ou cinq ans trop tard; ils sont au nombre de treize. Il y a encore une chambre remplie d'oiseaux, une autre dont les murs incrustés de coquillages font entendre la mer et où les parquets, deux fois par jour, se couvrent d'une mince couche d'eau salée. Après des mois d'errance, en ouvrant enfin la millième porte, vous croyez qu'elle donne sur l'extérieur et que vous allez quitter le palais, mais en vérité c'est à ce moment seulement que vous y entrez.

NICOLAS – Voltaire, dit-on, aimait, à la fin de sa vie, se balader dans les sous-bois ombragés afin d'y entendre tousser les fleurs.

DOMINIQUE – Est-ce que c'est moi qui commence à trop fréquenter les univers de contes? Toujours est-il que je vois immédiatement se dessiner une forêt basse composée de plantes rosâtres, certaines semblables à des éponges criblées d'alvéoles, d'autres, plus denses et d'un rouge violacé, en forme de foie ou de rein, un jardin mi-végétal et mi-humain où les organes pousseraient comme des fleurs sanguines.

Mais j'ai vu plus prodigieux encore à la télévision il y a quelques mois : un laboratoire où l'on avait fabriqué, à partir de cellules souches prélevées dans la moelle osseuse, une valve cardiaque. Mince et délicat, l'anneau presque translucide de la valve ressemblait à quelque fragile créature marine. Toute seule dans son réceptacle de verre, elle battait à petits coups réguliers, mystérieusement informée de ce qu'elle était un morceau de cœur.

***

Je me souviens distinctement d'un matin de mes dix-sept ans où nous nous étions réveillés, C et moi, dans la maison désertée par mes parents partis passer l'été au chalet. Le soleil était déjà haut dans le ciel. Nous ne nous étions pas levés. J'avais pris, près du lit, *La montagne secrète,* entamé quelques jours plus tôt. Il avait attrapé le deuxième tome des *Frères Karamazov*. Nous étions restés à lire pendant des heures, sans dire un mot, les jambes emmêlées sous la couette. J'avais eu la conscience très nette à ce moment-là d'être au commencement.

NICOLAS – Voilà trois semaines que les enfants mitraillent sans arrêt « buvons un coup ma serpette est perdue, mais le manche, mais le manche... » sur tous les tons et dans toutes les déclinaisons phonétiques imaginables.

Quelle scie, que cette serpette perdue.

DOMINIQUE – Le soleil aujourd'hui, tranchant comme une lame, découpe le paysage en taches sombres et en blancheur presque aveuglante. D'un côté l'ombre, de l'autre la lumière, entre les deux le fil du rasoir sur lequel nous marchons les yeux fermés.

21	Primidi.....	*Thlaspi*
22	Duodi	*Thymelé*
23	Tridi	*Chiendent*
24	Quartidi....	*Traînasse*
25	Quintidi....	VEAU
26	Sextidi	*Guède*
27	Septidi	*Noisetier*
28	Octidi	*Ciclamen*
29	Nonidi	*Chélidoine*
30	DÉCADI.....	TRAINEAU

THLASPI

NICOLAS – Lorsque, chaque printemps, je refais l'inventaire des plantes qui poussent dans mon quartier, j'attends l'apparition de certaines espèces avec une certaine impatience. C'est le cas du tabouret des champs, qui me donne l'occasion de distinguer le tabouret (du genre *Thlaspi*), la lépidie densiflore (du genre *Lepidium*) et la bourse-à-pasteur (du genre *Capsella*).

Un quartier bien classé est un quartier agréable.

DOMINIQUE – Longue et fine, la plante possède des feuilles dentelées, de petites fleurs blanches qui ressemblent à cent autres. Ce sont ses fruits qui la distinguent : composés de deux moitiés dont la jonction dessine une rainure, ils sont quasiment ronds, entamés seulement, au sommet, par une légère entaille. Réunissez-les en gerbe, vous avez un bouquet de *sand dollars* vert tendre.

Je devrai au thlaspi (combien de mots en français commencent par les lettres *thl*?) de m'avoir appris le sens premier du terme *glauque,* qui désigne, jamais je ne m'en serais doutée, une teinte « d'un vert blanchâtre ou bleuâtre *comme la mer* ».

THIMELE

DOMINIQUE – J'avais jeté l'éponge avant que nous nous parlions, Nicolas, résignée à l'idée que toute trace imprimée de cette plante (ce devait pourtant être une plante) avait disparu depuis au moins un siècle, me demandant toutefois comment une espèce pouvait ainsi avoir sombré dans l'oubli, si c'était parce qu'elle était très peu remarquable ou au contraire extraordinairement singulière. En deux coups de cuiller à pot, tu avais repéré la bête et réglé la question. Il s'agit donc du thimélée, aussi connu sous le nom évocateur de daphné garou.

Dans le *Dictionnaire portatif de commerce, contenant la Connoiffance des Marchandifes de tous les Pays, ou les principaux & nouveaux articles concernans le Commerce et l'Economie, les Arts, les Manufactures, les Fabriques, la Minéralogie, les Drogues, les Plantes, les Pierres précieufes, &c. &c.,* tome quatrième (de *Moule* à *Zoroche*) publié en 1770, on peut lire que la racine (la seule chose utile chez cette plante, prend-on la peine de préciser) en est « d'un goût affez agréable quand on commence à la mettre dans la bouche, mais cauftique et brûlante lorfqu'elle y refte quelque tems ».

Ainsi le daphné garou agirait à la manière d'un détecteur de pieux mensonges, de faux compliments et autres demi-vérités, mais cette fois destiné à celui qui les prononce peut-être sans trop s'en rendre compte, par habitude, par lâcheté ou par calcul, jusqu'à ce qu'ils lui chauffent la langue.

J'apprends au passage que tu as déjà travaillé comme archiviste dans une bibliothèque, et crois deviner, en t'écoutant raconter ce nouveau projet qui t'occupe, au sujet de cette mystérieuse G., que tu n'aimes rien tant que chercher. Pas même trouver, je dirais.

NICOLAS – Plus encore que de savoir ce que ça faisait de vivre dans un monde sans eau courante ou sans électricité, je serais curieux de savoir comment c'était de vivre dans un monde où rôdaient des loups.

De nos jours, les enfants qui s'aventurent dehors doivent craindre les voitures, les étrangers suspects, les piscines creusées, les seringues et les étranglements par courroie de casque de vélo. À l'époque, on craignait les loups.

Malgré ce qu'en diront les littéraires, l'aventure du petit chaperon rouge n'était pas une métaphore. De grands canidés sillonnaient la forêt.

Et cette idée me cause un grand vertige.

NICOLAS – SOIFS IMPROBABLES (4)

« M. Chevallier, qui a fait des expériences dont il n'a pas encore publié les résultats, a rappelé, à l'occasion d'un mémoire récent sur l'alcool de chiendent, que, dès 1811, le docteur Lerou annonçait avoir obtenu du chiendent le quart de son poids de sirop, et ajoutait qu'une pinte de ce sirop donnait par la fermentation et la distillation une pinte d'eau-de-vie à 21 degrés, et que cent livres de chiendent fournissaient dix pintes d'eau-de-vie à 21 degrés.

« Cette eau-de-vie valait beaucoup mieux que celle extraite du seigle, et se rapprochait du kirschwasser; on en faisait d'excellente liqueur en la mêlant à un sirop et en l'aromatisant.

« Ainsi le chiendent, cette plante si humble, si dédaignée, si traquée par l'agriculteur, se trouverait réhabilitée et presque ramenée au niveau de la canne à sucre qui n'est, du reste, qu'une graminée gigantesque. »

Tiré de *Revue de thérapeutique médico-chirurgicale, accompagnée de nombreuses gravures sur bois intercalées dans le texte*, publiée par le Dr A. Martin-Lauzer, ancien chef de clinique de la faculté de médecine à l'hôtel-dieu de Paris, lauréat de cette même faculté, médecin aux eaux de Luxeuil (Haute-Saône), etc., etc., Paris, 1865, p. 18.

DOMINIQUE –

— Tu sais ce que c'est, le mot, aujourd'hui?

— Quoi?

— *Chiendent.*

— Pas vrai!

— Oui, pourquoi?

— Tu veux dire que ça existe?

— Bien sûr que ça existe.

— J'ai toujours cru que c'était un mot que ma famille avait inventé.

— Comment ça?

— « J'ai passé la matinée dans le potager à arracher du chiendent », tu ne trouves pas que ça a l'air inventé, toi?

DOMINIQUE – Voilà qu'ils nous refont le coup du fumier, mais au féminin, cette fois.

Outre le sens qui se présente le premier à l'esprit, le mot a quelques acceptions voisines et désigne une plante « à tige rampante et couchée produisant des rejets », ce qui est, de toutes les descriptions de végétaux que j'ai pu lire dans ma vie (elles sont étonnamment nombreuses, maintenant que j'y pense), la plus triste.

Ailleurs, on lui accorde heureusement des appellations plus jolies, dont l'une semble presque porteuse d'espoir : herbe aux cent nœuds, renouée des oiseaux, et je me prends à rêver que l'humble traînasse a peut-être au milieu des passereaux trouvé le bonheur.

Je reviens tout de même au sens qui se présente le premier à l'esprit, un peu surprise de pouvoir être troublée par un terme aussi anodin. Le mot *traînée* ne m'aurait pas fait le même effet; c'est je crois la terminaison qui m'achève, ajoutant au mépris une sorte de désinvolture qui est une injure plus grande encore.

N'empêche, s'ils avaient un peu d'humour et un peu de cran, nos révolutionnaires, ils nous bombarderaient toute cette semaine de la Saint-Valentin d'insultes à peine déguisées en fleurs.

NICOLAS – Ce matin, la traînasse m'a mené à cette page que le *Trésor de la langue française* consacre aux suffixes -ace et -asse, lesquels ajoutent « ordinairement une nuance soit augmentative (idée d'abondance), soit péjorative ».

Cette page inclut la liste (exhaustive, ce me semble) des mots formés avec ces suffixes, et si on en reconnaîtra plusieurs, je dois admettre qu'il y a matière à se rehausser le vocabulaire. Je découvre ainsi que *canasse* signifie « gens de bas étage », que *pédantasse* veut dire « mauvais pédant » (comme s'il y en avait de bons), que *savantasse* désigne un « pédant qui joue les savants » (et comment désigne-t-on au juste le pédantasse qui joue les savants?) et enfin que *ragougnasse* désigne un « mauvais ragoût, une cuisine infecte ».

À chaque matin suffit son suffixe.

LIÈVRE

NICOLAS – Il y a quelques décennies de cela, alors que ma mère était enceinte de mon frère aîné, mon père accompagna Ti-Louis Dionne, un collègue de travail, en promenade à l'île aux Lièvres.

Située en face de Rivière-du-Loup, l'île aux Lièvres est relativement difficile d'accès, notamment parce qu'elle se trouve assez loin de la côte Sud, mais aussi parce qu'à cet endroit le courant est étonnamment puissant. De loin, on croirait l'estuaire tranquille, à peine parsemé de vaguelettes, mais dès qu'on s'approche de l'île, on réalise que l'eau coule à une vitesse impressionnante.

Le bateau était si petit que Ti-Louis Dionne le qualifiait de copeau. Il était muni d'un moteur mais n'avait rien d'imposant. Au moment d'accoster, la mince coque toucha un rocher et se défonça. Le trou n'était pas énorme, mais tout de même trop important pour songer à retraverser ainsi les douze kilomètres qui séparent l'île de la côte. Mon père et son collègue se trouvaient donc naufragés sur une île déserte, sans radio ni fusée de secours, et absolument pas équipés pour passer la nuit.

Mon père (ce héros) saisit alors une boîte de conserve abandonnée sur le rivage, sortit son canif, et s'enfonça dans la forêt. Marchant d'épinette en épinette, il préleva autant de résine qu'il le pouvait. Puis, allumant un petit feu, il la fit fondre à même la boîte de conserve, et se servit de cette laque pour colmater le copeau.

Les deux hommes revinrent à Rivière-du-Loup sains et saufs, mais assez tard.

Dominique – Dans une lettre à Gabrielle Roy, Margaret Laurence raconte un trajet en train de Calgary à Lakefield, en Ontario, au cours duquel elle aperçoit par la fenêtre des lièvres « en livrée d'hiver » – selon la jolie trouvaille de Sophie Voillot, qui est en train de traduire Laurence en français – et des antilopes. C'est plus fort que moi, même si je sais qu'il y a effectivement des antilopes qui vivent dans les Plaines : à ce mot, je vois les bêtes graciles de la savane africaine que Margaret Laurence décrit aux côtés des hyènes et des guépards dans *Une maison dans les nuages*. Son Canada et son Somaliland se mêlent inextricablement dans mon esprit (l'étaient-ils dans le sien aussi?) pour former un continent mi-réel et mi-fabuleux, où se chevauchent paysages des Prairies, souvenirs d'Afrique, Sheikh, Londres et Manawaka, et qui m'apparaît comme son véritable pays : la littérature.

***

Les ciels de printemps sont revenus; larges vagues roses, mauves et aurore – c'est une couleur, celle du crépuscule au-dessus de Côte-Sainte-Catherine. Les maisons sont déjà plongées dans la pénombre, les arbres se dessinent en silhouettes chinoises et pendant quelques minutes les nuages brillent comme des lampes.

Nicolas – Je m'interrogeais depuis un moment sur l'origine du nom d'Indigo, cette grosse chaîne de librairies anglaises du Canada.

Le site d'Indigo ne disait rien à ce sujet, ni Wikipédia. L'information avait peut-être été perdue, diluée au cours des années, notamment lors de la fusion avec Chapters. J'allai donc consulter le site original d'indigo.ca (1999) sur Internet Archive, mais n'y trouvai rien de plus.

Entendons-nous : je ne m'attendais pas à trouver une anecdote pittoresque. Après tout, Indigo n'est pas apparu par la croissance organique d'une petite entreprise : il s'agissait plutôt d'une offensive structurée. La fondatrice, Heather Reisman, avait tenté de faire entrer Borders au Canada durant les années 1990, mais la démarche avait été bloquée par Industrie Canada. Je n'étais pas naïf au point de croire qu'Indigo était le nom du caniche de Mme Reisman. Le nom provenait sans doute d'un projet clé en main conçu par une boîte de pub de Toronto.

Quoi qu'il en soit, je suis passé à l'étape suivante : la tournée des journaux de 1997, année où Indigo a ouvert son premier magasin, à Burlington, en banlieue d'Hamilton. Des dizaines d'articles annonçaient l'ouverture du magasin, mais aucun (ou presque) ne parlait du nom — sauf pour signaler au passage que « Indigo Books & Music Printed Passage Books » se prononçait assez mal, ou que la chaîne avait failli s'appeler « Now Books & Music » avant que l'hebdo *Now* de Toronto ne lui envoie ses avocats.

C'est finalement John Heinzl, du *Globe and Mail,* qui a posé la question à Heather Reisman. La réponse est fade, mais définitive : « The new name Indigo came out of a brainstorming session, and while it doesn't mean anything in particular, it sounds cool, recalling the Duke Ellington classic, *Mood Indigo.* »

There you go.

Dominique – On écrasait jadis les feuilles du pastel des teinturiers pour les mêler à de l'eau afin d'en faire une pâte que l'on façonnait en petites boules, les *cocagnes.* Celles-ci étaient mises à sécher, broyées et additionnées d'urine pour les faire virer du vert au bleu, avant d'être séchées de nouveau puis enfin utilisées comme pigment pour la teinture et la peinture.

Pendant longtemps, ce mélange de feuilles de guède, d'eau, d'urée, de temps et de soleil était le seul moyen que connaissait l'Europe de produire la couleur bleue, ce qui explique la richesse de la région où florissait la plante, qu'on en est venu à appeler *pays de Cocagne.*

Ce bleu de Cocagne pourrait être la première couleur d'une palette qui ne servirait qu'à peindre les contrées imaginaires, où il côtoierait le jaune Eldorado, le vert Atlantide et, en ce jour de la Saint-Valentin, le rouge de la carte de Tendre. Peu stables, les couleurs devraient cependant être manipulées avec précaution; elles auraient tendance à vouloir fuir la toile pour gagner le réel, peignant les ramoneurs en vert émeraude, les rivières en jaune maïs et la terre en bleu cocagne, comme dans les tableaux de Chagall.

Noisetier

Dominique – Un aveu : j'aimerais croire ce matin aux vertus des colliers et des bracelets de noisetier que défend Marcel Lebœuf avec une si belle assurance, jurant qu'ils soulagent de l'arthrite, des migraines, des caries, que sais-je encore. Je ne souffre pourtant ni de céphalées ni de maux de dents et mes articulations se portent bien, mais le contact du bois avec la peau a quelque chose de profondément naturel et de rassurant. Comme serrer dans sa main un galet poli par la mer et chauffé par le soleil. Ou serrer dans sa main une autre main. L'arbre lui-même une sorte de talisman.

Nicolas – J'ai déjà livré, plus haut, mon opinion sur les mérites respectifs du noisetier à long bec et de l'avelinier, et je n'ai pas l'intention de m'étendre sur le sujet.

En revanche, je m'interroge sur les raisons pour lesquelles on a consacré, dans ce calendrier, deux journées au coudrier. Si la première journée célèbre l'avelinier, d'un intérêt commercial indéniable, pourquoi avoir ensuite réservé une autre journée pour cet autre noisetier qui renvoie soit au genre *Corylus* au complet (ce qui est absurde), soit à une espèce cousine à l'intérêt commercial ou agraire moindre (ce qui est incompréhensible)?

Quelle importance particulière pouvait donc avoir le noisetier pour que ces messieurs Fabre d'Églantine et Thouin le distinguent ainsi de son cousin avelinier?

Je soupçonne que la raison est folklorique : on utilisait en effet le coudrier pour ses prétendues vertus magiques depuis des temps reculés, et c'est à l'évidence ce genre de patrimoine culturel/surnaturel qu'ils cherchaient à mettre en évidence, par opposition au rôle platement commercial de l'avelinier.

Je le répète : ces deux lascars avaient un programme païen caché.

Cyclamen

Nicolas – Cyclamen, fruit de l'arbre à cames.

Dominique – Ces fleurs aux pétales curieusement fixés à l'envers ressemblent à un pliage d'origami, ou bien à un mouchoir plissé qu'une belle laisserait tomber, mine de rien, aux pieds du galant à qui elle souhaite subtilement manifester de l'intérêt.

Hélas, il a détourné les yeux un instant. Quand il aperçoit le mouchoir par terre, il est trop tard, son voisin s'est déjà précipité pour le ramasser et le tendre à sa propriétaire, qui l'accepte avec un sourire un peu crispé en lançant un regard de reproche au distrait. Ils ne se reverront pas. Elle part le lendemain avec sa tante pour un long voyage. Quand elle reviendra, il sera marié à une autre. Parfois il rêvera d'elle, l'imaginant au milieu de fleurs blanches semblables aux voiles d'une armada miniature déployée sur une mer verte. Ces matins-là, elle se réveillera avec, dans les narines, une odeur d'iode et de sel.

Elle brûlera le mouchoir en rentrant à la maison. Il éclora en une fleur de feu. Disparaîtra en fumée. Reposera en cendres sur les pierres refroidies de l'âtre. Sera soufflé par le vent. Retombera avec la neige.

Chélidoine

Dominique – Ces grandes hirondelles arrivent au printemps en vols désordonnés, battant follement des pétales, pour poser dans les champs leurs corolles jaune moutarde. Elles enfoncent leurs fines pattes dans la terre puis restent immobiles, se font passer pour des fleurs. À la nuit tombée seulement elles se remettent à pépier.

C'est étrange, ce calendrier commence à me faire l'effet d'un jardin que je découvre plus que je ne le crée; une espèce de labyrinthe dont chaque matin un nouveau pan s'éclaire, mais qui avait toujours été là, simplement plongé dans l'ombre.

Nicolas – On la nomme aussi *herbe aux verrues,* à cause de son latex corrosif. Ça me rappelle mon oncle Léo Dupont. Rien à voir avec les DuPont qui nous ont concocté le kevlar, le nylon et le fréon. Des Dupont avec un *p* minuscule, bien de chez nous. À l'époque, les gens avaient des (insérer haussement de sourcils) dons : certaines personnes arrêtaient l'hémorragie ou le hoquet, par exemple. Mon oncle Léo avait la réputation de savoir faire disparaître les verrues. On disait qu'il leur parlait. Je ne sais pas quelles conversations ils pouvaient bien avoir, les verrues et lui — encore qu'il s'agissait sans doute d'un monologue, d'une harangue, d'un laïus —, mais on m'assure en tout cas que les verrues disparaissaient.

D'ailleurs, l'un de mes frères aînés a vu l'une de ses verrues apostrophée (ou cajolée, ou engueulée) de la sorte, avec d'heureux résultats.

Traîneau

Dominique – J'ai souvenir, toute petite, d'être allée glisser quelques fois près de l'école Marguerite-d'Youville sur les pentes escarpées auxquelles Cap-Rouge doit son nom. Ma mère m'attendait en haut de la côte, mon père en bas (ou bien l'inverse), et entre les descentes Kimo le chien esquimau remontait le traîneau orange vide, ravi d'avoir enfin un travail à faire.

Cinq ou six ans plus tard, je passerais une année dans cette école, sans doute la pire – mais à onze ans, on ne sait pas. Et puis, adolescente, c'est au pied du même cap rouge que j'aurais mon premier travail d'étudiante, dans la minuscule bibliothèque nichée entre la falaise et le fleuve, presque sur les rochers de la berge. Par les grandes baies vitrées qui, ouvertes, laissaient entrer le vent du large, on voyait venir les orages de loin, comme depuis le pont d'un bateau. Là, tout près de l'eau, au milieu des murmures d'enfants et des livres, j'ai eu pour la première fois l'impression d'avoir trouvé non pas exactement un chez-moi mais quelque chose comme la promesse qu'il pourrait exister.

<u>Nicolas</u> – Dans les années 1980, un de nos voisins était non seulement un grand adepte du ski de fond, mais il sortait toujours avec une pulka. Souvent je le voyais, tôt le matin, partir avec sa paire de skis sur l'épaule, sa pulka en remorque, et son chien – une sorte de pointeur tricolore, si ma mémoire est bonne – qui trottait sur ses talons.

Je me suis toujours demandé ce que pouvait bien contenir cette pulka, considérant qu'il ne partait skier que pour l'avant-midi. Peut-être s'entraînait-il pour traverser l'île de Baffin.

Quoi qu'il en fût, ce voisin incarnait à mes yeux l'archétype du skieur de fond. Il portait la barbe et les guêtres, et aucun froid ne semblait l'arrêter. Sa pulka, accessoire étonnant dans le Rivière-du-Loup de l'époque, contribuait à lui donner un caractère vaguement scandinave. Je le tenais pour l'une des deux grandes preuves vivantes que les fondeurs étaient, en vérité, des personnages subtilement excentriques. (Herman *Jackrabbit* Smith-Johannsen était naturellement l'autre.)

Je crois avoir demandé des nouvelles de ce voisin à ma mère, il y a quelques années. Il était mort d'un cancer. Il n'a jamais traversé l'île de Baffin.

VENTOSE

1 Primidi..... *Tussilage*
2 Duodi...... *Cornouiller*
3 Tridi....... *Voilier*
4 Quartidi.... *Troène*
5 Quintidi.... Bouc
6 Sextidi..... *Asaret*
7 Septidi..... *Alaterne*
8 Octidi...... *Violette*
9 Nonidi ..... *Marceau*
10 Décadi..... BÊCHE

Dominique – Il en poussait d'abondance dans la rue de la Rivière, à l'époque l'une des seules de Cap-Rouge, qui n'était pas encore la banlieue cossue qu'il est devenu aujourd'hui mais une sorte de champ que venaient peu à peu raser bulldozers et camions, et où l'on construisait des bungalows à la file.

Ici et là subsistaient néanmoins de petits morceaux de campagne. Le terrain de madame Gagné, par exemple, en face de la maison, qui avait jadis été un ranch et où l'on retrouvait encore de temps en temps un fer à cheval rouillé dans l'herbe longue. Il y coulait un ruisseau où j'allais pêcher toujours les trois ou quatre mêmes poissons, remis à l'eau à la fin de la journée. La rivière, à laquelle on accédait après avoir escaladé, près de la rue François-Boulet, une clôture de mailles losangées et dévalé une pente escarpée. Nous y avons passé des après-midi entiers les pieds dans l'eau froide couleur rouille, à faire semblant de chercher de l'or, à scruter les pierres plates pour y trouver des fossiles. Parfois, nous nous aventurions à traverser, avec l'impression d'un exploit, et regardions notre rive avec étonnement depuis l'autre côté.

Il y avait surtout, au bout de la rue qui était alors un cul-de-sac, un vaste terrain vague où l'on me défendait d'aller. C'était l'époque des *maniaques*; le moindre buisson pouvait en dissimuler une demi-douzaine. Rassemblant tout mon courage, j'étais pourtant partie, un matin, m'étais enfoncée dans le bois en suivant ce que j'espérais être un sentier. Les arbres cachaient le soleil, il faisait sombre. J'avais fini par déboucher dans une clairière jonchée de ruines, immenses blocs incompréhensibles dont on m'a plus tard expliqué qu'il s'agissait de fragments de décors de quelque chose. Très vite je n'ai plus su si j'avais véritablement osé me rendre jusque-là toute seule (ce genre de témérité me ressemblait bien peu) ou si j'étais allée y marcher en rêve.

Nicolas – Je pourrais encore évoquer mon père, qui me vantait le printemps dernier ses tisanes de pas-d'âne, mais je craindrais de sombrer dans la caricature à force d'admiration.

Du reste, et il s'agit de la véritable raison de mon abstention, je ne me souviens plus vraiment de ce qu'il me disait de la tisane de pas-d'âne. Peut-être qu'elle favorisait une meilleure mémoire?

J'aimerais plutôt noter que nous entamons aujourd'hui le mois de ventôse, après un pluviôse bien nommé. Quel hiver pourri. Il fallait bien que j'en profite pour acheter des raquettes aux enfants, et à moi, des patins : il n'y a pas quatre centimètres de neige au sol et l'étang du parc Jarry a (encore une fois) dégelé la semaine dernière.

Je me suis souvent demandé comment diable le calendrier révolutionnaire pourrait constituer un trait d'union entre la France et le Québec, dont les flores, faunes et climats sont finalement assez différents. Le traîneau d'hier m'a d'ailleurs laissé sceptique : de quel traîneau parlait-on? Que pouvait donc nous enseigner ce Parisien de Philippe-François-Nazaire Fabre sur les traîneaux?

RÉVOLUTIONS

Je viens de découvrir que la Révolution a eu lieu au beau milieu de ce que l'on appelle le petit âge glaciaire. Cette période de refroidissement a en effet affecté l'Occident depuis la fin du Moyen Âge jusqu'à la révolution industrielle, si bien que nos camarades républicains auront connu des hivers nettement plus frisquets que leurs descendants. Certains historiens pensent même que les déplorables conditions climatiques et les mauvaises récoltes (aggravées à plusieurs endroits par de la grêle) auraient contribué à l'insatisfaction populaire.

Bref, tout indique que le mois de février 1789 fut, à Paris, bien plus rigoureux que cette raclure d'hiver qui sévit à Montréal. Je coifferai donc mentalement Fabre d'Églantine d'une tuque des Nordiques de Québec.

Nicolas – Quatre-temps aux drupes pâteuses, qui contiennent plus de noyau que de chair, et dont le joli nom ramasse le calendrier tout entier. Minuscule mise en abyme dans les sous-bois.

Le quatre-temps offre l'occasion de réfléchir un peu à notre projet, ou plus exactement à son point de départ, puisque nous venons tout juste de procéder à notre échange de textes saisonnier. Si l'idée de suivre le calendrier est plaisante, et le prétexte en général inspirant (quoique, je te cite, certains matins on ignore si on recevra « une babiole, un bijou précieux ou du poil à gratter »), il me semble néanmoins que nous manquons rarement une occasion de nous gausser de Fabre d'Églantine. Il constitue une cible facile, dont je n'aimerais pas nous priver – n'empêche que, plus j'y pense, et plus son calendrier me semble avoir été détourné par André Thouin.

Admettons-le, Fabre voulait sans doute boucler (amalgame de *boulot* et *bâcler*) le dossier assez vite, et il s'est pointé au Jardin des plantes dans l'espoir de tout régler d'un coup. Résultat, nous avons des précisions parfois spécieuses sur des plantes similaires, deux espèces de noisetiers et ainsi de suite. Fabre eût-il consulté des agriculteurs ou des géologues que nous aurions eu, par exemple, non pas simplement le jour de la vache, mais celui de la charolaise, de la normande, de la limousine et de la rouge flamande.

À la fin de l'année nous verrons bien si ce calendrier aura été aussi phytocentrique que je le suppose, et les conclusions qu'il faudra en tirer. Pour l'heure, je compte m'intéresser un peu à cet André Thouin, qui est étrangement discret depuis le début.

Dominique – Il en existe apparemment deux essences principales : le cornouiller mâle et le cornouiller sanguin. (Je ne peux m'empêcher d'essayer de dresser mentalement un carré sémiotique autour de ces deux pôles, le « non-sanguin » implicite, à rapprocher du mâle, me plongeant dans la perplexité.)

Je regarde des photos prises en novembre, scrute les couleurs, compare les formes; ce sont sans doute des cornouillers qui poussent, à Cape Elizabeth, dans le marécage qui se déploie entre l'auberge et la mer, plantes dont les minces tiges à l'automne virent au rouge sang. Alors que nous cherchions une maison sur la côte, visitant sans enthousiasme des *beach houses* en bardeaux de cèdre plantées directement sur le sable, à un jet de pierre l'une de l'autre, et par les fenêtres desquelles on ne voyait que la barre de l'horizon, ce marais m'a fait comprendre quelque chose de crucial : j'avais besoin de cet espace de broussailles, d'herbes folles et d'eau dormante avant les dunes. Il me fallait apercevoir la mer au-delà de cette autre étendue presque sauvage à traverser, qui tout à la fois m'en séparait et m'y rattachait. Tout près de l'océan, j'avais quand même besoin de faire quelques pas pour le rejoindre, il me fallait pouvoir continuer à le désirer.

***

L'ombre des arbres a cessé de ramper par terre. Timidement, elle a commencé à se redresser et à escalader les façades des maisons comme une esquisse de vigne. Le jour revient.

Il fait entre bleu et gris dehors, doré dans mon bureau sous le cercle de la lampe. Dans sa dernière lettre, Gabrielle Roy raconte à Margaret Laurence ses livres et sa vie qui s'achève.

DOMINIQUE – Ces navires aux minces voiles lilas, aux ponts lisses couleur de miel et aux mâts de bambous creux avaient pour particularité d'émettre un léger sifflement semblable au bruit que l'on fait en soufflant dans une bouteille. Chacun avançait ainsi au son d'une note qui lui était propre et qui venait se mêler à celles émises par les autres nefs pour composer une mélodie complexe, laquelle, au gré des vagues, se scindait en canons pour se reformer en harmonies mouvantes.

Les flottilles de violiers n'ont pas existé longtemps; elles étaient toujours les premières décimées lors des batailles. D'abord on les entendait venir de loin. Ensuite, les voiles violettes, fragiles comme des pétales, se déchiraient au moindre souffle de vent, fondaient sous la pluie.

NICOLAS – Premier constat : André Thouin est fort connu à son époque. Fils du jardinier du roi, il reprend la charge de son père dès l'âge de vingt ans, où il excelle malgré sa jeunesse. Il augmente considérablement les collections du Jardin des plantes, et travaille à acclimater de nouvelles espèces. C'est un *golden boy* de la botanique, jeune et *focusé*. Il faut dire qu'il a vu le jour et a grandi dans les appartements du jardinier, juste derrière les serres, et qu'il a vécu là toute sa vie. Thouin fait partie intégrante de ces jardins.

À première vue, le personnage n'est guère du genre à entretenir une vie secrète. Ses journées semblent se dérouler derrière les parois vitrées d'une serre tropicale, offerte aux regards de tous. Sa correspondance avec Buffon, bien que cordiale, porte presque exclusivement sur des questions administratives : budgets, travaux de maçonnerie, facture, représentations.

Détail intéressant, quoique fort mal documenté : Thouin aurait été franc-maçon. Il aurait d'ailleurs ajouté un tréma à sa signature après son initiation, passant de Thouin à Thouïn, pour d'obscures raisons maçonniques. Ce tréma ne figure dans les ouvrages – et pas dans tous – qu'après sa mort, au milieu des années 1820.

Il s'agit, pour parler franchement, du seul détail un peu mystérieux de sa vie : deux points sur un *u*.

TROÈNE

DOMINIQUE – Voilà une autre plante dont l'ingestion des baies entraîne de fâcheuses conséquences (nommément : la mort) pour les chevaux, les chèvres et les hommes, si bien qu'en Nouvelle-Zélande, où elle a été importée et n'a pas de rivales naturelles, on peut contacter les autorités quand on en découvre un plant afin qu'elles viennent vous en débarrasser.

Je n'ai finalement nul besoin de dresser ce catalogue de poisons à la Gorey : nos révolutionnaires s'en sont chargés. Peut-être est-ce là le principe organisateur de leur calendrier que tu te désolais de découvrir si peu systématique et si partial envers les végétaux. Ce n'est pas une belle empoisonneuse qu'ils ont fait entrer en douce dans les coulisses de leur année, ce sont cinq, douze, vingt assassines qui rôdent dans l'ombre où elles dissimulent leurs fruits noirs et leurs épines.

NICOLAS – J'ai beau fouiller, ma chère Dominique, Thouin semble intouchable. Il est aimé de tous, on chante ses mérites. Buffon le tient en haute estime et les lettres qu'il lui adresse suggèrent que Thouin est non seulement un employé de confiance, mais un ami. Pas une seule allusion négative ou tendancieuse dans les archives de Goodyear.

Le bonhomme donne notamment l'impression d'être relativement discret sur le plan politique – ce qui est assurément un avantage lorsque, à l'aube d'une révolution, on a été jardinier en chef du Jardin royal des plantes. Il aurait tout de même été chargé, par l'administration révolutionnaire, de dresser l'inventaire des jardins botaniques que possédaient les nobles dans la région parisienne. Il agit néanmoins comme simple exécutant, et on ne parvient pas vraiment à se l'imaginer en *Gestapo Kriminalinspektor* des herbiers.

D'ailleurs, si l'on se fie à son « portrait dessiné d'après nature en 1824 et gravé par Ambroise Tardieu », il avait plutôt une bonne bouille.

Thouin était en somme nettement plus sérieux, talentueux et apprécié dans sa discipline que Fabre d'Églantine dans la sienne, et considérant la somme de ses tâches et responsabilités au Jardin des plantes, on est autorisé à supposer qu'il s'est débarrassé vite fait de cette histoire de calendrier, afin de se débarrasser de Fabre d'Églantine lui-même.

Nicolas – Mes ambitions anthropologiques n'auront jamais été aussi grandes – et possiblement aussi cliché – que durant les quelques mois où j'ai vécu dans un petit village au fin fond de la République dominicaine.

J'avais toujours un calepin dans la poche, où je faisais notes et croquis. C'était souvent le lexique botanique et l'argot local, parfois des dessins de feuilles, des esquisses de cartes géographiques, des notes historiques. J'aimais particulièrement consigner des paroles de merengue glanées çà et là. À ce chapitre, notre voisin (et idole) Maelo constituait une source d'information intarissable. Je me souviens très bien du jour où il me chanta ce vieux merengue, composé par Antonio Morel dès le lendemain de l'attentat où Rafael Trujillo fut tué : « Mataron al chivo / En la carretera / Dejenmelo ver / Dejenmelo ver / Dejenmelo ver » (« Ils ont tué le bouc / Sur l'autoroute / Laissez-moi le voir! »).

Je ne sais plus où se trouve le calepin dans lequel j'ai noté ces quelques vers, mais ils étaient encore frais à ma mémoire lorsque, cinq ans plus tard, Mario Vargas Llosa publia *La fiesta del chivo*. J'étais alors au Pérou, et je me rappelle avoir éprouvé, durant un bref moment, le vertigineux sentiment d'être vraiment très, très profondément immergé dans l'Amérique latine.

Dominique – Lorsque j'étais en cinquième secondaire, notre professeur d'anglais parti en congé de paternité fut remplacé par un suppléant assez jeune, très long et très maigre, à moustache et à barbichette. Le teint blême, l'air doux, il avait les yeux bleus ronds comme des billes derrière des lunettes rondes aussi, portait un pull bon marché, un pantalon un peu trop court taillé dans un mauvais tissu synthétique, de gros godillots. Les trente petites pestes que nous étions, uniformément vêtues de jupes à carreaux, de chemises blanches achetées chez Clément et de débardeurs bleu marine n'en feraient qu'une bouchée, c'était évident au premier coup d'œil. Il s'appelait, pas de chance pour lui, Robin Dick.

Il est arrivé le premier matin en traînant maladroitement l'énorme machine qui servait à faire jouer des cassettes (j'ai l'impression en écrivant cette phrase que je pourrais aussi bien dire : il est arrivé armé d'un phonographe) et nous a adressé quelques mots en anglais, assurant ne pas parler le français. L'échalas avait une voix de stentor, basse, riche et qui portait loin. Il a appuyé sur *play* et le tintamarre d'un orchestre de cuivres a envahi la classe, puis une voix (celle de Sinatra?) s'est élevée : « Ain't she sweet? / See her walking down that street / Yes, I ask you very confidentially / Ain't she sweet? » Lui-même a commencé à se balancer d'une jambe à l'autre en frappant dans ses mains avec enthousiasme; il faisait un peu penser à une girafe. Ç'aurait dû être la fin de Robin Dick.

Mais il s'est mis à chanter à son tour, une étincelle dans son œil bleu, d'abord doucement puis de plus en plus fort, et tout à coup il n'était plus risible, ni gauche, trop grand ou trop maigre : il était celui par qui un très léger vent de folie soufflait dans les sages couloirs du collège Jésus-Marie de Sillery. Une à une, irrésistiblement, nous avons uni nos voix à la sienne et fini la chanson en clamant à pleins poumons.

C'était un bon professeur. Je ne me rappelle pas ses leçons, mais je sais que nous avons appris plus en quelques semaines avec lui que pendant des années de cours dispensés par d'autres profs. Cette manière de chant de ralliement est devenu notre récompense, que nous entonnions avec lui au début ou à la fin de chaque cours, sans plus nous préoccuper du ridicule. Il n'est pas resté très longtemps; notre enseignant habituel est bientôt revenu, cerné, épuisé par son nouveau bébé, dissimulant mal ses bâillements. À la sortie de son dernier cours, nous attendions Robin Dick dans le corridor, une haie d'honneur en jupes à carreaux, pour lui chanter une ultime fois en tapant des mains *Ain't she sweet* avec la même ferveur que les élèves qui se mettent au garde-à-vous devant Robin Williams, dans *Dead Poets Society,* et le saluent en déclamant, chavirés : « O, Captain! My Captain! ».

NICOLAS – Chère Dominique : en fouillant un peu sur l'asaret, espèce qui me laisse en panne d'inspiration, je découvre qu'il s'agit de l'une des quatre-vingt-quatorze plantes citées à l'article 70 du *De Villis,* ce capitulaire que tu as évoqué plus haut, et dont Charlemagne entendait qu'elles fussent cultivées dans les domaines royaux.

André Thouin, rappelons-le, a commencé sa carrière comme jardinier en chef du Jardin royal des plantes, aussi peut-on supposer qu'il appliquait (à tout le moins patrimonialement) les recommandations de Charlemagne. Cela suggère que, le matin où Fabre d'Églantine se pointe au Jardin des plantes, Thouin (qui n'a pas que ça à faire) songe sans doute immédiatement à déverser tout l'article 70 du *De Villis* dans le calendrier révolutionnaire.

Il est certes ironique d'imaginer qu'un acte législatif royal aura été la principale source documentaire du calendrier révolutionnaire (94 jours sur 365, soit vingt-six pour cent du calendrier), mais cette hypothèse expliquerait l'accumulation de tous ces simples obscurs qui nous confondent depuis le début de l'année.

Nous verrons bien ce qu'il en est, une fois notre révolution terminée. Pour l'heure, je commence à me prendre d'affection pour ce monsieur Thouin.

Dominique – Pour se convaincre que ce n'est pas une plante et qu'elle n'a été classée chez les végétaux que par une erreur tragique ou comique, il suffit d'étudier un instant la fleur d'asaret : rampant à quelque distance de ses feuilles en forme de rein, une sphère violacée couverte d'un pelage rêche, dont la gueule ouverte est entourée de trois pétales triangulaires acérés. Dans l'orifice ainsi révélé on aperçoit un amoncellement de graines soudées les unes aux autres. L'ensemble est fixé à deux ailes de chauves-souris velues à demi repliées, comme si l'asaret s'apprêtait à prendre son envol ou qu'il venait juste de se poser pour dévorer quelque proie. On a là l'épure à partir de laquelle la nature a conçu les fleurs carnivores.

D'ailleurs, si on le surnomme *gingembre sauvage* ce n'est pas parce qu'il prolifère librement sans avoir été semé ni cultivé, mais parce qu'une fois le mois, au petit matin, il dresse vers le ciel sa tête ronde, ouvre grand ses mâchoires violettes, pousse un feulement et avale la lune comme il goberait une mouche.

J'oubliais : la ville d'Asaret s'élève au milieu du désert, à mille lieues de toute oasis, ce pourquoi on prétend que seuls les morts peuvent l'atteindre. Ses maisons sont faites d'un sable si fin qu'elles s'effondrent dès qu'on y pose les yeux. Cela n'a guère d'importance du reste puisque personne n'y vit depuis des siècles. On raconte qu'Asaret se mirait jadis dans les eaux claires d'un lac où nageaient des poissons dorés grands comme des chevreaux. Au fil des ans ses habitants tourmentés par une soif de tous les instants burent le lac dont il ne reste plus que le souvenir et, au fond d'une cuvette peu profonde, des arêtes blanches et le spectre d'oiseaux invisibles.

***

Ciel gris branches noires par les larges fenêtres cintrées donnant sur la rue Laurier. Il tombe une neige comme de la cendre. La lumière a quitté le monde.

DOMINIQUE – Le nerprun alaterne pousse dans les garrigues de la Méditerranée, lesquelles sont des massifs de calcaire à la végétation basse et robuste.

C'est ce calcaire qui m'intéresse. En fait, pas exactement : plutôt celui de la Bourgogne. Je ne connais pas grand-chose au vin, mais on m'assure ce matin au réveil que rien n'accompagne les huîtres comme le chablis, un vin minéral de l'Yonne. Pourquoi? Apparemment parce qu'à mi-hauteur des coteaux (là où poussent les vignes dont on fera les premiers et les grands crus), le sol est composé de strates géologiques issues du Kimméridgien supérieur, qui se caractérisent par la présence alternée de marnes, de calcaires et d'*Exogyra virgula,* de minuscules huîtres fossilisées.

Si le vin s'accorde si bien aux mollusques, c'est que le raisin est lui-même fait de coquillages.

Avec tout ça, nous allons déjeuner au Lawrence où, je vous le confirme, le thé se marie à merveille au bubble and squeak.

NICOLAS – Si tu le permets, Dominique, j'aimerais ajouter encore quelques mots, pas directement en lien avec André Thouin, mais plutôt au sujet de mes obsessions documentaires et du (très humain) désir de conjecturer sur les desseins et pensées de personnes mortes, enterrées et réduites en humus depuis des siècles.

Il se trouve, vois-tu, que je viens de terminer la lecture de *HHhH,* que tu m'avais conseillé, et qui est un excellent récit. Seulement, me voilà maintenant encore plus angoissé (que d'habitude, s'entend) à l'idée de faire dire ou penser n'importe quoi à André Thouin. Laurent Binet avait la tâche facile, à ce chapitre : son livre porte sur des personnes et des événements abondamment documentés, et situés dans un passé pas trop lointain. Il pouvait bien se permettre des excès obsessionnels. Mais André Thouin?! Que reste-t-il sur cet homme?

Je pourrais sans doute glaner pas mal de choses si j'étais prêt à traverser l'Atlantique pour fouiller dans les archives de la Ville de Paris et du Muséum d'histoire naturelle, c'est-à-dire en somme si le citoyen Thouin m'intéressait suffisamment pour que je consacre à son cas plusieurs semaines à temps plein.

Mais voilà : brève est la vie, vaste l'univers.

(Et, incidemment, il paraît que l'on ignore le sens et l'étymologie du nom *alaterne*, que la plante portait déjà dans la *Naturalis historia* de Pline l'Ancien. Les mystères s'empilent jusqu'au ciel.)

NICOLAS – J'ai un mauvais karma avec les violettes africaines. C'est comme ça. Il y a quelques années, on m'a confié une maison à la campagne pour trois semaines. Mes responsabilités étaient modestes, et surtout horticoles : il y avait une rocaille, un potager, des plantes d'intérieur, des jardinières, il fallait écumer l'eau de pluie pour retirer les larves de maringouins, nourrir le chat. Je faisais tout ça, et j'écrivais un roman. L'endroit était assez présentable, au retour des occupants, à une exception près : les trois violettes africaines dans le coin du salon étaient mortes de soif.

Des années après, j'ai oublié tout ce que j'ai fait de bien ou de mal dans cette maison, ce que j'y ai écrit ou accompli. Il ne reste que ces violettes mortes qui me hantent.

DOMINIQUE – Peut-être parce que j'ai moi-même exercé ce métier pendant presque une décennie, je suis assez exigeante (lire : impossible) avec les réviseurs. Qu'on laisse passer la moindre coquille, ma confiance est ébranlée; que l'on oublie de vérifier une date, le nom d'un personnage historique ou le déroulement d'un événement, je m'affole; qu'on ajoute – sacrilège – une faute dans un texte, je pète un plomb. Bref, je ne suis pas une cliente facile. Mais il faut dire que le travail de réviseur est parmi les plus ingrats qui soient; ouvrier de l'ombre, il n'est remarqué que lorsqu'il a mal fait son boulot. En plus de maîtriser l'orthographe, la syntaxe, la ponctuation et la concordance des temps, le bon réviseur doit douter de tout (y compris de lui-même), être doté d'un jugement fiable, d'une rigueur quasi maniaque et d'une vraie sensibilité littéraire. En outre, ce qui est le plus rare et le plus difficile, il doit se méfier de ses fausses certitudes, c'est-à-dire savoir quand il ne sait pas. La plupart des gens rassemblant ces qualités ont tôt fait de devenir directeur littéraire ou éditeur, vous laissant seul avec vos textes potentiellement bourrés de fautes et d'ineptes. D'inepties, pardon.

Il y a environ trois ans de cela, alors que je cherchais sur Kijiji un chat qui pourrait servir de compagnon à Fido, je suis tombée sur une annonce anormalement bien rédigée : non seulement on avait pris la peine de faire des phrases complètes pour décrire les chatons avec une précision non dénuée d'humour, mais les divers accents étaient là où on les attendait et les participes passés, correctement accordés. Nous sommes allés voir la bête, une petite birmano-orientale au pelage lilas que nous avons illico baptisée Violette. L'appartement où vivaient ces chatons était d'une propreté presque suspecte, tout s'y trouvait impeccablement rangé, les chatons eux-mêmes, sur un couvre-lit d'une blancheur éclatante, semblaient avoir été lavés aux dix minutes depuis leur naissance. Dans le salon, une grande bibliothèque où j'ai coulé un regard curieux : une enfilade de dictionnaires et de grammaires, une collection de prépositionnaires, d'autres ouvrages de référence dont je n'avais jamais même entendu parler. J'ai regardé avec plus d'attention la jeune femme qui nous avait accueillis et me suis enquise, d'un ton faussement désinvolte : « Vous faites quoi, dans la vie? » Mais je savais déjà que c'était la terrasseuse de zeugmes et la pourfendeuse d'anacoluthes que j'avais cessé d'espérer. Et puis, elle s'appelait, comme le dictionnaire, *Robert*.

Nicolas – Il existe, pas très loin de notre chalet, en contrebas de ce bout de moraine que l'on nomme le Coteau à mononcle Gérard, une cuvette glaciaire clairsemée où ne pousse qu'une sorte de haut fourrage sauvage, des buissons de hart rouge et quelques épinettes naines.

Dans mon enfance, l'endroit me rendait mal à l'aise. Il y flottait un je-ne-sais-quoi de maléfique. Sans être carrément marécageuse, cette cuvette était bien imbibée, et à certains endroits s'ouvraient des puits de vase noirâtre où rien ne parvenait à pousser, pas même des mousses, et où le pied s'enfonçait sans rencontrer la moindre résistance.

Un jour, curieux de sonder la profondeur de l'un de ces puits, j'y plongeai une perche de saule. Incrédule, je la regardai s'enfoncer toujours plus profondément. C'était une grande perche, et je crois bien en avoir planté près de deux mètres dans la vase – « mark twain! » aurais-je pu m'écrier – avant de devoir m'arrêter, non parce que j'avais touché le fond, mais à cause de la viscosité de la vase. En outre, il ne restait plus qu'un demi-mètre de perche à la surface. Fichée bien en place, la perche refusait de broncher, et je repartis les mains vides.

Lorsque je revins visiter le puits, quelques mois plus tard, il n'y avait plus de perche : des branches avaient poussé, il s'agissait désormais d'un arbrisseau.

Dominique – Je cède la parole à un mime, ce n'est pas si souvent qu'on en a l'occasion :

« [Bip] se cogne à la vie qui est à la fois un grand cirque et un grand mystère, et j'aime à dire qu'il finit toujours vaincu, mais toujours vainqueur. » Et comment finir vainqueur si ce n'est en acceptant de s'avouer vaincu, en faisant de sa fragilité ou de son impuissance non pas une arme ni certainement une défense mais comme la donnée première de son existence, sa base incertaine? Ce qui ne risque pas à tout moment d'être mis à mal, broyé, déchiré, n'est peut-être pas vraiment vivant. Je pense ce matin au Baptiste des *Enfants du paradis* (Jean-Louis Barrault a été l'un des maîtres de Marcel Marceau) et à Romain Gary, qui jurait que sans imagination l'amour n'a aucune chance – avant de se tirer une balle dans la tête.

Marcel Sabourin entendu cette semaine, lisant de ces petits textes qu'il confie à son dictaphone chaque matin dès le réveil, parlait quant à lui de « l'infini théâtre » de la vie.

Il donnait la réplique à mon ami Christian, qui a choisi il y a des décennies de consacrer sa vie à la parole puisqu'il s'est inventé un métier qui consiste à dire de la poésie aux gens, ce qu'il fait sans artifice, sans costume ni souvent de mise en scène, avec humilité, intelligence, émotion et un brin de douce folie, en laissant toute la place aux mots. L'envers du mime, si l'on veut, et pourtant de la même famille.

Après la représentation, une dame d'un certain âge qui avait assisté quelques mois plus tôt à un récital où il disait *Plume d'ange* est venue lui glisser dans la main une enveloppe contenant deux plumes, une brune et une blanche, avec un sourire de petite fille.

***

Benoît Jutras, dont j'ouvre au hasard *L'année de la mule* et qui me paraît répondre aux autres : « Blessé, tu es invincible. »

BÊCHE

Dominique – On dit de deux timbres imprimés côte à côte l'un à l'endroit, l'autre à l'envers (comme si le premier avait effectué une rotation de 180 degrés) qu'ils sont *tête-bêche*.

L'agencement peut être voulu ou bien le fruit d'une erreur, auquel cas les timbres ont souvent une grande valeur. Quoi qu'il en soit, cette disposition inversée me fait songer aux cahiers dont sont constitués les livres, dont les pages sont montées sur de grandes feuilles dans un ordre précis mais incompréhensible au premier coup d'œil – et même, en ce qui me concerne, au second – avant d'être imprimées puis pliées, découpées et assemblées.

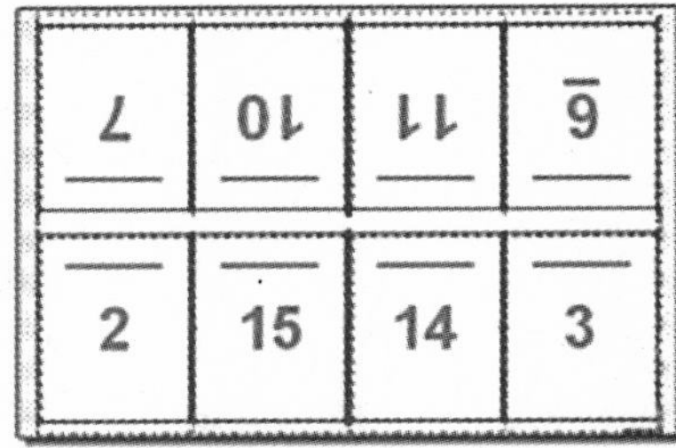

Recto L↓1/2 +T↓1/2 +L↓1/4

Verso

Il y a quelques mois, une professeure de McGill m'a écrit pour me dire qu'il manquait des pages à son exemplaire de *La porte du ciel*. En fait, pour être exacte, les pages étaient bien là, mais blanches, ce qui fait qu'elle avait mis un certain temps à se rendre compte que quelque chose clochait, supposant que j'avais adopté dans ce livre une structure plus fragmentaire encore que dans les précédents. (Émouvante confiance du lecteur, déterminé à créer du sens avec ce que vous lui donnez – ou ne lui donnez pas.) Toujours est-il que, comme certaines de ces pages blanches interrompaient une phrase qui ne se terminait jamais, elle en vint à soupçonner un vice de fabrication et me rapporta le roman, que je lui avais promis de remplacer par un exemplaire complet. Un éditeur qui assistait par hasard à l'échange (il s'en trouve partout, méfiez-vous), après avoir étudié brièvement le livre défectueux, me dit que ce devait être un cas isolé : l'endroit ou l'envers d'un cahier simplement n'avait pas été imprimé et l'on en avait inséré les feuilles vierges parmi les autres. Voilà pour le mystère. Inutile de dire que je garde précieusement cet exemplaire unique enluminé de blancs, et dont les pages me semblent pleines de secrets, de poèmes et de dessins en puissance; une sorte de deuxième chance.

Nicolas – Je forcerai bien ce calendrier à encaisser un insecte ou deux, si je le peux.

Parlons aujourd'hui de la bêche. Ainsi surnomme-t-on l'eumolpe, ce coléoptère dont les larves s'attaquent aux feuilles de la vigne. C'est un insecte qui ne manque pas d'identités : outre le surnom de *bêche,* il porte ceux de *rynchite, tête-cache, diablotin, coupe-bourgeons, lisette* et *pique-broc*.

L'éradication de l'eumolpe est un véritable casse-tête pour les vignerons. Si l'on en croit le *Dictionnaire de la conversation et de la lecture, inventaire raisonné des notions générales les plus indispensables* (et je suis tout disposé à croire un ouvrage coiffé d'un tel titre), il faut ignorer les larves et s'attaquer plutôt aux individus adultes, « chose difficile d'ailleurs, car l'eumolpe, dès qu'il se croit poursuivi, se laisse tomber sur le sol où il reste dans un état d'immobilité complète, et sa couleur étant la même que celle de la terre, il est presque impossible de l'y distinguer ».

La méthode la plus efficace consiste, tout bêtement, à lâcher les poules dans les vignes.

Mais attends, Dominique, le meilleur reste à venir. L'eumolpe est un mangeur linéaire : il calligraphie sur les feuilles, avec ses mandibules, d'étranges caractères, ce qui lui a valu deux surnoms supplémentaires, *gribouri* et *écrivain.*

Quel insecte décrirait mieux notre projet, dis-moi, que ce coléoptère méfiant qui, sur les limbes, se trace des chemins en forme de mots?

La bêche : borgésienne bestiole, aucun doute là-dessus.

11	Primidi.....	*Narcisse*
12	Duodi......	*Orme*
13	Tridi.......	*Fumeterre*
14	Quartidi....	*Vélar*
15	Quintidi....	CHÈVRE
16	Sextidi.....	*Épinard*
17	Septidi.....	*Doronic*
18	Octidi......	*Mouron*
19	Nonidi......	*Cerfeuil*
20	DÉCADI.....	CORDEAU

NICOLAS – J'apprends aujourd'hui que le concept de narcissisme a été introduit par Sigmund Freud dans un texte de 1914 intitulé *Un souvenir d'enfance de Léonard de Vinci*. Il s'agit d'un titre magnifiquement évocateur, qui suffit en soi à me faire regretter de n'avoir jamais lu Freud.

Ce titre me fait aussi penser à *W ou Le souvenir d'enfance,* cet extraordinaire livre de Perec, et je me surprends à m'interroger sur les liens entre Freud et Perec. Je sais, à tout le moins, que Perec a fait deux analyses, et que la seconde, qui a duré de 1971 à 1975, lui a inspiré un court texte : « Les lieux d'une ruse », qui se termine d'ailleurs sur l'évocation d'un « souvenir restitué dans son espace ».

C'est néanmoins un lien assez mince.

Quant au narcissisme de Perec, il est comme celui de Borges : c'est un narcissisme où le sujet a l'élégance de se dissimuler. Perec se place certes au centre de *La vie, mode d'emploi,* où il incarne non seulement le Créateur de Puzzles Suprême, mais où les personnages principaux semblent faire écho à différentes facettes de son activité cérébrale. Néanmoins, il ne se représente pas comme en un miroir. Au contraire, il se met en scène observant le monde, tourné vers l'extérieur, ce qu'annonce d'ailleurs l'épigraphe vernienne du livre : « Regarde de tous tes yeux, regarde. »

DOMINIQUE – Il est une glace légendaire où l'on se découvre tel qu'on se rêve : le vieillard fané y voit intact le visage de sa jeunesse, le nain est un géant, le chauve passe une main tremblante dans ses cheveux, le bègue ouvre la bouche toute grande pour chanter, la laide s'émeut de la finesse de ses traits et de l'éclat de son sourire, le lâche trouve le courage qui depuis toujours lui faisait défaut et ose enfin se lever. Ce miroir fabuleux et banal, c'est le regard tout-puissant de qui vous aime, dans lequel vous vous noyez. Qu'il détourne les yeux, vous êtes perdu, c'est-à-dire : vous vous retrouvez.

***

Nous sommes aujourd'hui le 29 février, et je m'interroge tout à coup à savoir si nos révolutionnaires ont prévu le coup et glissé quelque part une fleur, un arbre, un instrument destiné à être ressorti tous les quatre ans, ou si nous sommes condamnés à partir d'aujourd'hui à avoir pour le reste de l'année un jour de retard. Vérification faite, comme leurs mois comptent tous trente jours, ce n'est pas une mais cinq ou six journées supplémentaires qu'ils ont prévues dans le but d'arriver à 365 ou à 366 jours. Il s'agit, dans l'ordre, des jours de la Vertu, du Génie, du Travail, de l'Opinion, des Récompenses et, dans le cas des années bissextiles, du *jour de la Révolution*. Songer que nous clorons ainsi (inch Allah) notre propre révolution me remplit de joie. Il me semble qu'elle n'aurait pas été tout à fait complète autrement.

NICOLAS – L'orme de ce matin ne m'inspirait rien, jusqu'à ce que je tombe sur la photo d'un orme d'Amérique. D'un seul coup, je revois les ormes titanesques que peignait Marc-Aurèle Fortin dans les années 1920 – et notamment son tableau le plus connu : *L'orme à Pont-Viau*.

En fait, je ne me souvenais même pas du nom de ce tableau. J'avais toujours tenu pour acquis qu'il s'agissait d'un paysage imaginaire. La disproportion entre l'orme et les pêcheurs à ses pieds, l'orage apocalyptique en arrière-plan, tout cela contribuait à donner l'impression d'un lieu rêvé plutôt qu'observé – et voilà que je découvre qu'il s'agit d'un orme véritable, situé à Pont-Viau.

Mais la différence est-elle si grande entre un paysage rêvé et un paysage dont on ignore absolument où il se trouve? Je me précipite sur le web. Surprise : Pont-Viau est un quartier de Laval situé près du pont éponyme, à quelques kilomètres d'ici.

Tout d'un coup, il me vient le désir irrationnel de trouver cet orme magnifique.

Que nous dit le tableau au juste? Les indices sont minces. Je note cependant une église à deux clochers sur l'autre rive, dans le coin inférieur droit. Avec une image de haute résolution, des indices s'ajoutent : l'église fait dos à la rivière, on voit son abside et un bâtiment.

Une autre recherche sur Google Maps fait aussitôt apparaître toutes les églises des environs. Une minute suffit pour trouver l'église de la paroisse de la Visitation-de-la-Bienheureuse-Vierge-Marie, sur le boulevard Gouin. Elle a deux clochers et tourne le dos à la rivière.

Le tableau représente aussi un îlot, à droite de l'église, qui n'est plus là aujourd'hui, mais que l'on trouve sur les plans cadastraux de 1931 – l'année où Fortin aurait peint l'orme.

Cette histoire se transforme en tentative d'épuisement d'un arbre montréalais.

J'ouvre Google Street View et je me téléporte au nord de la rivière des Prairies, sur le boulevard Cartier. On y trouve un parc qui ne paye pas de mine, coincé entre la berge et la chaussée, et d'où l'on aperçoit l'église de l'autre côté de la rivière, exactement dans le même angle que dans le tableau, avec l'abside et le bâtiment qui la jouxte. Aucun doute, c'est le bon endroit, dans un état infiniment moins verdoyant.

Il ne reste aucune trace de l'orme, bien sûr, qui serait aujourd'hui bicentenaire, et qui a sans doute été victime de la maladie hollandaise. C'est assez triste. Pour retrouver l'endroit exact où il était enraciné (puisque Fortin semble avoir été rigoureusement figuratif), il faudrait localiser l'endroit où se trouvait l'îlot de 1931. Ou alors l'endroit où débouchait cette esquisse de ruisseau dans le bas du tableau, et qui n'est sans doute plus qu'un tuyau, de nos jours.

DOMINIQUE – Dans *The Virgin Suicides,* Sofia Coppola raconte l'histoire de cinq sœurs qui s'enlèvent la vie au cours d'une année, d'abord la benjamine, ensuite d'un coup l'aînée et les deux plus jeunes survivantes, et puis celle qui reste. Les blondes adolescentes habitent une banlieue américaine tranquille et étouffante comme elles le sont toutes (c'est-à-dire pas spécialement étouffante) avec des parents normaux, stricts sans être monstrueux. Pourtant, comme dans une tragédie grecque – l'histoire est d'ailleurs narrée au « nous » par une sorte de chœur de jeunes voisins –, leur mort apparaît dès le début absolument inévitable.

C'est Air qui signe la musique du film, envoûtante, lancinante, mais la véritable trame sonore est la scie mécanique qu'on entend par les fenêtres ouvertes ou fermées, puisque l'action se déroule au début des années 1970, au moment où la maladie de l'orme frappe les États-Unis. De peur qu'ils ne s'infectent et ne contaminent les autres, on abat donc sans distinction les arbres malades et les arbres sains à l'intérieur d'un périmètre donné. Le mal mystérieux que se transmettent les ormes a bien sûr valeur de métaphore, et l'on peut y voir l'illustration du mal de vivre qui ronge les cinq sœurs. Mais ces arbres sacrifiés semblent aussi annoncer une disparition plus vaste, plus universelle, presque naturelle, quelque chose comme la mort de l'enfance qui en faisant place à l'âge adulte s'éteint en silence au milieu d'un grand fracas.

DOMINIQUE – Deux enfants, deux frères, marchent dans un champ d'herbes hautes, au milieu de fleurs inconnues. Certaines, rondes et rouges, battent doucement des pétales à leur approche, comme pour les saluer ou bien les attirer. Quelques-unes, jaune soleil, projettent vers le ciel des pluies de graines minuscules à l'odeur piquante. D'autres encore, d'un bleu profond et qui aiment l'ombre, replient leur corolle sous leurs grandes feuilles le temps qu'ils soient passés. Les seules à rester immobiles sont des fleurs d'un rose très pâle à la base et qui foncent vers la pointe jusqu'à adopter une teinte oscillant entre le pourpre et le fuchsia. Disposées en rangs irréguliers sur de longues tiges vert tendre, elles ressemblent à des voiles minuscules enroulées à la hâte.

Le plus jeune des deux frères tend la main, en cueille une branche. L'aîné veut le mettre en garde mais n'en a pas le temps, déjà le plus petit a plongé le visage dans la gerbe rose. Il le relève, étonné, les yeux pleins d'eau.

« C'est la fumée de terre, lui dit l'autre en lui prenant la plante des mains. La fleur qui fait pleurer. »

Le petit essuie bravement ses larmes, mais continue d'avoir du chagrin.

NICOLAS – Dominique, il me vient une idée au sujet des blancs que j'ai laissés çà et là au cours de notre exercice, notamment dans les semaines qui ont précédé Noël. Comme notre projet repose sur une approche éditoriale évolutive, le sens de ce calendrier ne nous apparaît que progressivement, peu à peu, d'où l'irruption de Borges, par exemple, ou la transformation des formes à notre disposition, ou encore la possibilité (morale ou éditoriale?) d'ignorer certains mots fumeux.

Je réalise donc, ce matin, la nature de ce calendrier – ou plutôt de ce qu'il sera à la fin de l'année; car si en septembre nous étions devant une année qui appartenait exclusivement à Fabre d'Églantine, nous sommes en train de créer un calendrier hybride, une année où se mélangent non seulement nos recherches et délires respectifs, mais aussi le contenu quotidien de ton année et de la mienne.

En ce sens, les blancs éparpillés dans mon année ne sont-ils pas pleinement éloquents? Ils témoignent certes de mon manque d'intérêt pour certaines plantes, mais aussi, et surtout, des premiers rhumes que les enfants ont ramenés de l'école, du branle-bas de nos déménagement et emménagement, des vacances de Noël.

Bref, je me tâte.

VÉLAR

NICOLAS – Si on en croit l'*Encyclopédie ou Dictionnaire raisonné des Sciences, des Arts et des Métiers* de messieurs Diderot et d'Alembert, on préparerait avec le vélar un excellent sirop antitussif, d'ailleurs surnommé *firop du chantre* car il aurait permis de rendre la voix à de nombreux chanteurs enroués.

J'aimerais bien essayer cette panacée, surtout en cet hiver poisseux qui ne cesse de s'égrener en flegmes, raclures de gorge et autres streptocoques. Hélas, si ce sirop semble plutôt appétissant – on recommande notamment de l'administrer dans de l'eau-de-vie ou du thé –, la recette en est toutefois un brin compliquée : outre le vélar, elle comporte de l'orge, des raisins secs mondés, de la réglisse sèche, de la bourrache et de la chicorée, de la racine d'aulnée et de pas-d'âne récente, du capillaire du Canada, des sommités de romarin et de sthæcas, des semences d'anis, des fleurs de violette, de bourrache et de buglosse, et la mixture de tous ces ingrédients doit être distillée dans un alambic d'étain ou de verre.

Peut-être après tout vais-je rester au sirop DM.

DOMINIQUE – Le nom de *vélar* recouvre des plantes de la grande famille des crucifères mais appartenant à différents genres, dont *Erysimum* et *Sysimbrium*. Flou taxinomique qui m'amène à réfléchir un instant à notre volonté de classification et de catégorisation du monde, particulièrement marquée chez certains êtres et pas uniquement des scientifiques – j'en veux pour exemple Edward Gorey qui, en plus d'avoir décliné de nombreux abécédaires, multipliait les collections : bouteilles bleues, pierres en forme d'animaux, sphères et boules de toutes sortes... Cette tentation d'organiser le réel en catégories procède d'au moins deux désirs non pas tant opposés que complémentaires, une force centripète et une centrifuge : découper le monde en morceaux pour l'appréhender petit à petit, et rassembler des éléments plus ou moins semblables (la similitude quelquefois n'existant que dans l'esprit de celui qui crée ces ensembles) pour en faire des ensembles. Notre esprit n'est parfois pas loin du kaléidoscope.

C'est un penchant voisin qui semblait animer Donald Evans, lequel s'est voué dans les années 1970 à une entreprise singulière : créer les timbres-poste de pas moins de quarante-deux pays inventés. Parmi ceux-ci : Fauna et Flora; Lichaam et Gest (*corps* et *âme* en langue néerlandaise), qui partagent une même monnaie, l'*ijs,* la glace; Chanterelle, royaume des champignons; les îles Amis et Amants; Mangiare, république créée au retour d'un voyage en Italie et dont les timbres sont autant d'hommages à la noix de pin, au basilic, à l'ail ou aux pâtes (sujets d'une vaste série intitulée : *poste paste*). Les timbres multicolores dessinés par Evans ressemblent en tout point à des vrais, jusqu'à leurs dentelures blanches réalisées en appuyant plusieurs fois très fort sur la touche « . » d'une machine à écrire, le petit marteau métallique finissant par transpercer le papier. Chacun des pays était en outre doté d'une capitale et d'une monnaie (le gramme, dans le cas du Mangiare), voire, le cas échéant, d'une langue inventée dont Evans traçait les caractères sur des enveloppes dûment affranchies qu'il oblitérait ensuite à l'aide de tampons ad hoc.

Moi qui depuis des mois n'arrive pas à entrer dans un nouveau roman, il me semble ce matin que la solution est là, à portée de main : il me faut partir pour ces pays de papier et y écrire les lettres imaginaires qu'attendent les timbres.

Nicolas – Ce devait être dans les années 1980, et peut-être même dans *Le Lundi*.

La possibilité qu'une chose ait pu exister à la fois au cours des années 1980 et dans les pages du *Lundi* – intersection floue dans un diagramme de Venn foireux – contribue à semer un doute initial et insurmontable sur ce que je m'apprête à relater.

Il s'agit d'une histoire de licorne.

Et plus exactement de ces deux licornes nées durant les heures de gloire de Samantha Fox, et dont l'existence fut annoncée, l'espace d'un entrefilet (avec photo), dans *Le Lundi*. (Il me semble que c'était *Le Lundi*.)

Quelqu'un (ma mère?) avait découpé l'entrefilet afin de le soumettre à mon émerveillement. Or il suffisait de regarder la photo pour saisir que les licornes en question étaient des chevreaux dont les cornes étaient si rapprochées l'une de l'autre qu'elles paraissaient n'en faire qu'une.

Ça ne valait pas Dolly.

Dominique – Ce qui frappe, en parcourant les bestiaires du Moyen Âge, ce ne sont pas tant les descriptions fantaisistes de créatures légendaires (licorne, sirène et autres phénix) ou exotiques et mal connues (éléphant, narval) que les portraits fabuleux d'animaux familiers, dont les auteurs et les lecteurs devaient pourtant connaître les caractéristiques « réelles » puisqu'ils les côtoyaient quotidiennement. Si l'on se fie à Michel Pastoureau, qui a constitué une sorte de recueil de ces bestiaires, la chèvre y est le plus souvent présentée sous les traits d'un animal étrange, capable de voir dans le noir, respirant par les oreilles et dotée, en outre, de dents venimeuses. Particularité amusante : rompue aux reliefs accidentés, la chèvre aurait le pas hésitant en terrain plat.

On comprend rapidement à la lecture de ces textes que les animaux y sont décrits non pas tels qu'on peut les observer à la ferme ou dans la forêt, mais en fonction d'un complexe système symbolique, qui gouverne aussi les gravures. Chien, chat, écureuil sont peints à peu près de la même manière : pour identifier le chat, on dessine une souris à ses côtés. Mais la souris est elle-même quasi impossible à différencier d'autres petites bêtes comme l'écureuil ou la taupe; qu'à cela ne tienne, on la distinguera en traçant près d'elle un morceau de fromage. Par l'intermédiaire de la souris, c'est donc au fromage qu'on reconnaît le chat. Singuliers catalogues, à égale distance de l'encyclopédie et de la poésie puisqu'on ne veut pas tant y représenter le monde que le signifier.

ÉPINARD

NICOLAS – Sautés au beurre.

DOMINIQUE – N'en déplaise à Popeye, l'épinard ne donne pas une force surhumaine. La légende serait née à la suite d'une simple faute de frappe, une secrétaire ayant accidentellement décuplé dans un document la teneur en fer du légume, erreur que l'on mit une dizaine d'années à relever et à corriger. Il y aurait sans doute un florilège à faire de ces coquilles ayant changé le cours de l'histoire ou, à tout le moins, de la petite histoire. Ainsi la pantoufle de vair de cendrillon, absurdement représentée dans certains livres d'enfants comme une chaussure en verre transparent et devenue en anglais « a glass slipper », la rue du Petit-Champlain, à Québec, qui doit son nom à une traduction malencontreuse de *small Champlain street,* et le ski-doo, qui devait à l'origine s'appeler *ski-dog* (le peintre chargé de tracer le nom sur le premier prototype en ayant décidé autrement).

DORONIC

NICOLAS – On dirait l'amalgame de deux ordres d'architecture grecque : le dorique et l'ionique. Mes cours d'histoire de l'art antique resurgissent d'une bien étrange manière, ce matin. La culture, comme on dit, c'est ce qui reste lorsqu'on a tout oublié.

DOMINIQUE – Cœur jaune cerclé de pétales dorés aussi longs et fins que des doigts de fille, le doronic tire son nom du persan *daranyia,* qui veut dire « or », mais en vérité c'est une fleur-soleil, à réunir en bouquet avec la fleur de lune, gibbeuse et cendrée, dont la corolle de velours ne s'ouvre qu'à la nuit tombée.

Au-dessus de leurs têtes, aveuglantes de blancheur dans le ciel noir, rassemblées en char, en navire, en archer et en scorpion, des gerbes d'étoiles fragiles comme des aigrettes de pissenlit.

***

En revenant du Sanctuaire, Victor brise la neige durcie à petits coups de dents, absorbé, déterminé à la savourer et à n'en rien perdre avant qu'elle disparaisse, comme s'il savait.

NICOLAS – Lorsque je reçois le puzzle quotidien de Jeeves, je vais invariablement jeter un coup d'œil sur Wikipédia. Ce que j'y trouve (ou n'y trouve pas) constitue une sorte de panorama du problème. À partir de là, je peux continuer ma recherche dans l'un ou l'autre de mes livres (le plus souvent la *Flore laurentienne*), dans le *Trésor de la langue française* ou sur Google, ou alors décider de ne faire aucune autre recherche.

Ce matin, l'entrée en matière de Wikipédia est sans consistance : « Mouron est un nom vernaculaire ambigu en français. Le terme de *mouron* est employé pour décrire diverses plantes. » Ah bon.

Je me tourne donc vers Marie-Victorin, dont les explications s'avèrent plus consistantes mais pas davantage éclairantes : « Le nom vulgaire est déroutant », écrit-il. « Le Mouron est en réalité une tout autre plante [...] » Bon, bon, bon.

En somme, il peut aussi bien être question de *Stellaria* que d'*Anagallis*. Et de quel mouron André Thouin parlait-il? Des deux à la fois? Difficile de croire à une telle imprécision, chez un homme capable de nous balancer deux sortes de noisetiers. Peut-être cherchait-il à brouiller les pistes?

Peut-être commençait-il, en plein mois de ventôse, à tourner les coins rond?

DOMINIQUE – Toi qui es féru de taxinomie, Nicolas, peux-tu m'expliquer pourquoi diable on a cru bon de distinguer (outre le mouron d'eau et le mouron blanc) le mouron bleu et le mouron rouge, s'il arrive que ce dernier produise plutôt des fleurs bleues?

En argot, le mot désigne aussi les cheveux, d'où les expressions « se faire du mouron / se faire des cheveux » (sous-entendu : blancs), mais il évoque davantage, il me semble, des nuages d'un gris de plomb qui se forment et s'amassent à l'horizon. La mer est tranquille encore, à peine frémissante à sa surface écumeuse, mais déjà le vent a tourné et le ciel se teinte d'un jaune de cire. Le capitaine sur le pont guette les nuées sombres avec sa longue-vue, il branle la tête, crache le jus du tabac qu'il mâchouillait et laisse tomber : « Il va y avoir du mouron. » Autour de lui, les hommes frissonnent.

***

Entre le bleu des ombres et le bleu du ciel : la terre invisible sous la neige, les arbres, la pierre des maisons, les oiseaux, le monde qui n'est plus tout à fait le même sans que je puisse dire si c'est lui qui a changé ou bien moi.

I cannot be awake, for nothing looks to me as it did before
Or else I am awake for the first time, and all before has been a mean sleep.
Walt Whitman

Cerfeuil

Dominique – On prétend que, appliqué en cataplasme sur les paupières, le cerfeuil constitue un remède souverain pour les yeux fatigués. Je me demande s'il serait aussi efficace pour les prunelles émoussées à force de scruter en vain les ténèbres, pour les yeux aveuglés d'avoir trop longtemps voulu regarder le soleil, ou épuisés d'avoir trop lu dans les livres sans trouver ce qu'ils y cherchaient.

***

Les tulipes que j'avais déposées dans un verre sur la table en fin de semaine pour mourir se sont refermées comme des poings.

Nicolas – *Avoir un pied dans le cerfeuil, fumer des clous de cerfeuil, emporter son secret dans son cerfeuil, un cerfeuil à deux places, jouer avec les poignées de son cerfeuil.*

Non, décidément, ça ne le fait pas.

Cordeau

Nicolas – Étrange comme le monde change autour de nous, sans cesse remodelé par nos lectures.

Avant de partir pour New York, il y a quelques jours, je comptais utiliser le prétexte du cordeau pour parler du jardin géométrique à la française, que l'on oppose traditionnellement au soigneux désordre des Britanniques, et ainsi de suite…

Or je me suis entre-temps procuré, chez Strand, une copie d'*Idoru,* thriller japonais et science-fictionnel de William Gibson, et voilà que le bout de corde et ses deux piquets n'ont plus la moindre connotation géométrique. Au contraire, je vois désormais Fabre d'Églantine, humilié par la désinvolture d'André Thouin, s'introduisant nuitamment dans le Muséum d'histoire naturelle, glissant sur la pointe des pieds entre les squelettes et les bananiers en pots, le cordeau enroulé aux poings, prêt à étrangler le malheureux botaniste.

Tsuzuku...

DOMINIQUE – Pour ceux qui ne connaîtraient pas l'objet : le cordeau – deux bouts de bois entre lesquels est tendue une corde – sert à tracer des lignes bien droites. On assure que celles-ci sont le plus court moyen de se rendre du point A au point B, mais ce faisant on oublie une donnée essentielle : tout dépend de la vitesse à laquelle vous allez. (Sans compter qu'on présume que vous souhaitez effectivement vous rendre au point B, alors que rien n'est moins sûr.)

N'ayons pas peur des mots : la ligne droite est sans intérêt. Il suffit pour s'en convaincre de la comparer à l'infini mystère des courbes et des détours, des entrelacs, des méandres et des dédales. Elle est en tout cas certainement le contraire du roman, qui n'a que faire d'arriver rondement du point A au point B mais consiste au contraire en une exploration des mille et un sentiers susceptibles de conduire de l'un à l'autre – ou de se dédoubler, de s'arrêter en chemin, de tourbillonner, pour finir par déboucher tout à fait ailleurs. Le roman, vous l'aurez compris, est labyrinthe.

« Ceux qui croient pouvoir vaincre les labyrinthes en fuyant leurs difficultés, écrit Italo Calvino, restent en dehors; et demander à la littérature, à partir d'un labyrinthe donné, de fournir la clé pour en sortir est donc une requête peu pertinente. Ce que peut faire la littérature, c'est définir le meilleur comportement possible pour trouver l'issue, même si cette issue n'est rien d'autre que le passage d'un labyrinthe à l'autre. C'est le *défi au labyrinthe* que nous voulons sauver, une littérature du *défi au labyrinthe* dont nous voulons dégager le noyau et que nous voulons distinguer de la littérature de *reddition au labyrinthe*. » Il est vrai qu'on ne quitte jamais un labyrinthe que pour un autre (sortant d'un livre, par exemple, pour entrer dans le labyrinthe du monde dont Yourcenar a fait le titre de son autobiographie), mais dans le défi qu'évoque Calvino et dont il fait une condition essentielle de la littérature, il entre aussi cette nécessaire part de création, c'est-à-dire de négation du réel. Lui toujours, dans la deuxième de ses *Leçons américaines,* consacrée à la rapidité : « Il n'y aurait certainement jamais eu de littérature si une partie de l'humanité n'avait été fortement encline à pratiquer l'introversion, à refuser le monde tel qu'il est, à oublier la fuite des heures et des jours pour garder les yeux fixés sur l'immobilité des paroles muettes. »

IIIe DECADE.
21 Primidi..... *Mandragore*
22 Duodi...... *Persil*
23 Tridi....... *Cochléaria*
24 Quartidi.... *Pâquerette*
25 Quintidi.... CHEVREAU
26 Sextidi..... *Pissenlit*
27 Septidi..... *Silvye*
28 Octidi...... *Capillaire*
29 Nonidi..... *Frêne*
30 DÉCADI..... PLANTOIR
FONDATION DE L'ÉCOLE POLYTECHNIQUE
L.M

MANDRAGORE

NICOLAS – Trois choses apprises ce matin :

1) le mot *mandragore* serait à l'origine du nom de Mandrake, ce personnage de bande dessinée dont les aventures faisaient la joie de nos grands-pères à l'époque où ils portaient la culotte courte;

2) le personnage de Mandrake aurait été inspiré par Leon Mandrake, un prestidigitateur italo-américain dont le véritable nom était Leon Giglio;

3) le mot *giglio,* en italien, désigne le lys.

Mandrake : un lys déguisé en mandragore.

DOMINIQUE – Si la mandragore est tellement inquiétante (on jure au Moyen Âge que quiconque en expose les racines sera tué sur-le-champ par son cri perçant), ce n'est pas parce que c'est une plante qui rappelle l'homme, mais parce qu'elle donne à voir ce que serait un homme condamné à devenir plante.

Tout ça me fait songer que moi non plus je n'ai jamais lu Freud, vaguement convaincue (à tort, bien sûr) que je pouvais m'en passer si je connaissais suffisamment bien ses disciples, ses rivaux et ses contempteurs. En découvrant hier le texte où il te mène – par l'intermédiaire de Léonard de Vinci et de Georges Perec – à Borges m'est tout à coup venue la curiosité de *Psychopathologie de la vie quotidienne* et de *L'interprétation des rêves*.

Tu as un préféré, Nicolas?

PERSIL

NICOLAS – Ce matin, alors que j'attendais avec mes enfants que sonne la cloche de l'école, je les ai surpris en train de jouer à la tag persil.

Je me souviens, dans mon enfance, d'avoir vu passer plusieurs variations de ce jeu — la tag barbecue ou la tag télévision, par exemple —, mais jamais je n'avais entendu parler de la tag persil. Tout heureuse que je m'intéresse à la question, ma fille m'a expliqué le fin mot de l'affaire.

— C'est simple. La première fois que tu touches quelqu'un, tu le rends allergique au persil. Et quand tu le touches pour la deuxième fois, il fait une crise d'allergie.

Aaah, vivre au vingt-et-unième siècle...

Dominique – Il y a de cela plusieurs années, j'ai dormi quelques nuits à Port-au-Persil dans une auberge blanche donnant sur le fleuve. La chambre du centre, à l'étage, était dotée d'une sorte de longue lucarne vitrée sur trois côtés, juste assez grande pour accueillir un récamier dans une flaque de soleil. De cette vigie on devinait les collines de Charlevoix, la grève, le gris-vert de l'eau en contrebas, avec l'impression d'être suspendu entre ciel et terre.

J'ignore si la Petite-Madeleine est encore ouverte, mais aurait-elle fermé ses portes qu'il faudrait tout de même aller à Port-au-Persil pour y voir la petite chapelle en bois blanc et au toit de bardeaux grisonnants plantée directement sur les rochers, tout près du fleuve. L'intérieur en est tout blanc aussi, le plafond de lattes doucement incurvé, comme la coque d'un bateau – un même mot, en français, pour nommer l'église et le vaisseau : *nef*.

Entre ses murs clairs, on n'entend rien que le murmure des vagues sur le rivage et l'écho des hymnes anciens. De l'autre côté des fenêtres arrondies, le Saint-Laurent mêle ses eaux douces au sel de la mer dans laquelle il rêve de se fondre.

Nicolas – À une certaine époque, nous avons brièvement cru que l'un de nos enfants pouvait être atteint de surdité. Durant quelques semaines, nous avons passé notre temps à faire des visites chez le médecin et à soumettre notre enfant à divers examens.

Notre besoin de documentation a vite pris des allures hypocondriaques. Après quelques jours, nous en étions à apprendre des rudiments de langage des signes et à nous familiariser avec les différentes factions philosophiques et culturelles au sein de la communauté des malentendants.

C'est ainsi que j'ai appris l'existence de l'implant cochléaire, appareil qui capte des sons et transmet le signal directement dans l'oreille interne. Ce que reçoit le cerveau n'a évidemment rien à voir avec les sons tels que nous les connaissons : le signal est atténué, assourdi pour ainsi dire, et il s'agit plutôt d'une transposition sonore — et voilà précisément ce qui est fascinant. Avec une certaine rééducation, le cerveau est capable d'interpréter ce signal, d'interpréter un signal plus ou moins abstrait, et d'en tirer du sens.

Homo sapiens est une bestiole infiniment malléable.

Dominique – On jurerait une contraction de *choléra* et de *cochlée*, ce qui n'a rien de très inspirant. La plante elle-même semble sans histoire : poussant bravement dans les environnements hostiles (prés salés, toundra), elle possède de petites fleurs blanches et des feuilles arrondies qui rappellent un peu celles du thym.

Vérification faite, elle tire effectivement son nom du latin *cochlea* (colimaçon), comme cette partie de l'oreille interne que je n'avais jamais observée avec attention jusqu'à ce matin.

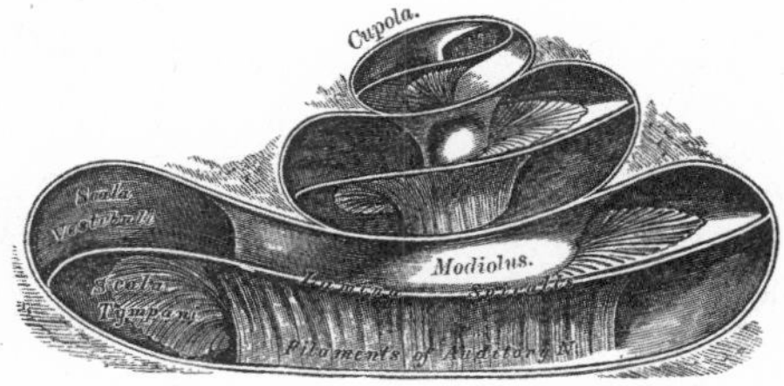

Sait-on d'ailleurs que l'oreille interne compte non pas un, mais deux labyrinthes, l'un osseux et l'autre membraneux, celui-ci contenu dans celui-là? Elle consiste en une série de cavités creusées à même l'os temporal (que l'on nomme ici joliment : *rocher*). Et l'ensemble a bien l'air d'une grotte, avec trois bizarres canaux semi-circulaires orientés dans des angles différents, qui servent à déterminer en tout temps la position de la tête et à réguler l'équilibre. La cochlée elle-même est plus étonnante encore : elle a véritablement la forme d'une coquille d'escargot.

Ainsi, nous avons tous dans la tête rochers, labyrinthes et coquillages – amplement de quoi faire un conte ou, à tout le moins, entendre la mer.

PÂQUERETTE

Dominique – Pâquerette : fleur de Pâques, donc plante printanière par excellence dont André Thouin, tout irréprochable qu'il ait été, n'avait peut-être pas bien mesuré l'affiliation religieuse – à moins qu'il ait pris plaisir à semer, au hasard des dates, des hommages ou des allusions aux fêtes chrétiennes que Fabre d'Églantine prétendait lui faire remplacer. La pâquerette est une sorte de marguerite miniature, que l'on peut aussi effeuiller, mais en scandant : *fille, femme, veuve, religieuse,* termes qui, contrairement à *il m'aime un peu, beaucoup, passionnément, à la folie, pas du tout,* me semblent exprimer non pas des possibilités mutuellement exclusives, mais une série d'états successifs au cours d'une même vie, tragique, envisagée dans la durée, et dont la cinquième et ultime étape serait, au choix : *sainte*, *poussière* ou *charogne*.

Sur une note plus gaie, en ce vingt-quatrième jour de ventôse, l'hiver est fini. Il est reparti aussi brusquement qu'il s'était installé et, comme chaque fois, j'ai l'impression que la saison qui s'achève n'a jamais vraiment existé et qu'elle ne reviendra jamais.

NICOLAS – POÉSIE MÉCANIQUE (1)

Franquin avait doté Gaston Lagaffe d'une tondeuse miniature, dont il se servait pour tondre le gazon en épargnant les pâquerettes de la tante Hortense.

THON

DOMINIQUE – Ce ne sont pas uniquement les insectes qui avaient été écartés du calendrier jusqu'à maintenant, mais aussi les oiseaux et les poissons. J'ai tout à coup l'impression qu'un nouveau bestiaire s'ouvre à nous, où le pélican voisine la baleine.

Je croyais me rappeler que Santiago, le vieux du *Vieil homme et la mer,* combattait une nuit entière pour ramener au port un énorme thon, alors que c'est bien sûr un espadon qu'il a réussi à prendre mais qui sera dévoré par les requins tandis qu'il tente de regagner la ville dont il voit au loin briller les lumières. Après avoir lutté tout le jour pour protéger sa prise, le vieux pêcheur finit par rentrer en tirant derrière lui un immense squelette de poisson, comme s'il traînait sa propre mort.

NICOLAS – Il s'agit du premier poisson de ce calendrier – et pour une fois, on croirait s'éloigner du Jardin des plantes puisque le thon n'était pêché à l'époque que dans le Midi et sur les côtes basques. Et pourtant non : le Muséum se voulait un condensé de la Nature dans son entièreté, aussi devait-on trouver un ou plusieurs thons empaillés suspendus sous les grandes verrières.

Ce calendrier m'apparaît de plus en plus comme une extension du Jardin des plantes : le désir de rassembler le monde entier en un tour de calendrier. Mais c'est une image faussement universelle. Elle demeure au fond parisienne, enracinée dans l'imagerie empaillée du 5e arrondissement.

PISSENLIT

NICOLAS – J'ai aimé le *Petit Larousse* – pour ses illustrations, bien sûr – jusqu'à la fin du secondaire, à la suite de quoi mon appréciation du vénérable ouvrage commença à se dégrader.

Nous reçûmes à cette époque, à la bouquinerie où je travaillais, une antique édition du *Grand Larousse,* avec la couverture rouge embossée et, en frontispice, une gravure rehaussée d'or où la Semeuse soufflait sa moisson d'akènes. J'étais amoureux de la Semeuse, certes, mais jamais je ne me suis payé ce *Grand Larousse,* conscient déjà d'apprécier le cachet de l'objet plutôt que son contenu. J'ai des tendances fétichistes, mais je me soigne.

L'affaire s'aggrava quelques années plus tard, lorsque je me procurai au kilo, à une vente d'élagage de la bibliothèque de l'Université Laval, un *Petit Larousse* 1910. La Semeuse était toujours là, format timbre-poste, flanquée d'une seconde devise : « Un dictionnaire sans exemples est un squelette », que je plaçai d'ailleurs en épigraphe de mon premier livre.

Ce *Larousse* était si vieux qu'il en devenait exotique. On y voyait les premiers avions, les premières voitures, et (si on prenait la peine de chercher) plusieurs mots oubliés. Davantage qu'un dictionnaire, c'était une curiosité – mais il serait inexact de prétendre que le *Larousse* fut l'artisan de sa propre dévaluation à mes yeux. C'est en réalité un *Robert* 1986 acheté chez le Bouquiniste du Faubourg qui acheva la sale besogne. *Robert* était, visiblement, un dictionnaire moderne. Ni le *Larousse* ni le *Littré* ne parvenaient à le concurrencer, et ils tombèrent tous deux dans l'exotisme le plus abject.

Je garde toutefois, je l'avoue, un troublant sentiment pour la Semeuse, déesse du savoir aléatoire.

DOMINIQUE – Le pissenlit possède des vertus diurétiques qui seraient à l'origine du nom qu'on lui a donné non seulement en français, mais aussi en anglais (oui, n'en doutez point : le *dandelion* est également appelé *piss-in-bed*), en espagnol, en italien et en catalan. En hongrois, il est la fleur-dont-les-enfants-font-des-chaînettes; en bulgare et en macédonien, il porte plutôt un nom évoquant la surdité, puisque ses aigrettes sont censées faire perdre l'ouïe; en persan, on l'appelle « petit facteur », car il est porteur de bonnes nouvelles, tandis qu'en grec il se nomme voleur, pour être difficile à attraper.

En Chine, il a pour nom : « fleur qui pousse dans des endroits publics sur les berges des rivières », appellation qui tranche sur toutes les autres d'abord par sa longueur, mais surtout parce qu'elle marque un changement de perspective fondamental. Dans les pays européens (et américains), ce qui détermine le nom de la plante est son rapport à l'homme ou, plus précisément, le rapport que l'homme entretient avec elle. Elle n'existe que par son effet ou son utilité, le rôle qu'elle joue auprès des êtres humains, alors que le chinois la décrit par la relation qu'elle entretient avec son environnement. Ce n'est plus l'homme qui est au cœur de la description, mais la fleur – et puis la rivière. Plus que deux visions du monde : deux mondes différents, tant il est vrai que la réalité qu'on habite est aussi (d'abord?) construite par les mots.

DOMINIQUE – Il y a des lectures dont on se souvient toute une vie. Il me semble que je me rappelle exactement l'instant où j'ai ouvert pour la première fois *Les malheurs de Sophie*. J'avais quatre ou cinq ans, nous l'avions acheté, je crois bien, à l'épicerie, et jamais je n'avais possédé trésor si précieux que ce livre. Il m'a fallu attendre douze ans pour retrouver pareil éblouissement, en lisant les premières phrases de *Cent ans de solitude* : « Bien des années plus tard, face au peloton d'exécution, le colonel Aureliano Buendia devait se rappeler ce lointain après-midi au cours duquel son père l'amena faire connaissance avec la glace. Macondo était alors un village d'une vingtaine de maisons en glaise et en roseaux construites au bord d'une rivière dont les eaux diaphanes roulaient sur un lit de pierres polies, blanches, énormes comme des œufs préhistoriques. Le monde était si récent que beaucoup de choses n'avaient pas encore de nom et pour les mentionner, il fallait les montrer du doigt. » Je les avais relues tout de suite, et puis une troisième fois, pour être sûre que je ne m'étais pas trompée, que je ne rêvais pas. Ce livre existait vraiment.

Entre Sophie et le clan des Buendia, entre l'enfance et l'adolescence : les Martine, les Alice, les Sylvie, hôtesse de l'air, épouse et mère parfaite, passablement irritante; et puis quelques éblouissements : le journal d'Anne Frank, Romain Gary, Jacques Prévert qui savait faire s'envoler un oiseau en dessinant une cage.

NICOLAS – Minuit approche et la lune brille à la verticale du Jardin des plantes. Sous les verrières, dans le demi-jour laiteux, les squelettes de cétacés dansent un sinistre ballet.

Seul à son bureau, André Thouin feuillette un herbier. Il s'arrête à la page de l'*Anemone nemorosa,* où un splendide spécimen étale feuilles et fleurs. Armé d'une délicate paire de ciseaux japonais, Thouin sectionne les fils qui retiennent la plante, puis entreprend de la réduire en petits morceaux, qu'il balaye dans une boîte métallique ornée d'une étiquette où l'on peut lire *Tisane de camomille*.

Puis, trempant sa plume dans l'encrier, il trace sur un papier quelques équations. « L'animal, pense-t-il, doit peser dans les 75 kilos. Ce qui signifie que 2 grammes de cette bonne tisane suffiront amplement à l'envoyer *ad patres*. »

Thouin remet le couvercle sur la boîte de tisane et va la ranger sur le plateau, à côté des tasses et du pot de miel. Voilà, tout est prêt pour sa séance de travail matinale avec Fabre d'Églantine.

Le botaniste insoupçonnable, aimé de tous, bâille longuement et va se coucher.

<u>NICOLAS</u> – J'aime bien, Dominique, lorsqu'à l'occasion tu me lances des commandes documentaires. Ainsi, je passe la journée à me demander ce que tu écriras plutôt qu'à écrire moi-même.

<u>DOMINIQUE</u> – Après les simples évoquant reins et oreilles, après le rayon des diurétiques et le pavillon des pulmonaires, voici maintenant que nous abordons le système sanguin. Qui sait, quelque quarante ans avant Mary Shelley, peut-être Thouin et Fabre d'Églantine avaient-ils comme projet secret de réunir les morceaux nécessaires pour assembler une créature de forme humaine? En attendant, ce capillaire au milieu des pâquerettes et des pissenlits me rappelle ce curieux homme-arbre du début du dix-neuvième siècle, censé illustrer le système circulatoire.

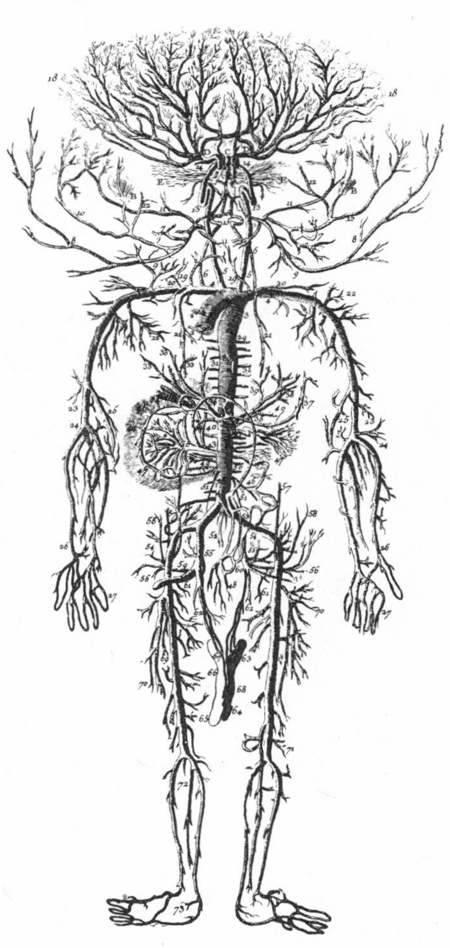

Dans un registre plus digeste, le sirop de capillaire entre dans la composition d'une boisson du nom de bavaroise, laquelle consistait traditionnellement en une infusion de thé à laquelle on ajoutait ledit sirop en guise d'édulcorant. Selon l'*Encyclopédie des gens du monde* (voilà ce qui manque à notre époque, Nicolas, une encyclopédie des gens du monde, et ne viens pas me parler de Wikipédia), on peut aussi la préparer en se servant plutôt de café, de chocolat ou d'eau chaude, avec des résultats à peu près semblables. Bref, c'est une fougère à boire.

FRÊNE

NICOLAS – Au fond de notre cour se dressait, autrefois, un frêne qui fut l'un des arbres importants de mon enfance.

Juste à côté se trouvait un cerisier à griottes, dont le souvenir est intimement lié à mon majeur droit, et plus exactement au centimètre qu'il manque à mon majeur droit – mais il s'agit d'une tout autre histoire. C'est dans le griottier que j'ai appris à grimper aux arbres – j'étais frugivore, comme un jaseur ou un geai –, mais c'est dans le frêne que j'ai peaufiné mes aptitudes.

Le frêne était plus grand, plus intimidant, et ses branches s'attachaient plus haut sur le tronc, à des angles trop aigus pour être confortables. Je crois me souvenir qu'au début, pour atteindre les premières branches, il me fallait utiliser une échelle.

J'étais comme chez moi, dans le frêne. Je montais à des hauteurs folles, invisible dans le feuillage, et me laissais balancer au bout de ces branches souples, que le vent faisait osciller. Ce n'est pas un hasard, je suppose, si *Le baron perché* fut, et demeure, un de mes romans préférés. Pas un hasard non plus si je suis encore fasciné par les murs d'escalade, les parois, les façades.

Mon père a coupé le frêne au printemps 1984, au moment où je terminais l'école primaire, et je fus profondément blessé par cet abattage purement préventif (il menaçait apparemment le cabanon du voisin). J'avais le sentiment de perdre un ami, ou un morceau de mon enfance, non un simple frêne.

Ce fut une douce vengeance lorsque mon père claqua le moteur de la Pontiac LeMans (achetée la semaine précédente) en tentant de hâler la souche hors de terre. Elle était indéracinable, ses ramifications innombrables et coriaces, et une profonde racine pivot s'enfonçait à la verticale du tronc, hors d'atteinte de la hache. Il nous fallut une semaine de travail acharné pour la sortir de là, même après le décès de la Pontiac, et l'herbe refusa de pousser à cet endroit pendant plusieurs étés.

Dominique – Pour sceller la fin de la guerre qui les avait opposés, les dieux nordiques crachèrent dans une cuve et, à partir de ce crachat, créèrent un homme si sage qu'il avait réponse à toutes les questions. Kvas fut tué quelque temps après par deux nains, qui mêlèrent son sang à une miellée issue du frêne pour en faire une boisson du nom d'« hydromel poétique », laquelle avait pour particularité de transformer quiconque y trempait les lèvres en poète ou en savant.

Il me semble subsister une trace de cette légende dans les noms que l'on donne, en français et en anglais, aux fruits du frêne, comme s'ils avaient justement été baptisés dans une langue par des poètes et dans la seconde par des savants : ils sont *langues d'oiseaux* pour les uns, *clefs* pour les autres.

Dominique – Parmi les choses que j'aimerais aimer, j'avais oublié : le jardinage, loisir noble s'il en est, passe-temps du sage. Cicéron n'affirmait-il pas : « Si vous possédez une bibliothèque et un jardin, vous avez tout ce qu'il vous faut »? Hélas, rien à faire, la moitié du bonheur continue de m'échapper. Je m'y essaie pourtant une fois par an environ. Armée des meilleures intentions du monde, je m'agenouille sur le sol, creuse, gratte, désherbe, plante, finis par me relever les tibias humides et le dos endolori. J'en ai pour des jours à nettoyer la saleté sous mes ongles, et ce que j'ai tenté de mettre en terre meurt invariablement après quelques semaines. Si je possède non pas une mais deux bibliothèques, à ton avis, Nicolas, ça me dispense de cultiver un jardin?

Grâce à Google Earth et aux coordonnées que tu avais obligeamment fournies, je suis allée voir le « Coteau à mononcle Gérard », que j'ai découvert comme tu l'avais décrit : un cratère boueux et vaguement inquiétant (oui, même vu de haut, sur l'écran d'un ordinateur). Je me demande si l'un des arbres qu'on y voit aujourd'hui est cette perche que tu as plantée en ne criant pas : « mark twain! » Saurais-tu la reconnaître?

Et puis, en reculant un brin sur la carte, je me rends compte que je suis en terrain de connaissance : le camp Saint-Alexandre, où j'ai passé quelques étés, jeune adolescente (là même où je chantais Renaud à tue-tête; voir *Marron*), est à une quarantaine de kilomètres seulement, et j'en éprouve une profonde surprise, comme si, après avoir marché pendant des heures en suivant ce que je croyais être une ligne droite, je me retrouvais à mon point de départ. Nous n'avons finalement pas grandi sur des planètes si différentes; d'une certaine façon, les pays de nos enfances étaient presque voisins.

Nicolas – Elle est encore fraîche à ma mémoire, cette discussion où j'expliquais à ma fille l'origine des outils, leur sens, et comment la cuillère, le marteau et le couteau remplacent et augmentent respectivement la paume, le poing et les dents – si bien que, ce matin, découvrant le plantoir au menu du jour, je ne peux m'empêcher de penser à l'index qu'il a supplanté.

Ce plantoir, mine de rien, pose l'une des grandes questions de notre époque, une question posée (notamment) par Nicholas Carr : Google nous rend-il stupides?

Il faut ici comprendre que le mot Google peut être remplacé, dans cette question, par d'innombrables outils, et que le véritable sens de la question est : à partir de quel point nos outils deviennent-ils des prothèses? À partir de quel moment l'outil cesse-t-il d'être amovible et, par le fait même, participe à notre affaiblissement individuel?

Il n'est pas si certain que Google nous rende plus stupides. Qu'il contribue à l'affaiblissement d'une certaine mémoire, ou d'un certain degré d'attention, c'est fort possible. Encore faut-il considérer ce que nous gagnons en contrepartie, non seulement individuellement, mais aussi comme membre d'une communauté.

Bref – et je pose cette conclusion sans en être convaincu à cent pour cent, en me faisant peut-être vaguement l'avocat du diable –, je doute que nous soyons prêts à abandonner une agriculture bionique pour redevenir des planteurs originels, dotés d'index surhumains.

(À bien y penser, même le planteur originel a dû s'armer d'un bout de branche en moins de cinq minutes.)

GERMINAL
LM

DUMOURIEZ FAIT ARRETER LES COMMISSAIRES DE LA CONVENTION.

DOMINIQUE – Le printemps commence officiellement aujourd'hui, mais depuis trois jours il fait plus de vingt degrés à Montréal. Il y a foule sur les terrasses du Olimpico et du Club social, devant lesquels sont attachés des chiens attendant sagement que leur maître ait fini leur café; les gens lézardent avenue Bernard, on s'agglutine devant le Bilboquet, des filles se promènent en robes soleil. C'est juin en mars. J'ai sorti les sandales mais ne peux me résoudre à ranger les bottes, me demandant ce qui nous attend la semaine prochaine. Sorel et ballerines se côtoient donc dans l'entrée, près d'écharpes de coton et de manteaux en duvet. Mon pays, ce n'est pas un pays, c'est un carrousel, c'est toutes les saisons en une semaine – et une perpétuelle énigme vestimentaire.

Depuis quelques jours, les oies traversent le ciel en aboyant, inquiètes d'être en retard. Il subsiste à mi-montagne de larges plaques de neige d'où monte un air frais, comme un courant plus froid dans une eau tiède, et tout à l'heure, en levant les yeux, j'ai découvert des milliers de fleurs minuscules apparues pendant la nuit aux branches d'un arbre.

Au petit matin, il souffle sur la ville qui s'éveille et s'ébroue une brise de bord de mer. Le ciel immobile, tout de lumière blanche, a l'air d'une toile vierge tendue derrière la montagne.

Je me rends compte à la fin de la journée seulement que si l'hiver s'est terminé hier, ça signifie que nous avons parcouru la moitié du calendrier – une demi-révolution. Honnêtement, je n'étais pas certaine que nous survivrions aux premières semaines. Je ne sais toujours pas si nous parviendrons à finir sains et saufs ce tour du soleil, mais j'ai très envie de savoir ce que nous réserve le reste des jours – une sorte de calendrier de l'Avent dont les cases renfermeraient chacune non pas un chocolat à croquer, mais une surprise à découvrir, à inventer.

NICOLAS – La primevère devrait m'inspirer, je suppose, des images d'une blancheur éthérée, d'autant que le printemps (dans le sens astronomique, du moins) a officiellement débuté cette nuit à 1 h14, alors que tout le monde pionçait.

Pourtant, ce 1er germinal évoque plutôt, pour moi, le climat charbonneux du roman de Zola, et plus exactement sa version cinématographique, où un Renaud pas encore amoché par la vie, le faciès noir de poussier, faisait un bref passage (plutôt convaincant, crois-je me souvenir) devant la caméra.

Du coup, je vais entamer cette journée de travail comme j'en avais autrefois l'habitude, en lançant un pétulant : « Allez, au charbon! »

PLATANE

NICOLAS – POÉSIE MÉCANIQUE (2)

Franquin avait doté Gaston Lagaffe d'un treuil à manivelle dont il se servait pour hisser son automobile dans un platane, la soustrayant ainsi aux parcomètres.

DOMINIQUE – On trouve à Paris, boulevard Saint-Germain et ailleurs, des panneaux dont nous n'avons point l'équivalent ici. Il s'agit d'un triangle rouge au centre duquel figure un point d'exclamation, le tout coiffant, en noir, les mots : « Arbres penchés ».

Pour ceux qui seraient de nature sceptique :

En les apercevant les premières fois, je me souviens d'avoir levé la tête, inquiète, craignant de découvrir un marronnier menaçant de s'abattre au beau milieu de la rue. Mais les arbres en question ne semblaient présenter aucun danger immédiat ni même lointain. Quand j'ai demandé à mon éditrice, parisienne jusqu'au bout des ongles, à quoi donc servaient les panneaux, elle a haussé les épaules. J'en ai déduit que, le Français aimant à mettre son prochain en garde (« Attention, il y a une marche »; « Lève le coude, tu vas te mettre du chocolat partout »; « Mais qu'est-ce que vous faites là? Regardez un peu où vous allez »), il avait vu dans ces placides platanes bordant les boulevards une occasion inexploitée de mettre son génie à l'œuvre.

ASPERGE

NICOLAS – Les asperges étaient plantées le long du jardin, une mince ligne de rhizomes d'où émergeaient chaque printemps des pousses d'un vert extraterrestre. Il s'agissait d'une initiative paternelle – bien sûr –, mais contrairement aux endives, les asperges remportaient un réel succès.

Malheureusement, nous récoltions une quinzaine d'asperges à peine, que nous nous disputions âprement à la table familiale. En outre, les pousses n'apparaissaient pas toutes en même temps, si bien que nous devions nous compter chanceux si deux asperges atterrissaient simultanément dans notre assiette. C'était un véritable supplice chinois.

La saison de ces délicatesses semblait toujours trop courte, hélas, et très vite les vaporeuses sommités fleuries garnissaient nos vases à fleurs plutôt que nos casseroles.

DOMINIQUE – *L'asperge* de Manet est l'un des plus charmants tableaux qui soient, parce qu'il est en même temps un remerciement, une sorte de blague et une authentique œuvre d'art. Charles Ephrussi lui ayant payé mille francs une toile représentant une botte d'asperges pour laquelle Manet en demandait huit cents, le peintre a envoyé quelques semaines plus tard au collectionneur un nouveau petit tableau où figurait une asperge, une seule, blanche et mauve, comme oubliée sur un comptoir de marbre, accompagné d'une note disant : « Il en manquait une à votre botte. »

***

Il y a au mur du Lawrence une série de petites peintures à l'huile dont les sujets sont alimentaires : une huître pâle dans sa coquille rugueuse, une pièce de viande rouge vif marbrée de blanc, une botte d'asperges. Ce petit restaurant baigné de lumière, toujours bondé et joyeusement bilingue, est l'un des seuls endroits à Montréal où l'on puisse déguster du cœur et de la langue de bœuf, des rognons sautés et du chevreau braisé servi en sauce avec une tombée de poireaux sur une tranche de pain grillé, plat délicieux mais dont l'appellation anglaise, sur le menu, laisse songeur : *kid on toast.*

TULIPE

NICOLAS – Enfant, j'ai découvert empiriquement, sans que qui que ce soit me l'ait suggéré, et bien avant que ça ne soit à la mode, que les pétales de tulipe étaient comestibles. Non seulement comestibles, mais délicieux. Je guettais la plate-bande, et dès que les pétales commençaient à prendre de la gîte (car les pétales de la tulipe basculent et pendouillent, avant de flétrir et de finalement tomber), je les croquais. J'étais tulipophage.

(Il me vient à l'esprit que l'excentricité agricole de mon père est peut-être congénitale.)

Dominique – J'ai accepté il y a vingt-trois jours de participer à un défi lancé par une copine, et qui consiste à prendre un cliché par jour pendant trente jours, en respectant des consignes : jour 1, autoportrait; jour 2, vêtements de la journée; jour 3, quelque chose de vert, etc.

Pour le jour 4, en plongée, un bouquet de tulipes.

Dominique – Il existait quand j'étais enfant des albums illustrés accompagnés d'un 45 tours (ceux d'entre vous qui sont trop jeunes pour savoir de quoi je parle peuvent googler la chose; il doit subsister des images de ce lointain artefact des années 1970, voire deux ou trois spécimens dans les musées). Déposant le disque sur la platine (derechef: laissez-moi vous diriger vers le moteur de recherche le plus proche), on pouvait suivre l'histoire dans le livre en même temps que le narrateur la racontait. Je possédais quelques-uns de ces albums, mais ne me souviens que d'un seul, qui ne devait pourtant pas être mon préféré, et qui s'appelait *La petite poule rouge*. Il y était question d'une mère poule qui préparait une tarte pour ses poussins, la mettait à refroidir près de la fenêtre et devait ensuite la protéger contre divers animaux de la ferme qui, alléchés par l'odeur, auraient voulu s'en régaler. Je me rappelle, même petite, avoir trouvé l'histoire idiote, et encore plus cette consigne voulant que l'on tourne les pages lorsqu'une clochette se faisait entendre, ce qui me semblait une atteinte à ma liberté de toute jeune lectrice.

Je me rappelle maintenant seulement que mon disque de Sol avait lui aussi à voir avec les gallinacés, puisqu'il s'intitulait : *Le moule de la poule c'est l'œuf...*

Nicolas – Dans notre bestiaire familial, la poule trône au sommet du panthéon.

Nous avons élevé toutes sortes de bêtes – pintades, faisans, cailles, veaux, chèvres, canards et lapins – mais les poules ont toujours été les plus nombreuses et les plus variées. Mon père (encore et toujours lui) est collectionneur de gallinacés à ses heures, avec une vieille prédilection pour la combative Bendy. Il a fait, l'an dernier, un kilométrage que certains jugeraient déraisonnable afin de se procurer un couple de Chantecler, cette célèbre race développée par les pères trappistes, à l'abbaye Notre-Dame-du-Lac.

Chez nous, les poules passent leurs journées dehors, en liberté, à faire la chasse aux insectes du potager, et je me souviens d'être resté de longs moments à observer leurs promenades – en particulier durant ces quelques jours où je me suis installé au chalet pour donner un coup de collier sur *Nikolski*. J'émergeais du chalet à moitié halluciné, entre deux paragraphes, pour aller examiner les poules qui grattaient le sol, gobaient les doryphores. C'était de vieilles pondeuses Leghorn, il me semble, et un après-midi, assis dans le gazon comme un Birdy bon marché, je fus si frappé par leur élégance fondamentale que je décidai qu'être doté de plumes était la chose la plus extraordinaire au monde. Les oiseaux sont imperméables, thermoisolés, aérodynamiques. Je voulais des plumes.

Mais voilà : j'étais bêtement né primate. Alors je suis retourné écrire mon roman.

NICOLAS – La bette à carde n'est pas un légume : c'est une menace.

DOMINIQUE – Bette Davis avait, dit-on, fait le vœu d'être enterrée assise. Le terme anglais (sitting *up*) a cependant une connotation absente du français – comme si, assis, on était toujours encore un peu debout, ou du moins le dos bien droit, le menton haut. Ce souhait fait penser aux premières lignes du *Soldat de verre*, roman dans lequel Steven Galloway reprend plusieurs contes et légendes roms.

Salvo Ursari a passé l'essentiel de sa vie sur la corde raide. Le livre commence quelques minutes avant sa mort, alors qu'il marche sur un fil de fer tendu entre les deux tours du World Trade Center. Le fil se creuse et oscille sous l'effet du vent; distrait par des souvenirs qui viennent le hanter, Salvo perd l'équilibre, nous assistons à cela presque au ralenti, et alors qu'il va plonger dans le vide il se souvient d'un proverbe que son père aimait à répéter :

« *Enterrez-moi debout. J'ai passé toute ma vie à genoux.* » Salvo a toutefois une autre idée, qu'il a gardée dans un coin de son esprit pendant presque sa vie entière, et qui sera sa dernière pensée sur terre.

« Enterrez-moi comme vous voudrez. Je mourrai debout. »

BOULEAU

NICOLAS – Après avoir vu, il y a quelques mois de cela, le documentaire que Bernard Gosselin consacre à César Newashish, je me sens peu autorisé à parler du bouleau.

Ce film, que l'on peut visionner sur le site de l'Office national du film, n'est ni plus ni moins que cinquante-sept minutes et cinquante-cinq secondes de pure poésie. Il faut voir ce vieil Atikamekw travailler à partir de rien, avec un outillage minimaliste – un canif, une hache, un marteau et un poinçon –, taillant, collant et cousant sans urgence, pour comprendre que le canot d'écorce demeure l'un des plus beaux véhicules jamais créés par l'humain.

DOMINIQUE – Le bouleau est le bois préféré des boulangers, car sa flamme n'est pas trop chaude et il produit une faible quantité de cendres. Lisant cela, je me représente une boulangerie immense, avec des moules de cuivre suspendus au plafond, de larges plans de travail en marbre, des sacs de jute entassés dans les coins et une enfilade de fours où des pâtissiers enfarinés mettent à cuire les différents pains et gâteaux sur des feux de bois de diverses essences, selon le parfum qu'ils souhaitent leur donner : du pommier pour la tarte Tatin, du cerisier pour le forêt-noire, du châtaignier pour le pain aux noix et des flambées de canne à sucre pour les babas au rhum.

***

Surtout connu pour ses femmes-mosaïques dorées, Gustav Klimt a aussi peint plusieurs boulaies qui sont autant de forêts de rêve. Les arbres blancs se détachent comme des cierges bleutés sur des ciels pâles et des sols jonchés de taches multicolores; armée de fantômes arrêtés en pleine marche.

JONQUILLE

NICOLAS – Encore le coup des noisettes : la jonquille est le nom vernaculaire de *Narcissus jonquilla,* le narcisse discuté le 11 ventôse dernier.

Théorie : André Thouin avait un frère jumeau secret, avec qui il partageait son existence. Chaque André vivait un jour sur deux, reprenant les activités là où son besson les avait laissées. Cela impliquait néanmoins certaines difficultés de synchronisation, qui se traduisaient de temps à autre par des doublons.

Cette hypothèse nous amène à une question intéressante : où se cachaient les jumeaux, lors de leurs congés respectifs; et que faisaient-ils donc?

Dominique – J'aime quand Wikipédia se met en frais de nous faire la leçon, comme ces encyclopédies de naguère dont les auteurs ne se souciaient pas de cacher leurs préférences et les opinions qu'ils nourrissaient à l'égard de leur sujet. J'y apprends ce matin que le terme *jonquille* désigne plusieurs fleurs différentes, dont une seulement mériterait ce nom de « petit jonc ». L'appellation s'est cependant répandue depuis un peu plus d'un siècle jusqu'à être aujourd'hui communément utilisée pour désigner le narcisse jaune, et le bon contributeur s'étant chargé de la rédaction de l'article nous informe (on sent le dédain percer) qu'elle n'est point appropriée, « ni pour un amateur botaniste, ni pour un simple observateur de bon sens ».

Ce monsieur (quatre-vingt-sept pour cent des articles sont rédigés par des hommes, ce qui, à vue de nez, est un pourcentage à peine moins élevé que pour le *Dictionnaire raisonné des sciences, des arts et des métiers*) avait-il conscience de l'ambiguïté de sa dernière phrase? Sans doute pas. Il vient en tout cas pour moi de créer une nouvelle catégorie, dans laquelle je m'inscrirais avec fierté. Aux côtés du connaisseur de vins, de l'amoureux des oiseaux et de l'expert ès monnaies anciennes trône désormais l'observateur de bon sens.

***

Coucher de soleil glacial au-dessus du parc Pratt hier. Je me gèle les doigts en essayant de prendre en photo le ciel immense, un rideau de soie dont le bleu se fond dans l'or puis dans une lueur orange, et sur lequel les branches noires des arbres vont s'amincissant comme les veinules de quelque gigantesque créature dont la silhouette ne se révèle qu'à la tombée de la nuit.

AULNE

NICOLAS – Paysage de mon enfance : veines d'aulnes sombres, serpentant dans les champs, entre lesquelles nageaient les plus délicieuses truites de l'univers.

DOMINIQUE – Je croyais, à tort, qu'un aulne était une sorte de mince roseau à l'écorce rougeâtre, peut-être à cause du *Roi des aulnes* de Tournier, que j'imagine fuyant dans un marécage, fouetté par les broussailles, portant son précieux fardeau, un enfant, un seul, à sauver; peut-être bêtement à cause du *l* central qui me semble lui-même une longue perche souple; ou peut-être parce que je n'ai pas souvenir d'avoir vu le mot au singulier et que je me figurais donc une gerbe de longues tiges, façon bouquet de quenouilles.

Les botanistes sont parfois poètes sans le savoir. Sur un site consacré aux arbres européens, on peut lire : « Essences de lumière, les aulnes apprécient les terrains ensoleillés. » *Essences de lumière...*

COUVOIR

DOMINIQUE – À Audubon et sa flamboyante entreprise (représenter en peinture, *grandeur nature,* tous les oiseaux d'Amérique du Nord, du plus humble passereau jusqu'à l'étonnante spatule rose vif en passant par le grand pygargue à tête blanche), je préfère, je crois, le catalogue du révérend Francis Orpen Morris, auteur et illustrateur de *A Natural History of the Nests and Eggs of British Birds,* qui présente, comme son nom l'indique presque (je ne comprends pas ce que vient faire là « a natural history of », si ce n'est donner à l'ouvrage une aura de respectabilité scientifique), les œufs des oiseaux de la grande Albion, eux aussi grandeur nature, et quelques-uns de leurs nids.

Toutes les planches sont coloriées à la main, l'œuf dessiné sur un fond vert d'eau pâle, et l'ensemble fait penser à ces nuanciers qui déclinent les différentes teintes de beige et de blanc, chacune subtilement différente : blanc à peine verdâtre pour l'harelde boréale, beige presque couleur chair pour le canard arlequin, blanc de lait pour la chouette hulotte. Les petits œufs pointus et tachetés de l'agrobate roux et de la rousserolle verderolle ressemblent à ces cocos de Pâques sous la fausse coquille desquels se dissimule du chocolat, tandis que ceux du pipit rousseline ont d'innocents airs de caillou.

Nous avons suspendu cet hiver plusieurs de ces gravures au mur de la salle à manger. Sur la table, dans un panier de métal, des œufs d'émeu et d'autruche évidés, ceux-ci blancs comme l'ivoire, ceux-là d'un vert-noir d'ardoise, semblent s'être évadés des cadres pour rouler dans la pièce.

Nicolas – J'ai parfois l'impression, ma chère Dominique, en dépit du caractère *collectif* de notre projet, d'en faire une affaire familiale, voire paternelle, c'est-à-dire une affaire personnelle, chose qui plairait assurément à ce vieux Sigmund.

Tu dois savoir que l'éleveur peut se procurer les poulets sous plusieurs formes : âgés d'un mois, d'une semaine, d'un jour, ou simplement à l'état d'œufs fécondés. Plus le poulet est abouti, plus il coûte cher – c'est la loi de la valeur ajoutée –, aussi une année mon père décida-t-il de se donner un peu plus de misère que de coutume, et commanda trois douzaines d'œufs fécondés.

Puis, en attendant les œufs, il bricola un couvoir.

C'était une banale boîte, me semble-t-il, chauffée par une ampoule, et contenant une soucoupe d'eau, afin d'assurer une humidité adéquate. (Ce dernier détail est peut-être une invention de ma mémoire.) Le couvoir présentait une caractéristique intéressante : on pouvait imprimer un mouvement de rotation aux œufs, en faisant tourner les tiges sur lesquelles ils reposaient. Les œufs devaient être retournés de la sorte matin et soir, afin de reproduire, justement, la manière dont la poule repositionne ses œufs pendant la couvée.

Je ne sais pas précisément quel est le sens de cette manœuvre. Je suppose qu'elle empêche le poussin de se développer asymétriquement, voire de coller au fond de la coquille.

À force de bouger sans cesse, nous oublions le rôle que joue la force gravitationnelle dans la construction même de ce que nous sommes, poulets ou humains.

DROITS
IIe DECADE
11 Primidi..... *Pervenche*
12 Duodi...... *Charme*
13 Tridi....... *Morille*
14 Quartidi.... *Hêtre*
15 Quintidi.... POULE
16 Sextidi..... *Laitue*
17 Septidi..... *Mélèze*
18 Octidi...... *Ciguë*
19 Nonidi...... *Radis*
20 DÉCADI..... RUCHE
CAMILLE DESMOULINS
CONDAMNATION DES DANTONISTES

PERVENCHE

NICOLAS – Un des loisirs préférés d'André Thouin consistait à composer des contrepèteries avec le mot *pervenche*. À sa mort, ses amis voulurent publier l'œuvre complète, constituée de quelque 670 vers, mais le manuscrit disparut, hélas, dans un incendie de compost.

DOMINIQUE – On utilise dans le traitement de cancers pédiatriques certains des alcaloïdes de la plante dont le nom dérive, par ailleurs, d'un mot latin signifiant « vaincre ».

Au fait, j'y pense, toi qui composas naguère, fin vendémiaire, un fort joli hymne à l'aubergine, savais-tu, Nicolas, que désormais les agents de stationnement français, tout de bleu vêtus, sont plutôt appelés *pervenches*? À ce rythme-là, bientôt ce sera *rose-thé, rayon de soleil...*

CHARME

NICOLAS – Il me semblait que le charme était une mauvaise herbe grimpante et envahissante. Je confondais avec le mot *sarment*. J'essaie de n'en tirer aucune conclusion.

DOMINIQUE – Quand on a fini de demander aux écrivains s'ils sont chat ou chien, on souhaite savoir ce qu'ils emporteraient s'il y avait le feu chez eux, à quoi Cocteau avait répondu : « le feu », et je ne sais toujours pas si c'était une réponse de poète (le feu est la seule chose qui mérite d'être sauvée) ou de pragmatiste (en emportant le feu, on se trouve à éteindre l'incendie).

S'il y avait le feu aujourd'hui, j'emporterais *Verchiel,* de Benoit Jutras :

Notre vie est transparente, broyée par les vagues scélérates, comme un très haut amour. Nous ouvrons nos bras à des siècles de peste, de neige, nous prononçons des mots noirs pour attirer le soleil. Nous ne savons pas prier; nous dessinons des oies blanches, des gouffres antiques, espérant que les choses disent oui. Jour et nuit, notre étoile nous la mangeons, notre tête nous l'enterrons. Nous le répétons sans cesse : il n'y a plus de paysage. Les arbres nous regardent.

— Alors c'est un pastiche...

— Pas nécessairement. Il écrit mon texte et j'écris le sien.

— T'as juste à insérer des références scientifiques. Il fait tout le temps ça.

— C'est pas un peu facile?

Il prend une gorgée de café.

— C'est quoi, aujourd'hui?

— La morille.

— Le champignon qui a l'air d'une cervelle?

— Heu...

Au retour de nos promenades en forêt, quand j'étais enfant, mon père nous préparait des omelettes aux morilles bien baveuses qui exhalaient encore l'odeur de mousse des sous-bois où nous les avions cueillies. J'ignorais à l'époque que les champignons de la famille des *Morchella*, comestibles cuits ou séchés, sont toxiques lorsqu'ils sont ingérés crus puisqu'ils contiennent des hémolysines, substances qui ont la particularité de s'attaquer aux globules rouges. Apprendre des années plus tard que le régal de mon enfance recelait cette menace m'en fait curieusement goûter davantage le souvenir.

En anglais, le traître champignon a pour surnom *dryland fish*; en effet, il semblerait qu'une fois coupée en deux, enrobée de panure et frite, la morille a l'allure d'un poisson.

Gastronomie : 0. Poisson d'avril : 1.

Nicolas – Le hêtre étant une espèce essentiellement eurasienne, je m'étais habitué à classer son fruit, la faîne, avec ces plantes exotiques qui, à l'instar de la morille dont nous avons parlé hier, ne poussaient que dans les livres : platane, pâquerette, gui et autres coquelicots.

Et ce, jusqu'à ce qu'un après-midi ma fille et moi découvrissions que l'arrière de notre miteuse parcelle de camping (je tairai le nom de ce joyeux endroit) était parsemé de faînes. Elles étaient plus petites que je ne les imaginais, mais il s'agissait de vraies, de véritables faînes, comme en grignotaient les écureuils dans Astérix.

Cette découverte me fit presque oublier la musique dont notre voisin semblait vouloir faire profiter tout le comté.

DOMINIQUE – Il me semble tout naturel qu'il existe un arbre qui porte aussi le nom d'*être* mais dont le *h* initial nous force, avant de le prononcer, à marquer une légère pause, à respirer, comme s'il convenait de réfléchir à ce qu'on s'apprête à dire. En entendant les mots : *une armoire en hêtre,* je vois un meuble qui ne contient pas seulement des draps, des linges et des édredons, mais, parmi les couvertures et les sachets de lavande, les rêves d'une famille, ses maladies, ses secrets, ses naissances et ses fantômes.

J'apprends de surcroît ce matin que le nom latin de l'arbre (*Fagus*) est lui-même dérivé, par le truchement du grec ancien, de l'indo-européen *bhāgós,* « ce qui est écrit » (on se servait du hêtre pour confectionner les tablettes où l'on traçait les runes), qui deviendra, en anglais : *book,* et en français : *bouquin.*

Là aussi, rêves et fantômes.

***

Le jour se lève avec une infinie lenteur, dans un bleu moitié eau et moitié lumière. Des corneilles qui discutaient bruyamment font taire leurs voix noires quand enfin arrive la clarté.

ABEILLE

NICOLAS – L'écriture de mon troisième roman m'a amené à me documenter très, très abondamment sur l'*Apis mellifera,* aussi suis-je, ce matin, dans la situation épineuse d'avoir trop de choses à dire.

Je n'en dirai donc qu'une seule : la plus importante.

Avant même de commencer à me documenter, je tenais déjà l'abeille en haute estime, et cette estime n'a pas cessé de grandir au fur et à mesure que j'intégrais ces ingénieux hyménoptères à la trame de mon roman. Un détail, cependant, a scellé à jamais mon amour pour les abeilles, et mon désir d'avoir un jour (je le jure) mes propres ruches.

Les abeilles, contrairement à la croyance populaire, ne sont pas physiquement spécialisées comme les termites ou les fourmis. Toutes les ouvrières de la ruche sont semblables. Les différents rôles qu'elles jouent au sein de la colonie ne sont pas distribués en vertu de différences physiologiques, mais en fonction de l'expérience.

Ainsi, lorsqu'une abeille naît, sa première tâche consiste à nettoyer son alvéole, afin que celle-ci puisse accueillir un nouvel œuf. Ce nettoyage fait l'objet d'une inspection minutieuse, et si l'alvéole n'est pas jugée impeccable, l'abeille doit recommencer.

Puis, pendant une dizaine de jours, l'abeille nourrit les larves et s'en occupe, un peu comme une grande sœur prenant soin des cadettes. Une fois ce service puéricole terminé, elle consacre deux semaines à réparer, agrandir et défendre la ruche, et participe à la régulation thermique et à la préparation du miel – lequel est essentiellement produit par évaporation. Une ruche n'est rien d'autre qu'un déshydrateur multifonction.

Une fois terminée cette période, l'abeille commence enfin à butiner, d'abord tout près de la ruche, puis de plus en plus loin à mesure qu'elle se familiarise avec la longue distance. Une abeille expérimentée peut aller chercher nectar, pollen et propolis jusqu'à cinq kilomètres de la ruche, trajet qui, ramené à notre échelle, revient à voler aller-retour (sans se perdre) jusqu'à Vancouver.

En considérant cette existence parsemée d'apprentissages et de diplômes et de rites, je songe que l'abeille est, comme nous, et bien davantage que de nombreux mammifères supérieurs, une personne à part entière.

Dominique – Je l'avoue, j'ai songé un moment à aller repêcher ce répertoire d'abeilles dressé à l'occasion du jour du miel et à le transporter jusqu'ici ni vu ni connu. Ce qui me retient, outre un sens du devoir un peu vacillant, est ta sourde volonté de redonner à l'humble gent hexapode la place qui lui revient dans ce calendrier où, par ailleurs, il y a amplement de quoi butiner.

Si la bêche était, pour reprendre tes mots, « borgésienne bestiole », l'abeille est, si je puis me permettre, balzacienne bébête, puisque reconnue pour son infatigable industrie. On classe les différents types d'abeilles en fonction de leur mode de vie : domestiques, sauvages, solitaires, sociales, parasites. Vivant loin des hommes, les sauvages font leur miel pour elles seules; ce sont des poètes, des aventurières ou les deux. Les domestiques, apprivoisées et mieux adaptées au contact des humains, acceptent sans rechigner de partager leur miel par ailleurs abondant et plus fade. Les solitaires, à rapprocher des sauvages, œuvrent et vivent dans l'isolement, protégeant jalousement le fruit de leur labeur; d'ailleurs l'existence de ces ermites est souvent entièrement vouée au travail. Habituées à fonctionner en groupe, les sociales sont désemparées dès qu'elles se trouvent privées de la compagnie de leurs semblables; elles aiment à se réunir en essaim bourdonnant, se déplaçant tel un banc de poissons toutes ensemble dans la même direction. On affirme que, privées quelques heures du regard de leurs acolytes, elles perdent leurs couleurs. Quant aux parasites, à ne pas confondre avec les précédentes même si elles en partagent parfois l'apparence, elles laissent habituellement les autres travailler à leur place et se tiennent au fond de la ruche, pas loin du bar, un verre à la main.

LAITUE

NICOLAS – Chez nous, les premières feuilles de laitue de l'année, tendres et fraîches, à la cassure laiteuse, devaient obligatoirement se manger accompagnées de crème et de ciboulette fraîchement cueillie. Aucun grand cru d'huile d'olive ne vaut ça.

DOMINIQUE – Un homme se lève un matin, se regarde dans le miroir et découvre qu'il a, au lieu du crâne et du visage, une laitue, ce que les Anglais appellent fort à propos a *head of lettuce*. Certes la chose est déconcertante, mais elle n'a pas que du mauvais : d'abord, il n'est pas obligé de se faire la barbe. Il tâte précautionneusement les replis qui lui tiennent lieu d'yeux, ausculte les creux et les renflements qui forment la bouche et le nez, met tant bien que mal de l'ordre dans son feuillage et descend déjeuner. Sa femme lui a préparé un œuf à la coque. Polie ou distraite, elle ne dit rien. Il part pour le travail perplexe mais à l'heure.

On le salue comme tous les autres jours, il s'assied à son bureau, parle au téléphone, remplit des formulaires. Quand vient l'heure du lunch, il hésite à manger une salade comme il le fait habituellement le mardi et choisit plutôt un sandwich. À quelques reprises pendant l'après-midi, il se lève pour aller s'examiner dans le miroir de la salle de bain; il a encore une laitue à la place du crâne, mais il commence à s'y habituer. Il se demande même si tel n'a pas toujours été le cas; il lui semble se revoir, sur des photos d'enfant, avec une tête pommelée vert tendre.

À la fin de la journée, il prend l'autobus pour rentrer à la maison, en fredonnant *L'homme à la tête de chou*. Il soupe avec sa femme, ils lavent la vaisselle, regardent la télévision, vont se coucher et font l'amour. Elle passe la main dans ses feuilles sans manifester de dégoût ni même de surprise, trouve son étreinte rafraîchissante, comme une eau parfumée au concombre.

MÉLÈZE

NICOLAS – Je me souviens du bonzaï de mon frère Bertin, un mélèze laricin qui survécut plusieurs années sur notre galerie, planté dans un vieux pot de margarine. Vers la fin, alors qu'il faiblissait et jaunissait, son tronc commençait à présenter les rides caractéristiques de la résilience. Hélas mon frère se désintéressa du projet (peut-être était-il déjà parti pour l'université) et, un printemps, les aiguilles du pauvre conifère ne daignèrent pas repousser. Le mélèze alla au compost, et le plat de margarine aux ordures.

Dominique – Vous allez croire que j'exagère, peut-être, que je suis en train de faire de cette première cour de mon enfance un véritable arboretum, mais je vous assure, le fond en était délimité par des mélèzes qui formaient une sorte de barrière vert sombre. Il me semble que ces arbres étaient toujours en train de perdre leurs aiguilles jaunissantes, comme si leur vie n'avait été qu'une lente agonie. Été comme hiver, ils montraient des branches dégarnies.

À l'automne, mon père rassemblait en tas les feuilles et le bois mort et il allumait un feu sur le gravier du terrain de badminton, où je suis assez certaine que personne n'a jamais disputé le moindre match. Une odeur âcre mais agréable montait dans l'air, les flammes s'élevaient, nimbées d'un halo de chaleur tremblant, tout près des branches sèches des mélèzes que je rêvais de voir s'embraser.

***

Une chaîne de nuages blancs comme le lait s'élevaient hier soir depuis l'horizon jusque haut dans le ciel sombre où ils formaient un massif éphémère, claires montagnes dessinées par un peintre qui n'aurait jamais vu la neige mais en aurait depuis toujours eu le désir.

Nicolas – Soifs improbables (5)

Ce qui me fascine, et m'a toujours fasciné, dans l'exécution de Socrate, c'est son caractère volontaire. Tout le contraire de la pendaison, de la lapidation, de la guillotine, de l'injection, de la chambre à gaz, de la croix, du pal, de la roue, de la planche, du garrot, de la défenestration, du peloton d'exécution, de l'écartèlement, de la chaise électrique et de tous ces procédés et dispositifs dont notre imagination ne semble jamais à court. On n'a pas fait boire la ciguë à Socrate : il l'a bue par lui-même. À la suite de quoi on l'a prié de faire quelques pas, histoire d'accélérer la diffusion des alcaloïdes dans son organisme.

La collaboration de Socrate à sa propre exécution témoigne d'une incroyable distance culturelle, et constitue la source chez moi d'un très ancien trouble : comment agirais-je s'il me fallait boire la ciguë?

DOMINIQUE – Il est étonnant de constater à quel point ce végétal hautement toxique a l'air quelconque : grande et petite ciguës sont de banales plantes à tige dressée et à fleurs blanches regroupées en ombelles, qui ressemblent un peu à la berce, de la même famille. Voilà pour la sagesse populaire voulant que la plupart des plantes et des champignons vénéneux annoncent leur toxicité par leur apparence outrageusement flamboyante ou rébarbative. C'est en tout cas ce qu'affirmait mon père – qui a par ailleurs déjà songé à devenir ingénieur forestier.

Il ne parle guère de cette époque, mais nous a raconté récemment un épisode de son apprentissage qui m'a particulièrement réjouie. On souhaitait mettre à l'épreuve les capacités d'orientation des étudiants, et pour ce faire on les avait largués dans la forêt avec quelques provisions, une boussole et une carte géographique. Ils avaient deux jours pour rejoindre le camp. Mon père se met en marche, observe les arbres, scrute le ciel, consulte de temps en temps sa boussole. L'aiguille indique le nord là où il est persuadé que se trouve l'ouest. Il la secoue, la tapote doucement; rien à faire. Il continue d'avancer en se fiant à son instinct, ressortant de temps à autre le compas qui continue de pointer dans la mauvaise direction. Agacé, il finit par le jeter dans les fourrés, déterminé à rentrer seul.

Bien sûr, la boussole avait raison; il tournait en rond.

Je me reconnais plus que je ne saurais dire dans cette histoire. À huit ans, embarquée dans un autobus avec cinquante skieurs qui, une fois arrivés à destination, ont tous pris à droite (en direction de la montagne), j'ai résolument mis le cap à gauche, convaincue que c'était là que je devais aller. Où donc croyais-je qu'ils se rendaient, tous ces autres avec leurs bonnets, leurs mitaines, leurs bâtons et leurs skis? Je pense ne m'être même pas posé la question tant j'étais certaine d'avoir raison. Mes parents – prudents, ils avaient suivi l'autobus en voiture –, sont accourus pour me remettre dans le droit chemin, horrifiés de mon piètre sens de l'orientation, mais je ne me souviens jamais de cette matinée sans une sorte de fierté : elle est cassée, peut-être, mais j'ai une boussole intérieure.

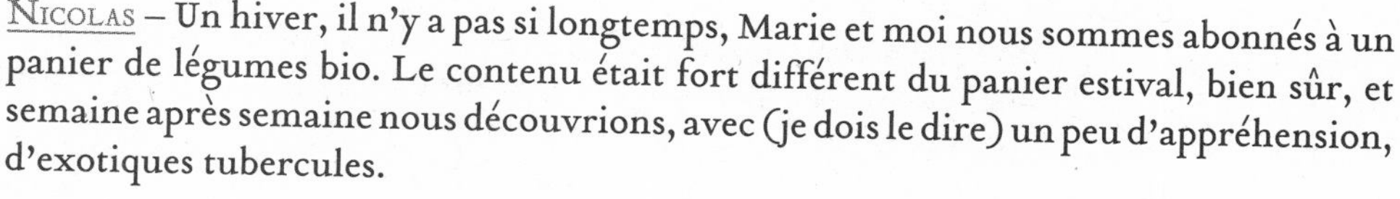

NICOLAS – Un hiver, il n'y a pas si longtemps, Marie et moi nous sommes abonnés à un panier de légumes bio. Le contenu était fort différent du panier estival, bien sûr, et semaine après semaine nous découvrions, avec (je dois le dire) un peu d'appréhension, d'exotiques tubercules.

Il nous fallut plusieurs semaines avant de trouver une manière intéressante d'apprêter le radis noir (solution du problème : sauté au beurre), semaines au cours desquelles les radis s'entassèrent sur notre comptoir.

À défaut de créativité culinaire (nous étions un peu réticents, avouons-le), nous avons trouvé d'autres applications. J'ai notamment réalisé qu'il suffisait de deux coups de couteau pour tailler des yeux bridés qui transformaient le plus banal radis en kobold malveillant. L'effet était saisissant – et plus le radis vieillissait, plus il se ratatinait, plus il semblait mauvais, ses yeux minces enfoncés dans une pelure inquiétante.

Je suis au regret d'annoncer que, une fois notre abonnement terminé, nous n'avons pas racheté de radis noirs.

Dominique – Il paraîtrait qu'une certaine variété de radis jaune a un léger goût de citron.

On ne peut s'empêcher de songer que la nature fait bien les choses; une variété de citron rouge au léger goût de radis eût été considérablement moins heureuse.

Ruche

Dominique – Je suis sûre que, tout bien disposé que tu sois à l'endroit des insectes, Nicolas, tu dois commencer à partager mon agacement devant ce qui est manifestement un parti pris de Thouin et de Fabre d'Églantine en faveur de la gent hyménoptère. Certes, ce sont de merveilleuses créatures, mais maintenant que nous avons eu la journée de la cire, celle du miel, celle de l'abeille proprement dite puis de la ruche, vont-ils nous imposer encore le jour de la propolis et la décade de la gelée royale?

Cette véritable obsession apicole m'aura au moins permis de découvrir un ouvrage médiéval dont j'ignorais l'existence : le *Tacuinum sanitatis* qui, basé sur la théorie des humeurs élaborée par Hippocrate, expose les principes d'une vie saine et présente les caractéristiques de différents aliments et plantes couramment consommés par l'homme. Ce qui m'étonne dans ce manuel, ce n'est pas tant la répartition desdits aliments en catégories autour de deux grands axes (chaud-froid, sec-humide) que les gravures d'une édition datant de la fin du quatorzième siècle, dont certains aspects sont d'une étonnante modernité et semblent presque annoncer, par la juxtaposition des angles et des points de vue, la manière cubiste. Les ruches y sont représentées de face, en deux dimensions, posées sur une base en bois qui, elle, respecte apparemment les lois de la perspective puisque ses côtés tendent vers un point de fuite imaginaire. Des abeilles constellent la moitié supérieure de l'image, vues de haut, chacune orientée dans une direction différente, toutes semblables, toutes de taille démesurée par rapport aux ruches.

L'illustration du millet (aliment froid et sec, pour ceux qui se poseraient la question) procède d'une composition semblable. Le premier plan est occupé par un personnage en à-plat derrière lequel se déploie un champ qui suggère une connaissance des lois de la perspective sans y obéir tout à fait; les épis en tout cas passent du plus foncé au plus pâle, et leurs contours deviennent plus flous à mesure qu'ils s'éloignent (c'est-à-dire qu'ils s'élèvent). Au-dessus des tiges, des oiseaux jaillissent du champ, y plongent ou sont posés sur le ciel comme les motifs sur une tapisserie; l'un d'eux se superpose même au bandeau rouge qui délimite l'espace réservé à la gravure, sortant littéralement du cadre à tire-d'aile.

On voit dans ces images le passage du Moyen Âge qui s'achève à la Renaissance qui ne s'est pas encore tout à fait annoncée, les deux époques – les deux mondes – coexistant un moment, le temps de dessiner dans le ciel des constellations d'abeilles géantes.

Nicolas – Voici encore un doublon, d'une certaine manière, puisque nous avons vu l'abeille précédemment, ce qui nous ramène à l'hypothèse du Doppelgänger, ce mystérieux jumeau d'André Thouin qui prend la place du jardinier un jour sur deux.

Non seulement cette hypothèse m'apparaît de plus en plus solide, mais encore un modus operandi me semble-t-il émerger.

Quelle est la différence subtile entre les doublons qui apparaissent? La noisette est sauvage tandis que l'aveline est domestique, et je soupçonne le narcisse de désigner les cultivars cependant que la jonquille représente les lys-des-champs-qui-ne-travaillent-ni-ne-filent-et-pourtant-sont-mieux-vestus-que-Salomon-lui-même.

Voici que l'on devine encore le même motif : l'abeille symbolise la force brute, la ressource naturelle, cependant que la ruche, qu'elle soit tressée ou encastrée dans la maçonnerie d'une église, est (prétendument) le fruit du génie humain.

Non seulement Thouin a un frère jumeau, mais tandis que le jardinier personnifie le versant domestique de l'humanité, son mystérieux double incarne notre côté sauvage : les plantes non acclimatées, les mousses incultivables et les bêtes des bois.

Thouin était certes un jardinier français, un géomètre, amateur de choses prévisibles, mais il cachait en son sein un jardinier britannique, féru de jungles et de forêts vierges. Docteur Surmoi et Monsieur Ça.

IIIe DECADE
21 Primidi.... Gainier
22 Duodi...... Romaine
23 Tridi....... Maronnier
24 Quartidi.... Roquette
25 Quintidi.... PIGEON
26 Sextidi..... Lilas
27 Septidi..... Anémone
28 Octidi. .... Pensée
29 Nonidi ..... Myrtile
30 DÉCADI..... COUVOIR
COMITE DE SALUT PUBLIC

GAINIER

Nicolas – L'arbre de Judée est, m'assure-t-on, l'hôte d'un psylle minuscule et superbe, aux yeux rouges et aux ailes tavelées, lequel chie un miellat très nuisible sur son feuillage. Ce miellat est à son tour investi par *Fumago salicina,* un champignon qui cause un noircissement des feuilles, la fumagine, nuisible à la photosynthèse. Par ailleurs, les larves du psylle sont la cible de voraces punaises du genre *Anthocoris*.

L'arbre le plus insignifiant porte le monde dans ses feuilles : les cycles économiques, les guerres, le parasitisme et le miel.

Dominique – Nouvel exemple de la manière dont une erreur de traduction peut contaminer le réel ou, dans ce cas-ci, donner naissance à une légende : le gainier, qui a pour nom français *arbre de Judée,* a d'abord été appelé en anglais *Judea's tree*, nom qui se déforma au fil des années pour devenir *Judas' tree*, raison pour laquelle on prétend aujourd'hui que c'est à une branche de gainier que se pendit Judas Iscariote après sa trahison.

RONE

Dominique – Nulle trace ce matin de ce mystérieux rone, si ce n'est dans quelques ouvrages de mécanique ou d'horlogerie du dix-huitième siècle où j'en viens rapidement à soupçonner qu'il doit plutôt s'agir du mot *roue* mal typographié.

Bien sûr, je réclame ton secours : Buffon, dis-tu, évoque un poisson scandinave, ce qui ne nous convainc guère ni l'un ni l'autre. Tu préfères chercher du côté de l'aurone, plante figurant dans le capitulaire *De Villis* (et que, pour une raison inconnue, on appelle dans le Dauphiné : *arquebuse*).

Je choisis plutôt de croire que le rone est la monnaie d'un petit pays en forme de chien, dont les contours n'apparaissent qu'à la nuit tombée. Sur les pièces d'un rone est gravée la silhouette d'un chasseur, mains sur les yeux, marchant vers le soleil levant. Le cours du rone, compliqué et fluctuant, varie selon les marées et les saisons. Aujourd'hui, il vaut une livre d'or. Demain, rien peut-être.

Nicolas – Peut-être est-il temps que nos lecteurs soient instruits de l'existence de Jeeves.

Lorsque nous avons entamé ce projet, une question logistique se posait : comment prendrions-nous connaissance du thème quotidien sans jamais entrevoir ce que nous réservaient les jours suivants? Le mieux était de demander à quelqu'un de nous l'envoyer tous les matins, pendant 365 jours. Mais qui témoignerait de tant d'abnégation?

J'ai donc décidé de coder une petite application — avec la complicité de mon pote Hugo — qui se taperait le boulot automatiquement. Je l'ai appelée Jeeves, du nom de ce majordome surdoué né de la plume de P. G. Wodehouse. Chaque jour, à minuit pile, Jeeves nous enverrait le mot du jour.

Or, comment une erreur s'est-elle glissée dans Jeeves en ce 22 germinal? Nous ne devions pas recevoir cet étrange rone, mais la laitue romaine (*Lactuca sativa* var. *longifolia*). Il faut croire que cette application a quelque chose d'humain.

MARRONNIER

NICOLAS – Mes premiers marrons chauds, devant la gare de Cologne : puissante impression d'être en Europe – une Europe plus européenne que nature. L'Europe des bandes dessinées et des livres pour enfants. L'Europe d'André Franquin. La quintessence des vieux pays, dans un cornet en papier.

Moment d'extase, yeux mi-clos.

Suivi d'une immédiate révélation : je n'aime pas les marrons chauds.

DOMINIQUE – Celui qui pousse au coin de la rue Dunlop a été mon premier marronnier. Il n'y en avait pas à Cap-Rouge, ni plus tard au centre-ville de Montréal où j'ai habité pendant une huitaine d'années. C'est un arbre impressionnant, dont les feuilles sont disposées en éventails larges comme des assiettes. Ses branches se couvrent au printemps de grands cônes de fleurs blanches et à l'automne de fruits vert tendre, hérissés de piquants. La chienne des voisins en raffole : elle les pèle doucement, du bout des babines, pour en révéler la chair blanche et amère qu'elle croque comme un biscuit. Victor la regarde avec un intérêt poli. Au marronnier, il préfère de loin l'arbre à os à moelle.

ROQUETTE

NICOLAS – Glorieux souvenir d'Allemagne : acheter une botte de roquette sur la place du marché, le samedi matin.

DOMINIQUE – On ne sait généralement pas que l'archipel arctique canadien comprend des « îles de la Roquette ». Situées dans le détroit de Peel, celles-ci se trouvent non loin de l'endroit où les navires de l'expédition Franklin sont restés prisonniers des glaces. Si vous cherchez à les localiser dans Google Maps, le logiciel vous montrera un point au milieu d'une étendue d'eau qui occupe tout l'écran, sans terre ni la moindre île à proximité. En reculant un peu, des mots apparaissent : *Northwestern Passages,* au pluriel, puisqu'il n'existe pas un passage du nord-ouest, mais un enchevêtrement de chemins labyrinthiques qui se font, se déplacent et disparaissent au gré du gel et de la fonte des glaces, des errances des icebergs et des bancs de brume.

Ces îlots fantômes font songer au merveilleux *Atlas des îles abandonnées* de Judith Schalansky, où les îles sont autant de navires immobiles, territoires sauvages ou rendus à leur sauvagerie première après avoir été découverts et, dans le cas de certains, brièvement habités. Le livre s'ouvre sur l'île de la Solitude, possession de la Russie dans la mer de Kara, dans l'Arctique, abandonnée le 23 novembre 1996 après avoir servi de station météorologique, et se clôt sur l'île Pierre Ier, de l'autre côté de la Terre, qui, avec son volcan assoupi, ses plages noires et ses glaciers qui viennent rejoindre l'océan Austral, n'a encore rien révélé de ses mystères.

NICOLAS – On avait donc annoncé une vente sur le parvis de l'église, le matin de la Saint-Jean, au profit de la fabrique. Une vente à la criée, en habits d'époque, où l'on proposerait différents articles offerts par des paroissiens de bonne volonté : biscuits, meubles, bulbes de fleurs, bas de laine.

Paroissien de bonne volonté, quoique vaguement réticent, mon père s'était engagé à fournir une paire de pigeons. Il savait (Dieu sait comment il savait tout ce qu'il savait) qu'à la nuit tombée, ces volatiles cessent totalement de bouger. Ce sont des navigateurs à vue : dans l'obscurité, le pigeon se laissera attraper plutôt que de s'enfuir à l'aveuglette.

Mon père s'introduisit nuitamment dans la vieille grange de mon grand-oncle Soucy, où une famille de pigeons nichait, et il gravit l'échelle de bois qui menait… Où menait-elle, au juste? Mon souvenir est imprécis. Je me rappelle seulement que la grange était en ruine, et l'échelle, branlante. L'échelle menait tout au faîte de la grange, je crois, jusqu'à une ouverture où se situait peut-être autrefois un grappin à foin.

Quoi qu'il en soit, mon père grimpa là-haut avec à la ceinture une poche de moulée vide, ce qui constituait en soi un petit exploit. Puis, dans la noirceur, à tâtons, il saisit deux pigeons (insérer gloussements de protestation) qu'il fourra dans la poche. Un nœud et hop.

C'est la pauvre Mme Dupuis, une vieille fille de soixante-quinze ans, qui, le matin de la Saint-Jean, encouragée à jouer le jeu de l'encan, se retrouva coincée avec les pigeons. Mon père en rit encore.

DOMINIQUE – Mon copain de l'époque devait pour le tournage d'un film apprendre à maîtriser l'art du tir au pigeon d'argile. C'est la fin de semaine, nous sommes dans une carrière déserte non loin de Beauport, de ces endroits géants mais invisibles dont on ne soupçonne pas la présence à moins d'y mettre carrément les pieds, comme si le reste du temps ils existaient dans une autre dimension. Nous sortons de la voiture avec un engin vaguement menaçant (appelé *cabane*) constitué de pattes en métal, d'une sorte de longue pale se repliant sur elle-même un peu à la manière de la lame des anciens rasoirs, d'un ressort et d'une corde. Mon copain a dans les mains une carabine.

Un de ses amis, français d'origine et qui a déjà pratiqué ce sport (?), nous accompagne et offre de faire une démonstration. D'une boîte en carton, il sort un pigeon d'argile, qui consiste en fait en un petit disque de terre cuite assez épais, puis il se positionne, un pied en avant, près de la cabane, met en joue et crie : « Poule! »

Cela a toutes les apparences d'un rêve, je me le dis alors même que je me tiens là, dans la carrière vide où retentit l'écho du coup de feu, mais c'est pour vrai.

NICOLAS – Je découvre ce matin que le lilas appartient au genre *Syringa,* du mot latin signifiant « roseau ». La même racine nous a donné la seringue.

La semaine dernière, la roquette m'a mené sur une piste similaire : l'autre roquette, celle avec laquelle on perfore les hélicoptères et les limousines diplomatiques, vient de l'allemand *rukka* (« quenouille »). Et puis la grenade, on l'a vu il y a quelques mois, a inspiré le nom de cette autre grenade, celle qui vous pète à la figure.

L'étymologie nous ramène sans cesse à notre monde.

Et je réalise soudain que ce calendrier n'est pas qu'un florilège de plantes plus ou moins pittoresques : il s'agit d'une grille, d'une mythologie bien encodée de ces objets familiers qui composent notre modernité. De la même manière que les écrivains répugnent à inclure les technologies contemporaines dans leurs récits, nous refusons d'intégrer laveuses, sécheuses et téléphones sans fil au cadre des mythologies.

Comme si l'*Argos* était mythifiable, mais pas le *MS Costa Concordia*.

Mais ce calendrier fait en vérité, de manière subtile, codée, l'inventaire de la modernité. Les associations sont souterraines, nécessitent de fouiller, et seul(e) l'initié(e) saura jamais que l'érable, le lierre et le cresson désignent respectivement le vélo stationnaire, le climatiseur central et la carte à puce.

DOMINIQUE – Si Thouin et Fabre d'Églantine ont soin de préciser que cette journée est inscrite sous le signe du *lilas (commun)*, est-ce à dire qu'ils nous réservent pour plus tard le *lilas (extraordinaire)* ou le *lilas (légendaire)*?

Au printemps, après l'orage, le parfum entêtant de la terre humide et des fleurs de lilas est si puissant qu'on se dit qu'elles savent fatalement qu'elles n'en ont pas pour longtemps.

NICOLAS – Déviations sémantiques : pour moi, l'anémone de mer représente l'anémone par défaut, si bien que l'évocation d'une anémone « de jardin » me fait à tout coup chantonner *Octopus's Garden* de Ringo Starr.

DOMINIQUE – De toutes les plantes à moitié algues, tous les champignons plus ou moins vénéneux, les pulmonaires et les ciguës, petite et grande, c'est tout de même l'anémone de mer qui est la plus monstrueusement étrange. Répondant aussi au doux surnom d'*ortie de mer* (menacée, elle excrétera des filaments blanchâtres occasionnant brûlures et démangeaisons), l'anémone marine n'a de plante que l'apparence, puisqu'il s'agit en fait d'un animal capable, en cas de besoin, de déraciner son gros pied et de se mettre à nager pour s'éloigner du danger. Charmante particularité, elle ne dispose que d'un seul orifice qui lui sert aussi bien à absorber la nourriture, qu'elle y porte à l'aide de ses bras innombrables, qu'à excréter ensuite les déchets.

Les Espagnols qui ont le cœur bien accroché ont fait de cette horreur une gourmandise frite. Un goût acquis, à n'en point douter.

Les fleurs, c'est bien connu, n'ont point le sens de l'ironie. C'est vrai aussi de l'anémone, fleur de vent, qui, si vous la blessez par quelque remarque insensible, fera tourner ses pétales tel un vire-vent, tout à la fois pour dissimuler et sécher ses larmes. Allez-y d'une parole un peu acerbe, elle s'enroulera dans ses feuilles et enfouira dans le sable sa corolle au complet, comme la plus petite des autruches.

PENSÉE

NICOLAS – C'est moi, ou pensée et violette, c'est bonnet blanc et blanc bonnet? *The evil twin strikes again.*

DOMINIQUE – On dit de la *Viola tricolor* (ou pensée sauvage) qu'elle est « l'ancêtre de la pensée cultivée », précisant que « le terme *pensée* est antérieur au début de la culture des pensées », ce qui donne comme un léger vertige.

Je regrette de n'avoir pas au moins un philosophe sous la main pour m'aider à mieux faire la lumière sur ces deux types opposés : la pensée sauvage et la pensée cultivée, dont on devine qu'elles diffèrent du tout au tout. Celle-ci, régulière et tranquille, se laissera transplanter sans mal et gorger d'engrais; celle-là, capricieuse, n'en fera qu'à sa tête et poussera en touffes échevelées là où on ne l'attend pas, au milieu des terrains en friche, dans les sols les plus improbables. Les deux types de pensées se distinguent en outre par leur apparence; alors que la seconde est le plus souvent sagement monochrome, la première arbore deux, voire trois nuances différentes. D'un côté l'ordre, de l'autre la cacophonie.

Suivant le principe voulant que l'on combatte le feu par le feu, on utilise parfois la pensée sauvage pour apaiser les cauchemars, eux-mêmes pensées ensauvagées. (Voyez-vous comme moi la fleur délicate, violette, jaune et blanche, à cheval sur quelque scarabée caparaçonné, un long brin de paille au poing, foncer tête baissée sur ces monstres de rêve cent fois plus grands qu'elle?)

***

Du vert est apparu aux branches de l'érable pendant que nous étions à Québec pour le week-end, de minuscules bouquets acidulés, qui semblent grandir à vue d'œil. Le printemps dure une heure.

MYRTILLE

DOMINIQUE – Ce petit fruit illustre à merveille le fossé qui nous sépare de Thouin et de Fabre d'Églantine, fossé non pas temporel mais géographique, ou culturel, si l'on veut. Pour s'en convaincre, il n'est besoin que de considérer cette affirmation de Wikipédia : « Le muffin aux myrtilles est un classique de la pâtisserie américaine. » On ne peut s'empêcher de sursauter, comme lorsque, dans un roman états-unien traduit en France, les personnages rentrent du lycée pour mettre de l'eau à bouillir sur la gazinière afin de préparer le mug de thé qui accompagnera leur cookie.

VENDEMIAIRE

embre *A cette Epoque arrive* ***L'EQUINOXE D'AUTOMNE*** *& commence l'Année de l'Ère nouvelle....*

Apres avoir mûri les doux fruits de l'Automne
Au Signe de Thémis passe l'Astre du Jour;
VERTUMNE plus épris des charmes de ***POMONE***
Cent-fois change de forme & suit son seul amour.

Cette carte d'un temps révolu vous est offerte par les Éditions alto et les protagonistes de *Révolutions* : Nicolas Dickner, Fabre d'Églantine, Dominique Fortier et André Thouin, avec le concours de Reginald Jeeves. Elle ne peut être revendue mais elle peut être affichée, encadrée, échangée ou simplement envoyée à un être cher.

Entendons-nous, une gazinière ne se distingue pas de manière frappante d'une cuisinière au gaz; le problème ici est essentiellement de l'ordre du vocabulaire, ou du lexique. Et si les Français choisissent d'appeler une tasse un *mug* et un biscuit un *cookie,* tant pis pour eux. Mais un lycée n'a que très peu à voir avec un *high school* – et une myrtille n'est pas, ne sera jamais, un bleuet.

Nicolas – Rien ne m'apaise davantage qu'un après-midi aux bleuets, lorsque l'été devient auguste et les maringouins rares.

Cueillir les bleuets est un art fondé sur la précision, la délicatesse et l'oubli de soi. Il faut travailler vite et bien, mais sans urgence. De temps en temps, on lève le nez pour découvrir un ciel japonais, parsemé de cumulus. On se sent petit. Un tracteur gronde à l'horizon. On étire les jambes dans le foin. On chasse une fourmi.

Demain n'existe pas.

Nicolas – André Thouin était fana de greffes – il a consacré deux livres au sujet – et je ne peux m'empêcher de voir, dans cet anodin greffoir, une signature discrète, un caméo par objet interposé.

Plus cyniquement, on pourrait supposer que le jardinier prêchait pour sa chapelle. Ce greffoir serait donc une sorte de placement de produit.

Parlant de pub, te souviens-tu, Dominique, des Anipousses, ces petits animaux de terre cuite que l'on arrosait afin de faire germer les graines de chia qu'ils renfermaient?

Dominique – Depuis que j'ai lu tes textes, je suis hantée par l'image d'un André Thouin machiavélique dissimulant ses noirs desseins sous un air faussement bonhomme, une créature à deux têtes dont la seconde ne se révèle qu'à la nuit tombée, sous les rayons d'argent de la pleine lune. Peut-être n'avait-il pas de jumeau finalement, peut-être était-il plutôt affligé de personnalités multiples, ou bien souffrait-il de somnambulisme.

Dans la pénombre, il marche d'un pas d'automate sur le sable des allées du Jardin des plantes, s'arrête un instant pour humer une corolle. Son ombre pendant ce temps crache par terre.

Le jardinier et son double.

FLOREAL
FLÉUR des BON PATRIOTE à 1 sol
Bouquets à la Constitucion

Ière DECADE
1 Primidi..... Rose
2 Duodi...... Chêne
3 Tridi....... Fougère
4 Quartidi.... Aubépine
5 Quintidi.... ABEILLE
6 Sextidi..... Ancolie
7 Septidi..... Muguet
8 Octidi...... Champignon
9 Nonidi..... Hyacinthe
10 DÉCADI..... RATEAU
TRIOMPHE de MARAT
L.M.

NICOLAS – Tryphon Tournesol travaillant secrètement à l'élaboration d'une rose albinos en l'honneur de l'horripilante cantatrice.

ROSE

DOMINIQUE – Je ne les ai pas tous essayés, mais pas loin. Le Taylors of Harrogate (fournisseur de Sa Majesté) est agréable, quoique un peu fade. Aigrelet, très tannique, le Kusmi vert n'est guère fleuri. Le Løv noir n'est pas mal. Reste que le meilleur thé à la rose, toutes catégories confondues, est le Brume de rose de Mariage Frères, un thé pivoine blanche impériale auquel ont été ajoutés des boutons de rose entiers.

En retirant le couvercle de métal, d'abord on ne sent que la fleur. Et puis lorsqu'on verse l'eau chaude sur les feuilles cendrées semblables à de fines aiguilles d'argent, le parfum du thé se mêle à celui de la rose pour créer une troisième odeur dont on se dit que c'est une erreur qu'elle n'existe pas, telle quelle, dans la nature. On cultive bien des roses-thé, il devrait aussi pousser des théiers-rose.

NICOLAS – Je me souviens de cet après-midi d'automne de mon enfance où je remarquai certains arbres, sur les flancs de la montagne Léger. Entre le jaune des trembles et des bouleaux, le rouge et l'orange des érables, le vert des retardataires et le noir des épinettes, l'œil était attiré par quelques rares spécimens d'un beau brun, presque chocolat au lait.

CHÊNE

— Ce sont des chênes, expliqua mon père, jamais en mal de réponses.

Des chênes? Pour moi, le chêne appartenait à un autre biome : il aurait été plus à sa place dans le sud de la province ou en Nouvelle-Angleterre. D'ailleurs, sur les deux kilomètres carrés de la montagne, je n'en comptai que trois ou quatre.

Je me pris aussitôt d'affection pour ces chênes naufragés, l'air isolé entre les épinettes. Je crois même être allé en visiter un – mais, honnêtement, je ne suis plus sûr. Entre ce que j'entendais faire et ce que je faisais, il y avait toujours une marge.

DOMINIQUE – Dans *Onon :ta', Une histoire naturelle du mont Royal,* Pierre Monette s'attache à décrire la montagne telle qu'elle était quand Jacques Cartier la découvrit le 2 octobre 1535. Elle a connu beaucoup de changements depuis cette époque, mais l'on aurait tort de croire que la majorité des bouleversements eurent lieu lors de l'aménagement du parc en 1877 par Frederick Law Olsmsted (qui, soit dit en passant, y voyait davantage une colline qu'une véritable montagne). Certes le paysagiste a réalisé des modifications importantes, mais c'est dans les années 1950 qu'on procéda à des « coupes de moralité » destinées à chasser de la montagne homosexuels et prostituées qui – scandale! – y trouvaient refuge sous le couvert de la végétation, opérations qui changèrent le visage du mont Royal : « On a abattu tellement d'arbres, explique Monette, dont des milliers de chênes centenaires, que les hauteurs de la montagne ont commencé à être surnommées le mont Chauve. » Quand on reboisa, ce fut avec des essences différentes, essentiellement des épinettes et des érables.

Un endroit cependant a été épargné, où l'on voit toujours une forêt semblable à celle qu'a traversée Cartier en gravissant le mont : le troisième sommet, occupé par le parc Summit, à Westmount, royaume des chiens, où au printemps le sol se couvre de *Trillium* blancs, puis roses et carmin. Les matins de février, les arbres sont enveloppés d'écharpes de brume d'un gris laineux et on n'y voit pas à trois pas. Les chiens sont des ombres bruyantes parmi les fantômes silencieux des chênes. Certains arbres ont l'air d'avoir l'âge de la montagne, estropiés, tordus, l'écorce calleuse, couverts de champignons, mais solides encore. D'autres ne sont plus que des fûts vides tenant debout par habitude. Dans l'un de ceux-là vivait une chouette minuscule. Nous la voyions toutes les fois que nous allions promener Victor, endormie dans un trou à peine plus grand qu'elle qui faisait un arc plein cintre au-dessus de sa tête duveteuse, aussi immobile qu'un coucou dans son horloge. L'arbre a été renversé par un grand vent cet hiver, et la chouette a dû aller chercher refuge ailleurs. Personne ne l'a encore retrouvée.

FOUGÈRE

NICOLAS – Rêve matinal : me retrouver dans une grande forêt du Carbonifère. Un insecte de trois kilos me frôle en bourdonnant. Quelque chose caquette, dans un arbre. Pas un oiseau – il faudra encore des millions d'années avant l'apparition du premier oiseau. Dinosaure? Reptile? Insecte? Des fougères de dix mètres surplombent ce sauna, que strient des doigts de lumière.

Je suis loin, loin des humains. Très en amont. Paisible.

DOMINIQUE – Je n'en ai pas encore vu la moindre cette année, clouée à la maison par un rhume qui s'éternise. Mais pendant quelques semaines au parc Summit (juste après le *Trillium,* si je ne m'abuse), les têtes-de-violon tapissent la terre au pied des arbres, d'abord enroulées bien serrées, montrant à peine leurs écailles et leurs dentelures, puis se déployant en spirales pour finir ouvertes en larges éventails.

On compte des dizaines de milliers de variétés de fougères, qui figurent parmi les plus vieilles plantes toujours sur cette terre. Les formidables dépôts de pétrole enfouis dans le sol ne sont rien d'autre que les premières forêts de fougères (immenses, hautes comme des arbres) du temps des dinosaures, changées en fossiles au fil des millénaires. Un peu partout sur la planète, on s'éclaire, on se chauffe à la fougère.

NICOLAS – Je ne trouve aucune trace de la chose sur le web, ni dans la *Flore laurentienne*, et pourtant je ne suis pas fou : la feuille de l'aubépine – à tout le moins de certaines variétés québécoises – est asymétrique. Asymétrique. Croche, tordue, et pas qu'un peu. J'ai beau me creuser le darwin, je ne vois pas pourquoi. Et ça m'agace, comme une démangeaison dans un endroit où il est impossible de se gratter.

DOMINIQUE – Sur Wikipédia, j'apprends que :

> « Dans les années soixante-dix, un facétieux jardinier municipal de la Ville de Vigo en Espagne, Miguel Sulcudor, s'était passionné pour les greffes sur les aubépines. Sur des bases de *Crataegus monogyna,* il greffait de l'aubépine rose, du poirier, du néflier, en mélangeant sur un même arbre ces variétés. Il produisait ainsi des arbres qui donnaient des fruits d'un côté et des fleurs de l'autre. Il réalisait aussi des greffes en écusson sur un même tronc en panachant aubépine rose, poirier, néflier, ce qui donnait des arbres où chaque branche était différente. Il donna à ces créations le nom de Sulcudus. »

L'histoire est charmante, et ces arbres panachés, mi-fleurs mi-fruits, nés de l'imagination d'un homme que, de surcroît, l'on dit plein d'humour. Cherchant à en apprendre un peu plus sur ce mystérieux jardinier, je trouve des dizaines de pages qui le mentionnent, mais toutes reprennent, souvent dans les mêmes termes exactement, le petit paragraphe de Wikipédia, comme si Sulcudor n'avait jamais existé ailleurs que dans l'imagination de l'auteur de celui-ci qui, greffant à l'encyclopédie ce morceau de conte, serait le véritable farceur.

***

Je suis épuisée après avoir écrit ces deux paragraphes. Je dors toute la journée, me réveille aussi fatiguée que lorsque je me suis couchée. Depuis deux semaines et un jour maintenant, j'ai l'impression de n'avoir que la moitié d'un cerveau, et une moitié endommagée, lente à se mettre à tourner, dont les engrenages grincent et couinent, s'interrompent sans prévenir.

Il y a quinze jours exactement, j'ai découvert que je suis enceinte. Depuis, il y a une moitié de mon cerveau occupée en permanence à tenter de traiter cette information. Je l'ai écrit quelques fois, l'ai effacé immédiatement. C'est trop tôt pour que ce soit tout à fait vrai.

Nicolas – Ma première (et unique) paire de skis alpins : des Rossignol. Bien avant la planche à neige et les paraboliques.

J'avais quinze ans et je pensais nuit et jour au ski. La spéléo en été, le ski en hiver, et tout cela se cristallisait dans les Pyrénées, dont je contemplais la carte pendant des heures, couché sur mon lit. Je lisais *Le génie des alpages* et les bouquins de Norbert Casteret, j'assistais fiévreux à la messe annuelle de Warren Miller, projetée au centre culturel devant six cents skieurs en délire (YouTube n'était pas même une vue de l'esprit).

Quelque vingt-cinq ans plus tard, mes skis sont accrochés au plafond de la chambre froide de mes parents. Je n'ai plus descendu schuss depuis une éternité – mais certaines nuits, je me réveille encore en sursaut, émergeant d'un champ de poudreuse en décrivant un gracieux arc de cercle dans le ciel.

Dominique – Les cardinaux sont revenus à la vie depuis quelques semaines; on le sait immédiatement à leur cri, un *TCHIP* retentissant et parfaitement disharmonieux qu'ils se lancent, écarlates, d'un côté à l'autre de la rue, perchés sur la plus haute branche d'un arbre, pour affirmer leur empire sur le territoire. Dans le voisinage, il doit y en avoir un couple par maison. Fred crie à l'infestation.

L'an dernier, nous avions suspendu à la galerie une mangeoire à oiseaux un peu trop petite pour les cardinaux. Ils avaient du mal à se percher sur la tige en saillie où, inconfortables, ils devaient se replier, s'incliner de côté et courber la tête pour accéder aux graines de tournesol et aux grains de millet. Après s'y être essayée une fois ou deux, la femelle avait abandonné. Le mâle volait donc jusqu'à la mangeoire, s'agrippait au perchoir, y allait de sa petite gymnastique pour attraper quelques graines qu'il gardait précieusement dans son bec et volait offrir à sa compagne qui l'attendait dans les branches du pin.

Dire après tout cela que ce sont les tourterelles qu'on a choisies comme symboles de l'amour pur.

NICOLAS – Ce nom de fleur me flanque le cafard. D'ailleurs, ça aurait fait plus joli : « La marquise cueillait la cafardeuse en fleur dans les sous-bois. »

DOMINIQUE – Fleur oiseau, qu'on appelle en anglais *Aquilegia* et *columbine,* parce que ses pétales évoquent à la fois la serre de l'aigle et l'aile de la colombe, l'Ancolie est aussi un continent où vont s'échouer les rêves déçus, les désirs muselés, les amitiés mortes et les soifs inassouvies. De forme changeante, il affleure à peine à la surface de l'eau. On y arrive entre chien et loup, sans l'avoir cherché; on ne le quitte jamais assez tôt. D'une visite à l'autre, on en oublie l'odeur, on en vient à croire qu'on l'a imaginé. On le laisse chaque fois un peu plus lourd, mais aussi curieusement un peu plus léger – deux signes qu'on a perdu quelque chose.

DOMINIQUE – Rien n'a l'air plus inoffensif que cette plante aux longues feuilles lisses et aux minuscules clochettes blanches, et pourtant toutes les parties en sont hautement toxiques, y compris les baies, qui ressemblent traîtreusement, dit-on, à des dragées de confiseur. Même l'eau dans laquelle on a mis les tiges de muguet à tremper devient vite dangereuse.

***

« Ah, cher ami, vous voilà! » s'exclame André Thouin quand Fabre d'Églantine arrive enfin, avec près d'une heure de retard. Le bellâtre a les vêtements en désordre, les traits chiffonnés. Il doit venir tout droit de quelque soirée qui se sera étirée jusqu'à l'aube.

Il s'effondre sur une chaise, demande d'une voix faible : « Où en étions-nous? » et pousse un soupir à fendre l'âme. Ce calendrier l'épuise. Qui aurait cru qu'il serait si harassant de remplir trois cent soixante petites cases.

« À *Rose* », répond Thouin. Puis, prévenant : « Vous boirez bien quelque chose? Laissez-moi vous préparer une camomille. » Sans attendre de réponse, il tend le bras vers la boîte en métal où il a haché menu l'*Anemone nemorosa*. Fabre d'Églantine interrompt son geste : « Laissez, j'ai demandé à votre assistant, comment s'appelle-t-il, Jérôme, de m'apporter un café bien serré. »

Thouin ne laisse pas voir sa déception. D'une voix égale, en détachant soigneusement les syllabes, il lit la liste de plantes qu'il a prévues pour les mois de floréal et prairial. Devant lui, Fabre d'Églantine prend quelques gorgées du café que lui a apporté Jeannot (c'est Jeannot que s'appelle l'assistant, pas Jérôme), puis dodeline de la tête. Il se réveille en sursaut quand le jardinier s'est tu, se lève, lisse sa chemise. « C'est du bon travail », commente-t-il en s'emparant de la liste. Maîtrisant à grand-peine un bâillement, il ajoute : « Revoyons-nous la semaine prochaine pour messidor? »

Thouin hoche la tête. Alors que l'autre va s'éloigner, il le retient et lui offre un petit bouquet de muguet. Sur un ton entendu, il lui souffle à l'oreille : « La plupart des gens l'ignorent, mais les fleurs sont merveilleuses en salade. Un délice réservé aux plus fins connaisseurs. À bientôt, ami très cher. »

Nicolas – Chez nous, la talle de muguet poussait sous la grille de la sécheuse, si bien que je n'ai jamais su distinguer le parfum du muguet, ses petites cloches blanches et ses belles feuilles oblongues, de l'air chaud et humide chargé de l'odeur du Fleecy.

Nicolas – Nous avions déjà vu la morille et l'amadou, et là on nous balance le règne des *Fungi* au grand complet. Pas la première fois que je remarque cet effet d'entonnoir inversé. Tu vois, Dominique, si moi j'avais conçu un calendrier, j'aurais proscrit les termes génériques, ou alors j'aurais pris soin de les planter bien en amont. De champignon, fiché en tête de courant comme une balise, j'aurais ensuite décliné en cascade les morilles, cèpes, agarics et autres pleurotes, pour terminer sur quelques spécimens un peu obscurs, pointus, comme la pézize orangée.

C'est n'importe quoi, ce calendrier, et pour tout dire je commence à être mécontent.

Dominique – Je sais maintenant où Borges a eu l'idée de la classification des animaux qu'il affirme avoir découverte dans une mystérieuse encyclopédie chinoise du nom de *Marché céleste des connaissances bénévoles*; elle lui vient tout droit du calendrier républicain, où les végétaux se divisent en : a) appartenant au Jardin des plantes, b) mis à sécher entre les pages d'un livre, c) porte-greffes, d) morilles, e) mandragores, f) légendaires, g) potirons cultivés sous cloche, h) inclus dans le présent calendrier, i) qui donnent de l'urticaire, j) fourmillants, k) dont le nom est tracé avec une plume d'oie mal taillée, l) et cetera, m) qui viennent d'empoisonner Fabre d'Églantine, n) qui de loin ressemblent à des oiseaux ou à des papillons, o) champignons.

NICOLAS – N'eût été de cent raisons qu'il serait vain d'énumérer ici, j'aurais volontiers nommé mon fils Hyacinthe.

DOMINIQUE – Rien à faire ce matin, Hyacinthe et moi nous regardons dans les yeux en attendant de voir qui cillera le premier, et il gagne.

Fleur violette, petite trompette, la jacinthe ne m'inspire rien; par ailleurs, je n'ai jamais connu personne qui portât ce nom.

La ville de Saint-Hyacinthe n'évoque à mon esprit que la clinique de la Faculté de médecine vétérinaire, où nous avons déjà emmené Victor, puis Fido, notre chat accidenté-miraculeusement-revenu-à-la-vie-après-des-mois-de-traitements-et-en-dépit-des-plus-sombres-pronostics (il vit depuis sur mon bureau, où il ronronne à journée longue; je dois le pousser un peu pour taper le *a* sur mon clavier). Dans les deux cas : une heure de voiture, une heure d'attente, une heure de consultation, une heure d'attente, diagnostic, une heure de voiture. Ce ne sont pas des souvenirs impérissables.

Le mythe lui-même, ce jeune homme si beau qu'il était aimé à la fois d'Apollon et de Zéphyr, lequel, jaloux, fit dévier un disque qu'il s'exerçait à lancer, et dont le sang coulant sur le sol fut changé en fleur, me semble une plate copie de celui d'Adonis.

La seule chose qui m'intéresse un tout petit peu, c'est cette mise en garde où l'on prévient que les jacinthes, dans une pièce fermée, peuvent occasionner des maux de tête, de l'insomnie, voire des troubles nerveux. Ces fleurs vivent dans un roman de Stendhal.

DOMINIQUE – J'ai grandi dans un endroit où les gens s'occupaient de leur propre terrain. Ils n'aimaient peut-être pas cela, mais ils le faisaient tout de même. Les mères jardinaient ou, à tout le moins, achetaient chaque année quelques géraniums dans des jardinières en plastique. Le soir ou la fin de semaine, les pères sortaient la tondeuse qu'ils s'escrimaient à démarrer, accomplissaient leur devoir de propriétaire, rentraient boire une bière bien méritée. Ou bien l'adolescent de la maison s'exécutait de mauvaise grâce en échange d'un peu d'argent de poche.

Comment les ados du voisinage gagnent-ils l'argent nécessaire à leurs sorties, mystère, mais, je l'ai déjà dit, les terrains ici sont le domaine des jardiniers. Ils débarquent à quatre ou cinq dans des camions hérissés de pelles, de râteaux et de balais de brindilles qui ressemblent à d'authentiques balais de sorcière, nettoient au printemps les débris qui jonchent les pelouses, resèment du gazon en bordure des trottoirs, tondent pendant l'été, ramassent les feuilles à l'automne (ah, le doux chant des souffleuses à feuilles au petit matin), l'hiver se convertissent en déneigeurs et pellettent les marches et les allées.

Vous vous demandez sans doute s'ils viennent aussi exercer leur art chez nous, sur notre bout de montagne biscornu moitié ombre et moitié boue qui commence déjà à se couvrir de pissenlits. (Joie : quelque chose pousse enfin.) Eh bien non. Pour trouver notre maison, rien de plus facile : c'est celle qu'ils se montrent du doigt en riant tandis qu'ils bichonnent les fleurs des voisins.

NICOLAS – Ce matin, je larguerais tout pour devenir jardinier zen.

IIe DECADE
11 Primidi..... Rhubarbe
12 Duodi... .. Sainfoin
13 Tridi....... Bâton-d'or
14 Quartidi.... Chamérisier
15 Quintidi.... VER-A-SOIE
16 Sextidi..... Consoude
17 Septidi..... Pimprenelle
18 Octidi...... Corbeille-d'or
19 Nonidi...... Arroche
20 DÉCADI..... SARCLOIR
ART. Ier
LE PEUPLE FRANCAIS RECONNAÎT L'EXISTENCE DE L'ÊTRE SUPRÊME ET L'IMMORTALITÉ DE L'ÂME
MAXIMILIEN ROBESPIERRE
ART. II.
IL RECONNAÎT QUE LE CULTE DIGNE DE L'ÊTRE SUPRÊME EST LA PRATIQUE DES DEVOIRS DE L'HOMME
DECRET du 18 FLOREAL AN II

NICOLAS – À notre chalet poussaient d'énormes bouquets de rhubarbe, et nous en croquions de longues branches dont nous trempions le bout, entre chaque bouchée, dans un petit bol de sucre. Pas du sucre de canne bio équitable, mais du sucre blanc, industriel, que nous conservions dans un vieux pot de confiture pour l'éventuel (et rare) café, et qui se solidifiait en un gros bloc durant la saison froide, si bien qu'il fallait cogner le pot contre le coin du comptoir pour le regranuliser.

Je croyais écrire un texte sur la rhubarbe; c'est plutôt du pot de sucre que je voulais parler.

DOMINIQUE – Un tribunal de l'État de New York a statué en 1947 que la rhubarbe, bien qu'elle soit un légume, devait plutôt être considérée comme un fruit, car tel était l'usage qu'on en faisait. Les taxes appliquées aux légumes étant plus élevées que celles auxquelles étaient soumis les fruits, la consommation de rhubarbe s'en est trouvée augmentée. La propension de nos voisins du sud à plier la réalité de manière à ce qu'elle serve leurs intérêts économiques est proprement stupéfiante; ainsi il y a quelques années, lors de l'élaboration de leur guide alimentaire, non seulement ils ont déclaré que les frites étaient un légume, mais ils ont tenté – en vain, il faut bien l'avouer – d'inscrire aussi sous cette rubrique la relish et le ketchup. Notons toutefois qu'aux fins de cette classification, la pizza compte bel et bien comme un légume, puisque l'on considère que les deux cuillerées à soupe de sauce tomate dont la croûte est badigeonnée en constituent une pleine portion.

***

Quand j'étais petite, une de nos voisines (était-ce Mme Gagné, ou Elizabeth Poulin? Je ne sais plus, mais je revois encore le potager sablonneux, près du ruisseau qu'enjambait un petit pont en bois) faisait pousser de la rhubarbe et nous offrait de temps en temps quelques tiges fibreuses et roses. J'avais vite compris, à la mine stupéfaite des autres enfants, que l'humanité se divisait en deux: ceux qui mangeaient la rhubarbe crue saupoudrée de sucre, et ceux qui préféraient la déguster avec du sel – essentiellement ma mère et moi.

Sainfoin

Dominique – Cette plante quasi oubliée doit son nom à ses vertus nutritives. Plusieurs estiment qu'on aurait intérêt à remplacer une partie du fourrage donné au bétail par du sainfoin, lequel n'entraîne pas de météorisation. N'allez pas vous imaginer un troupeau parti en orbite et tournoyant parmi les astres de la Voie lactée; il s'agit d'une production excessive de gaz dans le rumen.

Pour ma part, je reviens du Médiclub avec une bouteille de vitamines d'un rose à me donner la nausée si je ne l'avais pas déjà. Sur l'étiquette se lit un exemple de branding malencontreux : supplément prénatal et post-partum. On ne pourrait pas attendre encore quelques mois avant de parler de dépression?

Nicolas – Je découvre ce matin le film *Mon ami Sainfoin* (1949), où apparaît le jeune Louis de Funès. Son rôle est si insignifiant que son nom ne figure pas sur l'affiche. Du reste, ce film semble être un solide navet, une de ces toiles insignifiantes produites pour durer le temps d'un été.

Je me demande où l'on peut encore trouver ce genre de vieux films. *Mon ami Sainfoin* n'a sans doute jamais été numérisé, ni même repiqué sur cassette. Peut-être n'en existe-t-il plus d'exemplaires. Une enquête américaine révélait récemment la disparition de soixante-dix pour cent des quelque onze mille films muets produits en Amérique entre 1912 et 1929. Je soupçonne que le bilan n'est pas beaucoup meilleur pour les années 1940 en France.

Des divers exemplaires de *Mon ami Sainfoin,* il ne doit rester qu'un bout de pellicule craquelée à la Cinémathèque française, visionné pour la dernière fois en 1963, par erreur, par un étudiant préparant une thèse sur l'histoire du cinéma érotique.

Bâton-d'or

Dominique – Le bâton-d'or est l'autre nom de la giroflée violier, utilisée notamment en parfumerie pour ses effluves rappelant ceux du clou de girofle. Quelque suave que soit son parfum, on doit toutefois s'abstenir de la consommer, car ses feuilles comme sa fleur sont toxiques. Force est de constater que ces plantes empoisonnées ne sont pas l'exception mais la règle dans le calendrier de nos deux compères. Commencé en toute innocence sous les auspices bienveillants du bœuf aux carottes, leur tour de l'an a eu tôt fait de dévier vers des créatures délétères, comme s'ils s'étaient donné pour mission de montrer les mille dangers qui guettent derrière les apparences anodines du quotidien.

Alors que le calendrier traditionnel plaçait chaque jour sous l'égide d'un saint protecteur (aujourd'hui 1er mai, il y en a même deux : saint Jérémie et saint Joseph), nos révolutionnaires semblent avoir voulu au contraire donner pour chacun une menace, un vilain ou un ennemi à terrasser. À travers ces deux façons de marquer et d'illustrer le temps, deux conceptions du monde se font jour : dans la première, l'homme, insignifiant, est gardé par d'invisibles et formidables puissances célestes ; dans la seconde, il fait figure de géant parmi une flore minuscule et familière mais potentiellement mortelle. Je suis sûre qu'il y a là-dedans quelque chose sur le passage de la monarchie à la Terreur, mais la moitié de cerveau qui me reste est occupée à me garder éveillée. Il me faudra y revenir dans quelques mois.

NICOLAS – En faisant mes recherches sur la giroflée – qui n'est d'ailleurs qu'une plante toxique de plus dans ce calendrier meurtrier –, j'ai découvert l'existence d'un livre au titre merveilleusement décousu : *Mémoires du docteur F. Antommarchi, ou Les derniers momens de Napoléon, suivi de Esquisse de la flore de Sainte-Hélène*.

François (ou Francesco) Antommarchi, médecin d'origine corse, fut dépêché auprès de Napoléon lors de son exil à l'île Sainte-Hélène, par les soins de la maman d'icelui. On sait par ailleurs que Napoléon ne l'aimait guère. Lorsqu'il ne se livrait pas à ses activités de médecin, Antommarchi pratiquait l'herboristerie, la philosophie et le moulage de masques mortuaires à base de plâtre indigène.

Après la mort de Napoléon, Antommarchi voyagera. Il ira pratiquer en Pologne, puis émigrera à La Nouvelle-Orléans, avant de devenir toubib itinérant au Mexique. Il mourra de la fièvre jaune à Santiago de Cuba, en 1838, sans avoir trouvé ce cousin qu'il y était allé chercher.

DOMINIQUE – Les *Chamaerops humilis* ne sont pas, comme leur nom pourrait le laisser supposer, une sorte de chameau humble, mais un genre comprenant une seule espèce : le palmier nain.

Ce chameau égaré me rappelle toutefois une autre erreur de traduction (la Bible en est un terreau fertile, ce qui n'est pas tout à fait incompréhensible pour un ensemble de textes écrits sur une période de sept cents ans par des douzaines de personnes différentes, en grec et en hébreu, puis traduits au fil des siècles dans des dizaines de langues). Celle-là a à voir avec la difficulté pour un riche d'entrer au paradis, tâche impossible si l'on en croit le texte, puisqu'il serait « plus facile pour un chameau de passer par le chas d'une aiguille qu'à un riche d'entrer dans le royaume des cieux », métaphore reprise textuellement dans les Évangiles de Marc, de Luc et de Matthieu.

Or voilà, Jérusalem était à l'époque de la rédaction de ces évangiles une cité fortifiée, dans laquelle on pénétrait par différentes portes, dont l'une, particulièrement basse et étroite, avait pour nom Porte de l'aiguille. Pour la franchir, les chameaux devaient d'abord être délestés de leurs fardeaux, et puis s'agenouiller – comme le riche devra abandonner ses biens et faire acte d'humilité pour entrer au royaume de Dieu. Ce qu'on perd en poésie (cet adorable chameau tentant de se faire tout petit et de glisser le bout de son gros museau dans le chas d'une aiguille plus fine que les poils de son menton), on le gagne en clarté, sacrifice déchirant mais parfois nécessaire.

NICOLAS – Je suis soulagé, je dois l'admettre, en ce matin pluvieux de mai, et après ces mois de plantes de jardin et de sous-bois et d'outils aratoires, de voir surgir ce petit palmier dans ma boîte aux lettres.

Il me vient des envies de partir au hasard, sous le soleil, avec dans ma besace une bouteille d'eau, un pain, un fromage, une poignée d'olives, et d'aller arpenter ces collines dégarnies d'où le marcheur aperçoit, dans le lointain, le panorama pâle de son âme : la Méditerranée, des cumulus, la lune.

NICOLAS – J'aimerais parfois que l'écriture d'un roman ressemble à ce qu'en disait Joseph Heller : la longue recherche d'une première phrase, qui mène à une seconde phrase, et à une troisième, et ainsi de suite, à l'instar d'un cocon de bombyx dont on aurait cherché le bout libre afin de le dévider soigneusement.

Mais bon. Je bâtis plutôt mes romans comme un castor bâtit ses barrages. Avec un empirisme violent, enfoncé jusqu'aux genoux dans la vase glacée.

Sommes-nous condamnés à vouloir être ce qui nous ressemble le moins?

DOMINIQUE – Depuis quelques semaines, les papillons sont réapparus en masse. Une espèce est particulièrement abondante. D'assez petite taille, les insectes ont les ailes d'un brun presque noir, mouchetées de taches blanches et de motifs rouges et orange qui font penser à des plaques de verre coloré fichées entre les ailes de plomb d'un vitrail. Les papillons (s'agit-il de Baltimore? Peut-être) volettent de façon erratique, avec moult cabrioles, piqués et changements de cap, à la manière de chauves-souris miniatures. Si j'ai réussi à observer d'aussi près leurs couleurs, c'est qu'une paire d'ailes reposent dans les marches de l'entrée, bien à plat, comme dessinées au pastel. Pumpkin le chat jure qu'il n'y est pour rien.

Dominique – La consoude est réputée pour sa capacité quasi miraculeuse à cicatriser les fractures et à souder les os, ce qui lui a d'ailleurs valu son nom. On connaît au moins une autre de ses propriétés, qui ne se manifeste qu'aux pleines lunes d'équinoxes.

Faites sécher des feuilles de consoude, que vous réduirez ensuite en poudre. Aux premiers rayons de lune, jetez la poudre par-dessus votre épaule gauche. Là où elle aura touché le sol, vous verrez apparaître, luisant doucement, tout ce que renferme la terre à cet endroit : les ossements d'un chat enterré par une fillette des années plus tôt, un bouton de paletot, un ressort, une truelle utilisée par les maçons lors de la construction de la maison voisine, une vieille pièce de monnaie, un nid d'oiseau tombé d'un arbre avec deux œufs oblongs à l'intérieur. Au fur et à mesure qu'on s'enfonce, les choses émettent une lumière plus sourde, vacillante : un œillet de bottine, un tesson de poterie, une poignée de coquillages laiteux datant de l'époque où la montagne était une mer.

Je reviens de l'hôpital avec deux photos où l'on voit, sur fond noir, un petit nuage clair avec, en son centre, une tache plus claire encore, et qui scintille comme une étoile minuscule : un cœur.

Nicolas – Si je n'étais pas devenu écrivain, je crois que j'aurais bien aimé faire soudeur. J'éprouve un plaisir viscéral à tisser un long cordon avec une soudeuse à l'arc, à faire sauter la gangue de flux au marteau. Le métal fraîchement soudé brille comme un bijou, ses cordons ridés comme des anneaux de croissance. Chaque centimètre est une œuvre d'art.

Nicolas – En cherchant des données sur la *Sanguisorba officinalis,* j'ai découvert le site de l'*Inventaire national du patrimoine naturel,* où l'on peut afficher sur une carte de France la répartition de différentes espèces végétales et animales à travers les époques, jusqu'au paléolithique. La base de données inclut des espèces comme la pimprenelle, le pommier cultivé, la morue, le cochon domestique et le mammouth.

Or, par une amusante pirouette de la cohérence, cet inventaire est le fruit du Muséum national d'histoire naturelle, l'établissement même où bossait André Thouin.

Tu connais ma ténacité un peu excessive, Dominique, et tu auras deviné que cette ressource m'a aussitôt semblé le moyen d'élucider le mystère du thon, ce très méditerranéen animal qui apparaît au 25 ventôse de ce très parisien calendrier.

Malheureusement, des recherches sur diverses espèces de thon dans l'INPN me renvoient toutes le même affligeant résultat : « Actuellement, il n'existe aucune donnée archéologique pour cette espèce. »

Bon, me revoilà lancé sur la piste du thon — et merdre pour la pimprenelle.

Je retourne dans Google Books, ma source habituelle de pixels jaunis, et je demande thon + muséum + histoire + naturelle, en plafonnant les résultats à l'année 1800. Un seul document apparaît : le tome 3 de l'*Histoire naturelle des poissons,* écrite par le citoyen Lacépède et publiée en 1749. Il y consacre un chapitre au scombre alatunga, qu'il conclut par cette phrase : « Il est figuré dans les peintures sur vélin que l'on possède au Muséum national d'histoire naturelle et qui ont été faites d'après les dessins de Plumier sous le nom de *thon de l'Océan* (*thynnus oceanicus*), vulgairement *germon.* »

Voilà qui semble apporter une réponse définitive : Thouin travaillait à partir de gravures — et, de fait, on peut encore trouver ledit dessin de Pater Plumier dans la collection numérique de la Bibliothèque nationale de France. Pourtant, je ne peux m'empêcher de douter. Les Parisiens ne connaissaient-ils vraiment le thon que par le truchement de la gravure?

Retour dans Google Books où je lance d'autres cryptiques requêtes, et déniche enfin la sixième édition du *Dictionnaire de Trévoux,* publiée en 1743. Ma réponse se trouve page 221. Sous la rubrique *Thon* « grand poiffon de mer », on dit que l'on « conferve le thon dans le vinaigre » et que l'on « mange à Paris le *thon* mariné en falade ».

Voilà donc la réponse à ma question, avec presque deux mois de retard : en ventôse, les Parisiens mangeaient du thon mariné.

DOMINIQUE – Ainsi donc, je suis née sous le signe de la pimprenelle – préférable sans doute à celui de la péronnelle. Cela me fait penser que mon père rêvait, Dieu sait pourquoi, de m'appeler Pétronille.

Ce soir on peut voir dans le ciel la pleine lune la plus brillante de l'année. Cela est-il un heureux présage, je l'ignore, mais il me semble qu'on n'a jamais trop de lumière pour éclaircir nos ténèbres.

NICOLAS – Grâce à YouTube, on peut désormais revoir le très frisé Yves Corbeil faire du camping, du canot et de l'escalade tout en vantant les mérites de la margarine Fleischmann. Chaque annonce se terminait sur une tartine de philosophie à faible teneur en gras saturé telle que « La vie c'est une question de choix, non de compromis », ou encore « Il suffit de se changer soi-même et tout change ».

Voilà ce qui nous manque : un gala célébrant les plus grandes réussites en matière de *bullshit* publicitaire. Le grand prix se nommerait évidemment le Corbeil d'or.

DOMINIQUE – Tu ne trouves pas, Nicolas, que depuis quelques jours les noms qu'on a donnés à nos journées ressemblent à des titres d'opérettes?

Je devais avoir cinq ou six ans la première fois que j'ai assisté à un opéra. Mes parents m'y préparaient depuis des semaines, m'expliquant que ce serait comme une pièce de théâtre, mais chantée, qu'il faudrait me tenir tranquille sans parler, qu'il y aurait des décors, des costumes, que nous serions assis dans une corbeille. Je m'étais arrêtée d'écouter là. Confondant corbeille et nacelle, je nous avais imaginés douillettement installés dans des paniers d'osier suspendus au-dessus de la scène, à différentes hauteurs. On y accédait sans doute par des échelles de corde déroulées exprès, des coussins devaient être disposés à l'intérieur, afin qu'on puisse s'y agenouiller confortablement et suivre l'action qui se déroulait en contrebas. Quelle ne fut pas ma déception en constatant que la corbeille en question était une rangée de fauteuils tout ce qu'il y a de plus ordinaires, en métal recouvert de tissu, surplombant les sièges du parterre. Après cela, qui pourrait m'en blâmer, je n'ai jamais aimé l'opéra.

DOMINIQUE – Plante voisine de l'épinard, qui comme lui se consomme en légume, l'arroche posséderait des feuilles glauques en forme de hallebarde. Maintenant que je sais ce que signifie le mot *glauque,* ce rapprochement a une connotation pour le moins étonnante – une lame qui serait faite d'écume.

Par la fenêtre, la rue est une étude en vert. Partout le gazon reprend vie, des feuilles minces comme des papiers-mouchoirs tremblent au bout des branches de mon érable, couleur laitue, tandis que celles de l'arbre du voisin, un brin plus avancées, ont une nuance asperge. Le feuillage d'un troisième au coin de la rue présente des reflets rougeâtres, presque rouille (les feuilles sont en naissant comme elles seront à leur mort), alors qu'un grand bouleau montre une dentelle frissonnante zeste de lime. Dans l'arbre devant la fenêtre, tandis que j'écris, un cardinal fait une tache rouge parmi toute cette verdure. Il me regarde, la tête penchée de côté. Peut-être se demande-t-il si c'est moi qui suis responsable de l'achat de la mangeoire malcommode.

Nous avons été réveillés au milieu de la nuit par les ratons laveurs qui s'en donnaient à cœur joie dans les poubelles. Sifflements, cris stridents, claquements de langue, hululements, on aurait dit que les extraterrestres étaient débarqués. La lune scintillait, immense et ronde, plus brillante que les lampadaires.

NICOLAS – Les Allemands l'appellent *spanischer Spinat* (épinard espagnol), mais les Espagnols la nomment *espinaca de carne* (épinard charnu). Les Anglais parlent de *French spinach,* à l'instar des Roumains qui disent *spanacul francezului.* Au final, ce sont les Français qui ont raison : il s'agit d'un faux épinard.

NICOLAS – Peu de choses parlent aussi bien de l'enfance que la terre accumulée sous les ongles, en été.

DOMINIQUE – Encore un outil dont j'ignore tout et dont – si la tendance se maintient – je n'apprendrai jamais à me servir. T'arrive-t-il, Nicolas, de te demander quelle aurait été ta vie si tu étais né plutôt, mettons, en 1872? Ou en 1672, en 1272? Aurions-nous passé nos journées courbés dans les champs comme des paysans de Millet? Ou bien, soufflant sur nos doigts glacés, les épaules voûtées, au-dessus de manuscrits précieux dans le scriptorium d'une abbaye? (Oui, il y eut, m'assure-t-on, des moniales copistes.)

Petite, je m'amusais à imaginer que les personnages des livres que je lisais s'échappaient des pages pour atterrir dans la réalité. Je me mettais à voir par leurs yeux ce qui m'entourait, et le plus insignifiant des objets – une ampoule électrique, une fermeture éclair, un stylo à bille, un kiwi – avait tout à coup un intérêt prodigieux. Ainsi, le plaisir des livres était double : non seulement ils me donnaient à explorer le monde parfois lointain dont ils étaient issus, mais ils me donnaient aussi à redécouvrir le monde que j'habitais, chaque fois neuf.

Les formalistes russes ont donné à ce phénomène de défamiliarisation propre à la littérature le nom d'*ostranenie.* Je me souviens d'avoir maladroitement tenté de l'expliquer à un journaliste il y a quelques années lors d'une entrevue téléphonique. Il courait en me parlant, je crois bien, car j'entendais le bruit de ses pas précipités sur le pavé et il avait le souffle de plus en plus court. Je lui avais demandé s'il préférait que nous reprenions l'entrevue à un autre moment et il avait refusé, enchaînant sur une notion issue du théâtre grec, il me semble, dont je n'avais jamais entendu parler. Je l'avais écouté poliment. Le surlendemain, en lisant l'entrevue dans le journal, j'avais découvert avec stupéfaction qu'il me citait discourant sur cet aspect de la tragédie grecque dont je ne connaissais rien, allant jusqu'à mettre entre guillemets pour me les attribuer les paroles qu'il avait lui-même prononcées. Je m'étais un instant demandé s'il avait voulu m'offrir une expérience de défamiliarisation extrême; j'avais plutôt fini par conclure que les notes qu'il devait avoir prises dans son calepin (n'est-ce pas?) s'étaient sans doute mêlées lors de sa course effrénée, les mots perdant des lettres ici et là pour se réorganiser au petit bonheur, reformant des phrases que je n'avais jamais dites, les guillemets s'envolant pour retomber un peu plus loin dans le texte. Vraiment, je ne vois pas d'autre explication.

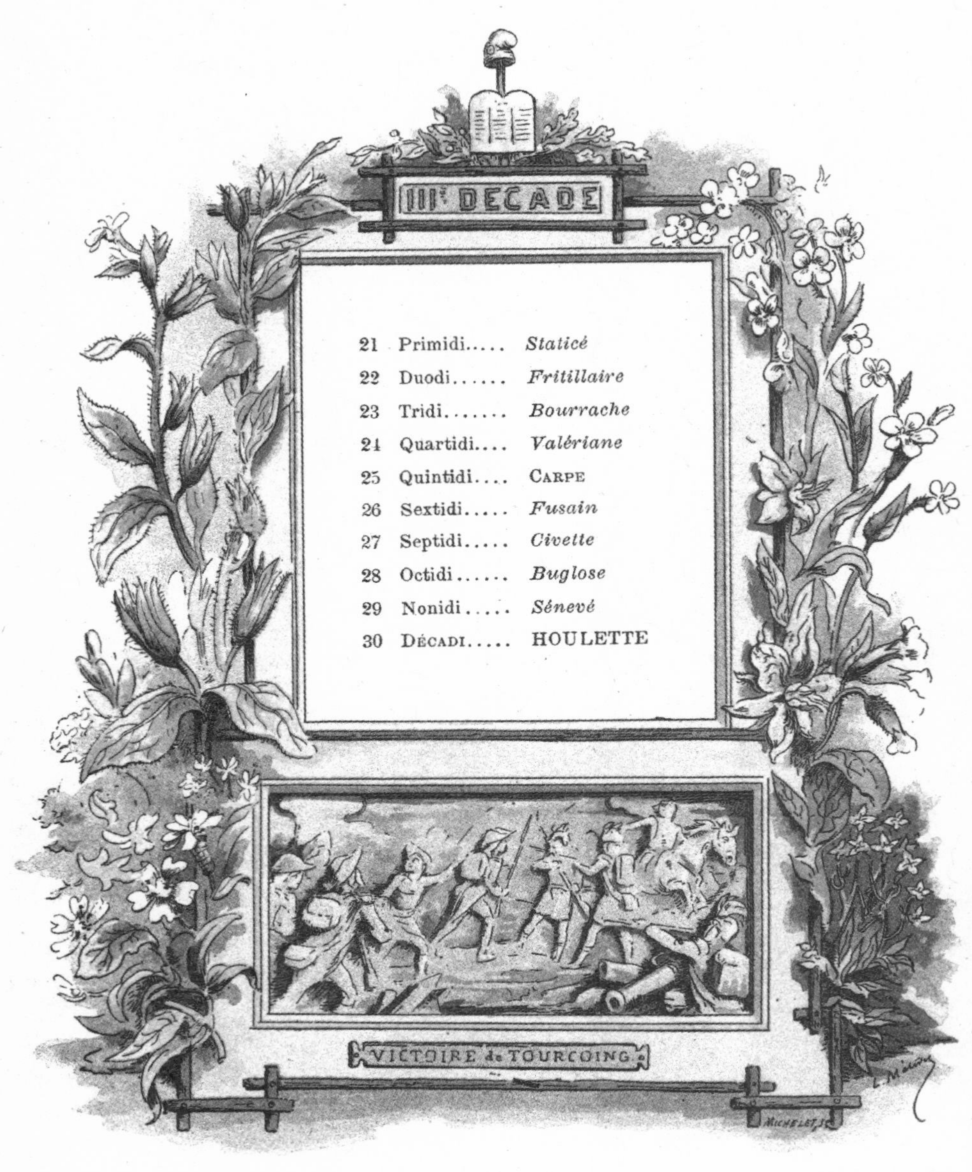
IIIe DECADE
21 Primidi..... *Staticé*
22 Duodi...... *Fritillaire*
23 Tridi...... *Bourrache*
24 Quartidi.... *Valériane*
25 Quintidi.... CARPE
26 Sextidi..... *Fusain*
27 Septidi..... *Civette*
28 Octidi...... *Buglose*
29 Nonidi..... *Sénevé*
30 DÉCADI..... HOULETTE
VICTOIRE de TOURCOING
MICHELET, SC.

NICOLAS – Le *Dictionnaire raisonné universel d'histoire naturelle (contenant l'histoire des animaux, des végétaux et des minéraux, et celle des corps célestes, des météores, & des autres principaux phénomenes de la nature)*, de Jacques-Christophe Valmont de Bomare, indique que la statice porte également le nom de gazon d'Olympe.

Je suis soudainement emballé à l'idée que l'Olympe puisse être, en tout ou en partie, gazonné. Cela ouvre, il me semble, des portes fabuleuses à l'imaginaire. L'Olympe comme un gigantesque terrain de golf, par exemple, où Zeus, Poséidon et Hadès circuleraient en voiturettes blanches. Un Olympe banlieusard où les mêmes personnages boiraient de la Labatt 50 en discutant par-dessus leurs haies de cèdre. Un Olympe étroit et linéaire, logé sur le terre-plein central du boulevard Pie-IX. L'Olympe pris d'assaut par les pissenlits, les tondeuses, les taille-bordures. L'Olympe jaune et desséché, brûlé par le soleil, jonché de détritus, derrière une palissade chambranlante, oublié de tous.

DOMINIQUE – Les statices sont surtout utilisées dans la composition de bouquets séchés, ce qui n'est guère surprenant dans la mesure où, même fraîche, la fleur a l'air un peu exsangue et étiolée, comme si elle avait été suspendue à l'envers pendant des semaines à l'obscurité. Ses pétales mauves presque translucides ont la minceur et la texture légèrement froissée du papier de soie. En anglais, on nomme aussi cette fleur de papier *lavande de mer* ou *romarin des marais,* bien qu'elle ne soit apparentée ni à la lavande ni au romarin. Elle appartiendrait plutôt à la famille du *plumbago* ou *leadwort,* deux noms qui semblent tout droits tirés du cours de botanique du professeur Sprout.

Si on l'a ainsi nommée en l'honneur du plomb, c'est, prétendent d'aucuns, que sa sève fait sur la peau des taches bleuâtres semblables à celles laissées par un contact avec ce métal. Pline et ses disciples, quant à eux, affirmaient qu'elle devait son nom au fait qu'elle servait à traiter « la maladie de l'œil du nom de plomb », c'est-à-dire la cataracte.

Je ne peux m'empêcher de me demander ce qu'en aurait fait J. K. Rowling. Une fleur dont la tige se change en aiguille ou en fleuret en un claquement de doigt? Une décoction souveraine contre les lumbagos? Une pâte mauve utilisée pour confectionner un papier parfumé sur lequel imprimer les grimoires?

NICOLAS – Le nom *fritillaire* vient du latin *fritillus,* qui désigne le gobelet que l'on utilise pour brasser les dés. Ce gobelet était la seule chose que j'aimais du jeu de Yahtzee. Je préférais le Monopoly.

DOMINIQUE – Alors qu'il aurait plutôt fallu entendre le mot *fritillus* au sens de *cornet à dés,* on a longtemps cru que cette fleur en forme de cloche tournée vers le sol tirait son nom du mot latin pour « damier », car ses pétales ont pour particularité de présenter des carrés de couleurs alternées. Cela me rappelle une blague que Romain Gary reprend dans quelques-uns de ses livres : on a posé un caméléon sur un tissu vert, et il est devenu vert. On l'a mis sur un tissu chocolat, il est devenu chocolat. Et puis on l'a posé sur un plaid écossais, et il a éclaté. J'ignore pourquoi cette histoire lui plaisait tant, mais j'en ai eu en quelque sorte l'infirmation il y a quelques mois, en regardant un documentaire sur les seiches, dont certaines font montre d'un talent d'adaptation de loin supérieur à celui du caméléon. Sur un sable pâle, elles se fondent dans la grisaille jusqu'à disparaître; au milieu de coraux d'un rose éclatant, elles prennent en un clin d'œil une teinte fuchsia qui les rend indiscernables. Lorsqu'elles veulent exprimer la peur, la curiosité ou l'agressivité, leur corps est littéralement parcouru d'éclairs telles des vagues multicolores. Souhaitant sans doute s'amuser un peu (ils étaient peut-être, qui sait, des lecteurs de Gary), les chercheurs ont pris l'une des bêtes et l'ont plongée dans un aquarium dont le fond était recouvert d'un damier. L'animal est resté un instant immobile suspendu entre deux eaux, comme s'il réfléchissait. Et puis, à la suite de ce qui semblait un effort considérable, il est devenu uniformément blanc, sauf pour une petite tache noire, vers le milieu du corps, parfaitement carrée.

NICOLAS – Aujourd'hui, j'ai appris l'existence de la myrmécochorie : la dispersion des graines par l'action des fourmis.

Le mécanisme est simplissime : les graines de certaines plantes (comme la bourrache) sont dotées d'une excroissance riche en protéines et en lipides que consomment les fourmis. Les ouvrières ramènent ces graines à la fourmilière, où la colonie mange l'excroissance et se débarrasse de la graine proprement dite. Contrecoup possible de l'affaire : certaines graines abandonnées dans un recoin peuvent germer et pousser sur place, à la faveur du terrain meuble et bien irrigué, et faire exploser la fourmilière. C'est l'effet baobab dont parlait Saint-Ex.

Au fond, les graines de bourrache sont comme de petites grenades auxquelles on aurait scotché des barres de chocolat.

DOMINIQUE – Enfin un mot que je reconnais après des jours de curiosités. La bourrache pourrait être une plante robuste et peu sophistiquée, l'équivalent végétal d'un oncle bourru à moustache. Il n'en est rien : c'est non pas une mais deux étoiles, posées l'une sur l'autre, à peine décalées, la première faite de pétales mauves, la seconde de feuilles pointues et duveteuses. Sa tige aussi est hérissée d'un fin duvet argent, semblable à celui qui recouvre le corps de certaines araignées.

La bourrache est utilisée dans la préparation de différents mets, salades, tisanes et sauces, ainsi que dans la fabrication de pastilles au miel. Étonnant, puisqu'il semblerait que, si les feuilles ont une légère saveur de concombre, les fleurs goûtent plutôt l'huître.

Parmi toutes les infusions, décoctions et autres boissons à base de plantes, Santé Canada considère que quatre tisanes seulement sont sans danger pour les femmes enceintes : gingembre, pelures d'agrume, mélisse et tilleul. Exit la rose, l'hibiscus, la citronnelle, jusqu'à la menthe et la camomille, et même le thé vert, dont il paraît qu'il nuit à l'absorption de je ne sais quel minéral essentiel, fer ou calcium. De toute façon, depuis des jours, je n'ai plus le goût du thé. Je prépare plutôt ce matin une grande tasse de café au lait (décaféiné, pour ceux qui s'inquiéteraient pour la santé de mon enfant à naître). Une copine hier m'expliquait le plus sérieusement du monde que ces goûts nouveaux et parfois étranges qui apparaissent pendant la grossesse viendraient en fait du père (du bébé, s'entend), dont on transporte en soi une partie du bagage génétique. Je veux bien. Tant que je n'ai pas une envie subite de salade bourrache : huître, miel et concombre.

NICOLAS – Quand un article de Wikipédia commence par une phrase telle que celle-ci : « *Valeriana officinalis* était considérée depuis des temps reculés comme une plante magique associée à la magie blanche », je n'ai qu'une seule envie : éteindre l'écran de l'ordinateur et sangloter dix minutes face au mur.

DOMINIQUE – J'apprends ce matin seulement que l'herbe aux chats dont raffolent Pumpkin et Violette n'est pas, comme je le croyais, une sorte de citronnelle, mais bien de la valériane qui, si elle est censée avoir des effets soporifiques pour les êtres humains, provoque chez les chats une surexcitation voisine de la folie. Violette qui est en tout temps d'une propreté maniaque se vautre comme une vulgaire vadrouille sur le sol là où on en a déposé quelques brins séchés, bat des pattes contre un ennemi invisible, finit par s'en prendre au radiateur qu'elle attaque de ses petites dents pointues.

***

Je me réveille à l'aube. Par la fenêtre de la chambre, le ciel encore piqué d'étoiles oscille entre l'indigo et le turquoise foncé tandis qu'à l'arrière, là où du troisième étage on aperçoit le mât du Stade, une bande de lumière est suspendue au-dessus de la cime des arbres, semblable à de l'or fondu. La maison se dresse, comme au bord de la mer ou à l'orée d'une forêt, tout juste entre le jour et la nuit.

Dominique – Le château n'est pas très grand, tout en bois, fait de planches noircies et grisonnantes, certaines comme vernies par les flammes, d'autres délavées par le vent du large même si la construction à tourelles carrées s'élève depuis toujours au milieu d'une forêt de conifères à mille lieues de la mer. Une allée très droite bordée de pins mène à la porte d'entrée garnie de ferrures. À l'arrière se déploie un labyrinthe à l'odeur terreuse, où les arbres mêlent aiguilles et épines en une masse inextricable. Les murs en sont si hauts que ses mille chemins sont du matin au soir plongés dans l'ombre. Vous pouvez y marcher pendant des jours sans jamais retrouver le même embranchement, puisqu'il s'agit en vérité non pas d'un labyrinthe, mais d'un enchaînement de plusieurs dédales qui se sont liés les uns aux autres au fil du temps. Au bout d'un moment, vous cessez de vouloir trouver la sortie pour souhaiter seulement gagner le centre, dont il vous semble qu'il doit abriter quelque secret.

Si vous avez de la chance, vous atteindrez un matin cette clairière ronde tapissée de sable au milieu de laquelle brille un étang. Dans l'eau claire, trois poissons dorés longs comme le bras, moustaches pendantes, yeux veloutés, lancent des éclairs. Les carpes ouvrent leur bouche lippue comme pour vous livrer un secret, laissent échapper des bulles qui éclatent en silence à la surface, déformant votre reflet tremblant qui se redessine peu à peu sur la masse d'aiguilles et d'épines, avec en toile de fond un minuscule morceau de ciel.

Nicolas – Ma gravure préférée d'Escher n'est pas l'un de ces tours de force optiques qui sont si connus, mais cette gravure beaucoup plus simple, intitulée *Trois mondes,* qui représente un étang en automne. La surface de l'étang est couverte de feuilles mortes, entre lesquelles on aperçoit le reflet des arbres dénudés. Sous la surface, le fantôme délavé d'une carpe énorme fixe la personne qui regarde la gravure, laquelle personne se trouve dans un quatrième monde, implicite.

Dans *Trois mondes*, c'est le spectateur qui constitue l'anomalie optique.

DOMINIQUE – Regardez de près un bâton de fusain, vous y verrez, au centre, un rond plus clair entouré de noir profond, aussi distinct que la mine de plomb au milieu d'un crayon en bois. C'est le premier cercle de croissance du saule qui a eu un an avant de devenir fusain.

Je me demande si, comme l'aquarelle convient particulièrement aux paysages maritimes et aux ciels ennuagés, le fusain n'est pas le mieux utilisé pour dessiner ces entrelacs de branches dont il est issu – et aussi peut-être le feu des prunelles plongées dans l'ombre.

NICOLAS – Une fois par semaine, je suivais un cours de dessin d'observation. Deux heures au chevalet, tandis que la modèle, installée sur un cube au milieu de la classe, changeait de position toutes les trois minutes. Il régnait sur notre classe un silence fébrile, presque tendu.

L'une des grandes erreurs du dessin d'observation consiste à se tromper de cible. Les novices cherchent la ressemblance avec le modèle. Or, la ressemblance est un sous-produit, un effet secondaire. Ce qu'on doit vraiment rechercher, c'est la manière. L'état d'esprit.

Je me souviens d'un après-midi où je piétinais. Je n'arrivais à rien de bon. Je devais en être à ma cinquième ou sixième feuille gaspillée. Le dessin d'observation est une activité fatigante, et je commençais déjà à loucher. Je sentais l'impatience me gagner. Lâchant prise, j'ai fixé notre modèle pendant cinq longues minutes. Puis, j'ai posé la tige de fusain sur le papier et, d'un seul trait rugueux et souple, j'ai tracé la courbe de ses lombes, ses fesses, la longue sinuosité de ses jambes – où l'étoffe de ses jeans se terminait en fines vaguelettes –, sa cheville et son talon.

J'avais exécuté le trait dans une sorte d'absence – comme l'archer décoche une bonne flèche. Ma main semblait avoir agi de son propre chef. J'avais compris quelque chose.

Malheureusement, garder cet état d'esprit est difficile et je décrochai aussitôt, éberlué par ce qui venait de se produire. Ma prof, à qui le geste n'avait pas échappé, m'a lancé un regard approbateur. Je rayonnais.

Le reste du portrait ne fut pas à la hauteur de ce trait, qui fut d'ailleurs le seul bon trait que je fis ce trimestre-là.

CIVETTE

NICOLAS – Deux touffes de civette ont été les premières choses à pousser dans notre jardin, au printemps. Cinquante minuscules pointes vert tendre tassant et perforant les feuilles d'érable de l'automne précédent. Promesse ou victoire?

DOMINIQUE – Le chat à musc ne fait pas partie de la faune de la montagne, mais nous avons, outre un renard roux qui descend quelques fois par année les flancs du mont Royal, des ratons laveurs en goguette, des écureuils, tamias, mulots et quelques petites taupes dans le parc de Vimy, une moufette qui arpente le quartier à la nuit tombée. Queue touffue en panache, démarche dandinante, rayures noir et blanc bien nettes, museau pointu, yeux brillants, elle est magnifique, quoique difficile à apercevoir puisqu'elle se déplace de préférence dans les buissons, où elle échappe aux regards.

Un soir que nous promenions Victor et Marcel, notre snowshoe qui suivait le chien pas à pas, quelque chose s'est agité dans la haie au coin de la rue. Prudent, le chien a reculé d'un pas, tandis que le chat avançait bravement. Il s'est bientôt trouvé nez à nez avec la bête, elle-même plutôt curieuse. Elle était bébé encore, et ne sentait rien, mais ils ne s'en sont pas moins reniflés longuement, chacun observant les taches blanches sur le pelage sombre de l'autre, en se demandant apparemment s'ils n'avaient pas affaire à quelque cousin éloigné. Et puis la moufette est repartie lentement, agitant sa longue queue tel un éventail, et nous avons poursuivi notre promenade, le chat se retournant de temps en temps comme à regret.

BUGLOSSE

NICOLAS – BUGLOSSE *n. f.* 1. Instrument à vent primitif. 2. Arme à feu apparentée au tromblon. 3. Petite automobile monoplace ridicule. « Le comte Armand, coiffé d'un bonnet d'aviateur, apparut à bord de sa buglosse bourgogne. » (F. Sétan)

DOMINIQUE – Ils vont bientôt se mettre à inventer des mots, je te le dis, à moins que ce ne soit déjà commencé. Non, pourtant : la buglosse existe bel et bien. C'est une petite fleur pervenche – une autre! – de la famille de la bourrache.

Fabre d'Églantine ne pouvait connaître toutes ces plantes, c'est impossible, il n'aurait pas eu le temps d'approfondir à ce point la botanique, occupé qu'il était à composer des vers immortels. Nous devons forcément à Thouin cette succession de fleurs toutes dans les teintes d'azur, de mauve, de lilas et de pervenche. Par ailleurs, l'année est suffisamment avancée pour que nous tentions d'y discerner de grands ensembles : l'automne était sans conteste pour ces messieurs la saison des conserves et des provisions, le temps de descendre à la cave les légumes pour l'hiver, de saigner le cochon et de mettre le bœuf à saler. L'hiver semble avoir été marqué par un souci constant du chauffage, ce dont on ne saurait trop s'étonner. Le printemps pour sa part croule littéralement sous les fleurs. Que nous restera-t-il à l'été, sinon une forêt de grands arbres peuplée sans doute de quelques oiseaux? (Emily Dickinson : « I hope you love birds too. It is economical. It saves going to heaven. »)

Je trouve en tout cas que ce calendrier manque singulièrement de coquillages, et repense à ta proposition d'il y a quelques mois, lorsque tu suggérais que nous élaborions nous aussi une année en trois cent soixante-cinq thèmes, mais une année québécoise. J'avais poussé les hauts cris, mais maintenant l'idée ne me semble plus si folle... Aujourd'hui, si tu es d'accord, serait le jour de l'érable argenté : celui de l'autre côté de la rue fait enfin des feuilles, des semaines après tous les autres arbres, si bien que, ces derniers jours, nu et décharné parmi les pousses vertes qui l'entouraient de partout, il semblait mort. Seize mai, jour de résurrection.

NICOLAS – Le mot *sénevé* me disait quelque chose. Luc et Matthieu en parlent tous les deux – mais la version de Luc est plus poétique : « Le Royaume des cieux est semblable à un grain de sénevé qu'un homme a pris et jeté dans son jardin; il pousse, devient un arbre, et les oiseaux du ciel habitent dans ses branches. »

Combien de fois ai-je entendu cette parabole?

Tous ces dimanches matins passés sur les bancs d'église, à écouter la messe en fond sonore, toutes ces paraboles qui me sont entrées dans le crâne et qui désormais flottent entre deux eaux... Et me voilà pourtant devenu athée.

Sans doute faut-il en déduire que mon potager intérieur était propice à d'autres espèces. Par exemple l'atavistique, fougère géante du Précambrien.

DOMINIQUE – Le grain de sénevé de la Bible, image du royaume des Cieux, n'est autre qu'une graine de moutarde noire, dont le nom vient de « moût ardent », puisqu'on préparait à l'origine le condiment en mêlant des graines de sénevé broyées à du moût de raisin.

On a lancé il y a quelques jours un livre au doux titre de *Moutarde chou,* lequel recense divers casse-croûte et roulottes à patates frites de la province en détaillant leurs spécialités. À Cap-Rouge, c'était chez Roberge – une authentique roulotte –

que, l'été, on achetait les frites et la crème glacée, qu'on dégustait ensuite assis à des tables de pique-nique, face au fleuve, à la tombée de la nuit. Je revois les quelques tables dans l'ombre du tracel avec l'impression d'une scène de film qui se serait déroulée avant ma naissance, comme si ces souvenirs appartenaient à quelqu'un de plus vieux que moi. Mais c'était déjà curieusement le sentiment que j'avais à l'époque, celui d'habiter pour un moment une mémoire qui n'était pas la mienne.

Dominique – Mot qui désigne à la fois de petits moutons flottant capricieusement à la crête des vagues et la badine utilisée pour les ramener dans le rang.

Nicolas – Ras le bol des politiciens. Je rêve, ces jours-ci, de cette houlette célèbre dans notre enfance, et qui figurait dans les dessins animés : cette longue canne recourbée qui, au milieu d'un numéro un peu trop long, surgissait de la coulisse, attrapait le soliloqueur par le cou et le sortait de scène presto.

Prairia

1ère DÉCADE
1 Primidi..... *Luzerne*
2 Duodi...... *Hémérocale*
3 Tridi....... *Trèfle*
4 Quartidi.... *Angélique*
5 Quintidi.... CANARD
6 Sextidi..... *Mélisse*
7 Septidi..... *Fromental*
8 Octidi...... *Martagon*
9 Nonidi..... *Serpolet*
10 DÉCADI..... FAULX
INSURRECTION DES FAUBOURGS

DOMINIQUE –

Étendue de tout mon long sur le lit, les yeux fermés, je ressens le besoin d'expliquer :

— Je fais une pause.

— Une pause? Il n'est pas dix heures du matin.

— Je sais, mais je me suis levée tout à l'heure. Je viens juste de me recoucher.

— Et qu'est-ce que tu as fait?

— Je suis allée lire le mot d'aujourd'hui. C'est *Luzerne*.

— Ah.

— Et puis je suis allée sur Facebook.

— Mm.

— Je ne sais pas quoi en faire.

— De Facebook?

— De luzerne.

— Eh bien, pour commencer, c'est délicieux.

— Vraiment, tu trouves?

— Non, ça goûte les pieds.

NICOLAS – Se méfier, toujours, de la sagesse populaire. Je suis certain d'avoir entendu mon père, à plusieurs reprises, affirmer que l'engouement des lapins pour la luzerne est tel que, si on leur en donnait sans discernement, ils pourraient s'en gaver jusqu'à mourir.

(Insérer image fugace de lapins éclatant comme des baudruches, envoyant voler en tous sens une brume de verdure hâtivement mastiquée.)

Récemment interrogé sur la question, mon père a pris un air évasif. Paraît que non, finalement, les lapins n'aiment pas tellement la luzerne.

NICOLAS – Cet été-là, ma mère annonça qu'il y aurait des lupins dans notre rocaille.

Dans les semaines suivantes, nous passâmes notre temps à scruter les fossés jusqu'à trouver une talle de lupins roses et blancs sur le bord de la 132. Mon père pataugea dans les quenouilles, escalada un talus et arracha une botte de lupins, qui se retrouva dans le coffre de la voiture. Ma mère était contente.

Pour ma part, je subodorais une sorte d'incohérence fondamentale dans ce projet, comme si mes parents avaient tenté d'ouvrir un passage entre deux univers distants. Les plantes sauvages ne pouvaient pas pousser dans une rocaille, et les cultivars ne survivaient pas dans la nature. Le domestique et le sauvage étaient deux mondes incompatibles.

Plus tard cet été-là, j'ai remarqué pour la première fois des hémérocalles dans le champ du voisin, échappées de quelque parterre, et dont la tête tigrée me narguait entre les touffes de mil et de verge d'or. *Ne sois sûr de rien,* semblaient dire ces petites marronneuses.

Je ne me rappelle pas si les lupins ont survécu.

Dominique – Comme il est de bon ton de prétendre que tous les enfants sont charmants, on s'entend généralement à dire que toutes les fleurs sont jolies. Pourtant l'hémérocalle, dont les longs pétales pointus semblent avoir été trempés dans de la peinture orange, n'a rien d'agréable : ni son nom rocailleux, ni sa fleur aux proportions peu harmonieuses (et qui, dit-on, a la monstrueuse faculté de se régénérer pendant la nuit, comme un morceau de foie), ni son odeur aigrelette. L'hémérocalle est une caricature de fleur, comme aurait pu s'aviser d'en faire quelqu'un qui n'aurait jamais vu la moindre rose ni la plus humble violette mais à qui on aurait tenté d'en décrire l'apparence, le velouté et le parfum et qui s'y serait ensuite attaqué yeux bandés, un foulard sur le nez, les mains chaussées d'une paire de mitaines.

TRÈFLE

Nicolas – Je me souviens d'avoir passé un après-midi, avec les Villeneuve, à l'époque où les enfants de nos familles respectives n'étaient encore que des enfants – voire de jeunes ados –, je me souviens donc d'avoir passé un après-midi sur le talus de leur chalet à chercher des trèfles à quatre feuilles. Tout le monde était agenouillé dans le gazon, enfants et adultes confondus. Le soleil filtrait à travers les pins.

Je croyais les trèfles à quatre feuilles très rares. Après une heure de recherche, j'en avais découvert trois. Tous ensemble, nous en avions cueilli tout un petit bouquet. Ma véritable surprise fut de trouver un trèfle à cinq feuilles.

Chanceux ou non, il est loin cet après-midi sous les pins. Le temps a passé, mon enfance remonte à un autre siècle, et ces enfants assis dans le trèfle sont éparpillés aux quatre coins du continent.

(Est-ce moi, Dominique, ou ce calendrier est en train de nous faire écrire des textes que nous ne devrions pas normalement commettre avant d'avoir soixante-quinze ans?)

DOMINIQUE – Cherchant il y a peu de temps *Le château des destins croisés* en librairie, j'ai appris que le livre était épuisé et, à ce que l'on sache, pas en voie de réimpression – comme *Le sentier des nids d'araignée,* le tout premier roman de Calvino, et *Les villes invisibles,* que je voulais offrir en cadeau. Je voyais se déployer sur des cubes près de l'entrée les dernières nouveautés (beaucoup de polars, passablement de chick lit, quelques plaquettes que j'avais dû lire pour le travail et que je ne recommanderais à personne, bien que depuis des semaines les médias ne cessent de claironner combien ces titres sont *irrévérencieux* et *déjantés,* comme ils se *jouent merveilleusement des codes*). J'ai eu une fois de plus l'impression d'appartenir au mauvais siècle, ou en tout cas de ne pas chercher – de ne pas trouver, cela est sûr – dans les livres la même chose qu'une grande partie de mes contemporains. Mais n'est-ce pas au fond l'un des cadeaux qu'offre la littérature : pouvoir se choisir les contemporains que l'on veut? Je retourne ce matin à *Moby Dick,* qui est compliqué, farci de longueurs, emphatique, alambiqué – pas du tout sur le palmarès de la semaine, et fabuleux.

ANGÉLIQUE

NICOLAS – Cette plante au nom rassurant, officinale de surcroît, qui donne envie d'aller gambader dans les fossés, ressemble à la redoutable berce du Caucase, dont la sève est prodigieusement phototoxique. Son action, susceptible d'être déclenchée par la lumière jusqu'à deux jours après le contact initial, peut produire d'impressionnantes cloques et des brûlures durables, et même causer la cécité.

Promeneur distrait, n'embrasse pas trop vite l'angélique.

DOMINIQUE – Parmi les classiques de notre littérature que j'ai réussi à ne pas lire malgré un bac, une maîtrise et un doctorat en lettres françaises : *Angéline de Montbrun,* que je me représente, tout en sachant que c'est ridicule, comme une sorte de croisement entre *Les belles histoires des pays d'en haut*, *Maria Chapdelaine* et *La terre paternelle.* (Étant donné je n'ai pas lus ces derniers non plus, on s'imagine le flou dans lequel baigne pour moi le roman de Laure Conan.)

Hier soir, jour cent de ce que les médias appellent le « conflit étudiant », nous ouvrons les fenêtres en nous couchant pour laisser entrer le vent, et nous endormons au son – surréel – des hélicoptères qui sillonnent le ciel de la ville.

NICOLAS – Le canard est aussi ce morceau de sucre que l'on trempe dans le café, et qui lentement s'imbibe, par capillarité.

Je me souviens d'un après-midi, à Lyon, où un ami physicien tenta de m'expliquer ce qu'était la capillarité. Je me souviens surtout de n'avoir absolument rien compris. Il me fit un dessin sur une serviette en papier, et je ne me rappelle pas s'il s'agissait du schéma (abstrait) des forces composantes de la capillarité ou d'une représentation en coupe d'un ménisque. C'était une de ces occasions classiques où l'on comprend l'explication au fur et à mesure, mais où l'on oublie totalement sa teneur cinq minutes après l'avoir entendue.

Une visite sur Wikipédia pour me rafraîchir la mémoire s'avère désastreuse : je m'empêtre dans un fouillis d'équations, je m'englue dans la loi de Young-Dupré et la loi de Jurin, je perds pied dans la pression de Laplace et la tension superficielle, dans l'effet lotus et l'effet Marangoni – sans oublier l'hydrophobie extrême provoquée par les rugosités nanométriques.

Et pendant ce temps, cette jeune fille attablée à la fenêtre du café continue de tremper son morceau de sucre dans le café, et de le regarder qui change de couleur.

Je ne comprendrai jamais cet univers.

DOMINIQUE – Est-ce que j'invente cela, ou bien ma grand-mère Marguerite appelait-elle vraiment une bouilloire un *canard*? Je sais en tout cas que dans son appartement le comptoir (non, pas l'évier) était un *cygne,* et le garde-manger, une *dépense*. J'ai peu de souvenirs d'elle, affaiblie par la maladie depuis bien avant ma naissance. Il paraît qu'elle était dans sa jeunesse d'une grande beauté. On raconte dans la famille qu'elle aurait servi de modèle pour les formes de soutien-gorge de la Dominion Corset, dont les anciens ateliers se dressent toujours boulevard Charest. Elle buvait je crois du thé Red Rose, avait les cheveux d'un blond cendré, soigneusement coiffés en vagues près du crâne, à la manière des actrices des années 1920, des robes de chambre en velours, une toux comme du papier qui se déchire. Je me rappelle surtout que c'est elle qui m'a appris à jouer au poker à l'argent, une roulette pleine de jetons en plastique posée sur la petite table de la cuisine, entre le cygne et la dépense.

NICOLAS – Matin consacré à compulser de vieilles recettes d'eau de mélisse, comme celle-ci :

> On prend une bonne quantité de mélisse récemment cueillie, lorsqu'elle est dans toute sa vigueur; on la pile dans un mortier avec un peu de sel marin qu'on mêle avec chacune des parties qu'on pile à la fois; on la jette dans un pot de grès ou de terre non vernissé.
>
> Quand cette opération est finie, on humecte cette pâte avec de l'eau de mélisse de l'année précédente, ou avec de l'eau de rivière; on couvre le pot; on laisse infuser jusqu'à ce que cette plante ait perdu son goût et son audeur herbacée : alors on exprime sous la presse; on verse la liqueur dans une cucurbite qu'on couvre de son chapiteau; on jette le marc dans le même pot; on le délaie avec de l'eau tiède, et on laisse encore en digestion pendant deux jours.

Ou alors la liste des ingrédients du sirop de mélisse composé :

> Une livre et demie de mélisse citronnée en fleurs et récente; quatre onces de zestes de citrons récens, deux onces de noix de muscades, huit onces de coriandre, deux onces ensemble de girofle et de cannelle, une once de racines sèches d'angélique de Bohème, huit livres d'esprit-de-vin très-rectifié.

Sinon, rien de spécial. J'attends l'inspecteur d'Ultramar qui doit venir examiner le joint de notre réservoir à mazout.

DOMINIQUE – *Eau de mélisse* ou *eau des Carmes*

Recette fournie par Nicolas Lémery dans son *Cours de chymie* (1675).

> Prenez des feuilles de mélisse tendres, vertes, odorantes, nouvellement cueillies, six poignées;
>
> de l'écorce de citron extérieure jaune, deux onces;
>
> de la muscade & de la coriande, de chacune une once;
>
> de la canelle & des gérofles, de chacune demi-once.

> Pilez & concassez bien les ingrédiens, mêlez-les ensemble; & les ayant mis dans une cucurbite de verre ou de grès, versez dessus du vin blanc & de l'eau-de-vie, de chacune deux livres.
>
> Bouchez-bien le vaisseau, & laissez la matiere en digestion pendant trois jours.
>
> Mettez-la ensuite distiller au bain-marie, vous aurez une eau aromatique spiritueuse, fort propre pour les maladies hystériques, pour les maladies du cerveau, pour fortifier le cœur, l'estomac, pour les palpitations, pour les foiblesses, pour resister au venin : la dose en est depuis une dragme jusqu'à une once.

Je l'aurais bien essayée (on ne sait jamais quand on aura besoin de se fortifier le cœur ou bien de résister au venin), mais je semble avoir égaré mon cucurbite de verre. Zut.

FROMENTAL

DOMINIQUE – On dira ce qu'on voudra, je refuse de croire qu'il ne s'agit pas d'un fromage de brebis à croûte fleurie qui mûrit doucement dans les grottes fraîches du Jura, dans l'obscurité presque totale. De marches de pierre en échelles de corde, de couloirs en galeries, au milieu des stalactites et des stalagmites, parmi les éclats de quartz, les petites meules luisent dans le noir comme de minuscules planètes immobiles.

NICOLAS – J'ai déjà fait trois heures de route à bord d'une bagnole minuscule et pleine de boulangers. Ces joyeux drilles s'en allaient former des confrères de Québec. Trois heures de discussions sur les subtilités du levain, l'art de conserver le pain et le retour des variétés de blé rustique. J'avais l'impression qu'un portail spatio-temporel venait de s'ouvrir sur le Moyen Âge.

MARTAGON

NICOLAS – Le nom de ce lys viendrait du turc *martaga,* qui désigne une sorte de turban (en anglais, carrément *Turk's Cap*). Désireux de savoir à quoi ressemble un martaga – car qui se contenterait d'un turban générique? –, j'ai consulté *Vikipedio, la libera enciklopedio*. Aucune mention de turban. Le mot *martaga* renvoie au *Lilium martagon*, que le rédacteur turcophone appelle carrément « lis turc » ou « lis d'Istanbul », bien que la plante soit originaire de France.

Certains ouvrages prétendent que le nom aurait été inspiré par la coiffe du sultan Muhammad Ier – mais voilà, il existe plusieurs sultans Muhammad I[ers] : Mehmed Ier (qui déménagea le siège de l'Empire ottoman à Edirne), le sultan Muhammad (mort à Bagdad en 1118), ainsi que les sultans Muhammad Ier de Kelantan, Muhammad Ier de Cordoue et Mehmed Ier du royaume de Kanem.

Certains ouvrages évoquent Mahmud Ier, mais celui-ci est né en 1696, bien après que le lys fut baptisé *martagon*.

Quoi qu'il en soit, l'abondante iconographie disponible en ligne suggère que tous ces sultans avaient des turbans différents, au gré des modes et des caprices personnels, si bien que même un botaniste ottoman en perdrait son latin.

Dominique – La plus grosse des casseroles d'une batterie de cuisine, le martagon est l'équivalent du trombone contrebasse chez les cuivres d'un orchestre. Frappé à l'aide d'une cuiller en bois, il produit un agréable son mat et clair. Nous avons sûrement dû en croiser deux ou trois hier, en rentrant du Magpie. Quelques minutes avant vingt heures, les casseroles sont apparues sur les trottoirs, formant des attroupements aux intersections. Les gens attablés dans les restaurants reprenaient le rythme des marcheurs en frappant leurs couteaux sur leurs verres, comme si tout le monde avait été invité à une même noce.

Coin Saint-Laurent et Fairmount, des dizaines de personnes, parmi lesquelles quelques étudiants, beaucoup de familles avec de jeunes enfants, mais aussi des personnes âgées, battaient la mesure sur des moules à muffins, des couvercles bosselés, des poêles toutes neuves qui semblaient achetées pour l'occasion, des culs-de-poule rutilants et autres instruments contondants. Rue Saint-Viateur, ils étaient plus nombreux encore et la voiture a bientôt été encerclée par une marée humaine où tous les visages souriaient au milieu du vacarme. Même chose rue Bernard, qui l'été ne connaît habituellement en matière d'attroupement que les longues files s'étirant devant le Bilboquet. Partout à travers la ville, des milliers de personnes descendaient ensemble affirmer leur droit de marcher comme elles l'entendaient et de faire tout le boucan qu'elles voulaient. Quand, une heure plus tard, l'orage s'est déchaîné, joignant au tintamarre ses plus beaux coups de tonnerre, on a eu la confirmation que même le ciel était de leur côté.

Serpolet

Nicolas – Voilà qui me fait penser à un autre Serpolet : ce lapereau qui, dans un livre de Richard Scarry, va chez le docteur en compagnie de sa maman. Un lapin qui porte le nom d'une plante, qui porte le nom d'un serpent. On n'est toujours qu'à deux doigts de la mythologie.

Dominique – Le serpolet évoque irrésistiblement un alpage à la Heidi ou à la *Sound of Music*: des montagnes aux flancs d'un vert d'émeraude, des vaches placides, cloche au cou, des enfants vêtus de blanc qui chantent au milieu de champs de fleurs. La montagne est bien belle, mais en traversant la forêt nationale des White Moutains, cet après-midi, je m'étonne tout de même que des gens choisissent de passer leurs vacances ici alors que la mer n'est qu'à deux heures. Rue principale bordée de boutiques où l'on vend de l'équipement de ski, comptoirs de friandises, grandes maisons de bois témoignant d'un passé où la région était fréquentée par les nantis qui venaient y respirer l'air des cimes, le village a l'air curieusement décalé, comme s'il appartenait à une autre époque, ou peut-être simplement à une autre saison. Peut-être faut-il plutôt venir ici l'hiver.

La silhouette du Mount Washington Hotel se découpe orgueilleusement sur fond de montagnes, blanche coiffée de rouge; c'est là, au milieu des pics rocheux, qu'on a inventé en 1994 la Banque mondiale et le Fonds monétaire international.

Au bord de la route, à Bethleem, se déploient des plantations d'arbres de Noël. Ailleurs, au creux des vallons, des cimetières sommeillent, pierres vermoulues et petits drapeaux plantés bien droit pour Memorial Day. Bientôt, l'odeur des marais, puis le vent du large.

Crépuscule bleu sur Cape Elizabeth. Il fait une lumière de cinéma. Par la fenêtre, on entend la mer respirer.

Faux

Dominique – Les araignées vert pâle à longues pattes qui se tissent des tentes dans le coin des murs ne piquent pas.

Tous les enfants raffolent de la pizza.

Mieux vaut avoir des regrets que des remords.

La locution « après que » commande un verbe au subjonctif.

On ne peut être frappé deux fois par la foudre.

Personne n'est allergique aux shiitakes.

Tombouctou est une ville d'Asie.

J'ai hâte de rentrer à Montréal.

NICOLAS – Enfant, je craignais la faux accrochée aux solives de notre remise. Les raisons de cette crainte étaient symboliques – cet outil représentait la Mort, après tout –, mais également esthétiques : ce manche m'inquiétait, avec ses courbes étranges que terminait une lame aussi longue que mince, que le faucheur devait balancer avec une amplitude extrême et une finesse maniaque.

Mon père fauchait trèfle et luzerne pieds nus, vêtu d'un simple maillot de bain – et le voir manier une telle arme en si simple appareil me donnait des frissons. Je voyais la lame aller et venir, en ne pensant qu'à une chose : ses chevilles.

11	Primidi.....	*Fraise*
12	Duodi... ..	*Bétoine*
13	Tridi.......	*Pois*
14	Quartidi....	*Acacia*
15	Quintidi....	CANNE
16	Sextidi.....	*Œillet*
17	Septidi.....	*Sureau*
18	Octidi......	*Pavot*
19	Nonidi......	*Tilleul*
20	DÉCADI.....	FOURCHE

Dominique – En bord de mer à Saint-Malo se trouve une sorte de palace moderne du nom d'Oceania qui se distingue assez peu des autres établissements du même genre dans d'autres villes françaises ou européennes si ce n'est par les fraises remarquables qu'on y sert au petit déjeuner. Alors que nous en faisions la remarque, attablés devant des plateaux de fruits de mer gargantuesques (attention aux bulots, ce n'est vraiment pas très bon, et la dernière partie, la fin du tire-bouchon qu'est le mollusque, semble faite de sable cristallisé) dans une compagnie improbable réunissant mon éditrice française, deux journalistes au long cours, un photographe du *National Geographic,* un académicien et sa charmante épouse, on nous apprit que nous les devions au capitaine Frézier, de célèbre mémoire. Auteur d'un traité sur les feux d'artifice qui fit date, Frézier fut notamment ingénieur-architecte à Saint-Malo avant d'entreprendre divers voyages d'exploration. Esprit curieux, c'était aussi un fin stratège, un habile dessinateur et une manière de philosophe qui s'intéressait à des sujets de nature variée (je m'amuse ce matin de découvrir qu'il s'est lui aussi interrogé sur la possibilité de congeler l'eau de mer, grave question qui constitue l'exergue du *Bon usage des étoiles*). C'est à cet homme, donc, que l'on doit d'avoir importé en 1714 les premières fraises du Chili, différentes des fraises des champs consommées en France depuis des siècles, et dont il réussit à sauver les plants lors de la pénible traversée en leur sacrifiant une partie des précieuses rations d'eau douce du navire. Bref, c'est à Frézier que nous devions les fraises qui faisaient les délices de nos petits déjeuners.

(Je me sens ici obligée de faire un addendum à l'histoire. Ce Frézier était en quelque sorte prédestiné : en effet, l'un de ses lointains ancêtres, Julius de Berry, aurait offert à Charles III un bol de fraises particulièrement savoureuses, à la suite de quoi le souverain l'aurait anobli en lui donnant le nom de Fraise, qui se déforma au fil des siècles jusqu'à donner : Frézier.)

Nicolas –

Cueillette matinale dans les champs de Google.
La fraise du tunnelier a montré le bout de son nez.
La fraise d'Alsace : c'est parti!
La fraise espagnole contraire aux droits de l'homme.
Jeux Fraise aventurière.
Piégeage de nitidule dans la fraise à jours neutres.
Duel avec Sarkozy : Fabius se justifie sur la « fraise des bois ».
Fraise des Bois (@Fraise_des_bois) on Twitter.
DREMEL® TRIO™ Fraise carbure multifonctions.
La grenouille fraise est venimeuse.
La fraise du tunnelier a été détruite.

Bétoine

Nicolas – Bétoine : plante qui, en se décomposant, ne se transforme pas en tourbe, en lignite ou charbon, mais en béton.

Image fugace : les vastes prairies de l'Ouest transformées en un immense stationnement gris, où blanchit çà et là le squelette d'un bison.

Dominique – Dans les parties utilisées de la bétoine, outre les feuilles et les racines : la sommité.

Elle en aurait sans doute pas mal à nous apprendre en ces temps où notre gouvernement refuse de négocier de bonne foi avec les étudiants, et où un prof de philo doit enfiler tous les soirs un costume de panda pour aller se placer entre les jeunes manifestants et les policiers qui les attendent matraque et poivre de Cayenne à la main.

Utilisez votre sommité, comme dans : servez-vous de votre tête.

Pois

Nicolas – Lu ce matin, dans l'interminable article que Wikipédia consacre au *Pisum sativum,* le titre de section suivant : « Les ennemis du pois ».

Au loin, dans la plaine, avancent des légions de haricots d'Espagne en cottes de maille, coiffés de heaumes écarlates.

Dominique – Non plus pois exactement, presque un haricot déjà; bébé fait cinq centimètres de long, nage comme un poisson, se retourne d'une pirouette, a deux bras, deux jambes, un joli profil bien net, un petit cœur d'oiseau. C'est une fille.

Acacia

Dominique – On raconte que l'arbre le plus seul du monde était un acacia. L'arbre du Ténéré poussait à quelque quatre cents kilomètres du plus proche de ses frères, au milieu du désert du Sahel. Sorte de phare vivant, unique point de repère à des centaines lieues à la ronde, il figurait même sur les cartes géographiques. Dans les années 1930, lorsqu'on creusa un puits non loin, on découvrit que ses racines plongeaient jusqu'à la nappe phréatique, à une profondeur de près de quarante mètres. Il fut renversé en 1973 par un chauffeur de camion ivre, et son tronc transporté au musée national du Niger, où il est encore exposé.

En y repensant bien, ce n'est pas lorsqu'il se dressait sous le soleil et les nuits étoilées, ses racines profondément enfouies dans le sable du désert, qu'il était l'arbre le plus seul du monde, mais maintenant qu'il se trouve entre quatre murs, offert à l'admiration des foules; une sorte de deuxième mort.

Nicolas – Robinier (*Robinia pseudoacacia*) : arbre que Linné baptisa en l'honneur de Jean Robin, botaniste et arboriste du roi sous deux Henri (III et IV) ainsi que sous un Louis (le numéro XIII).

Robin : patronyme provenant possiblement d'une altération du prénom Robert ou du substantif *robe*.

Robe : altération du verbe *dérober*.

Robert : prénom provenant du vieux haut-allemand *Hrodberht,* lequel procède de la racine *hrod-* qui signifie « gloire ».

Robinet : dispositif permettant de contrôler le débit d'un tuyau, possiblement nommé ainsi à cause de la forme des robinets antiques, qui ressemblaient à de petites têtes de mouton (*robin,* dans certaines régions).

Pourquoi le robinier s'appelle-t-il *faux-acacia*? C'est son étymologie qui semble fallacieuse. Il faudrait le renommer *robinier faux-robinier* (*Robinia pseudorobinia*).

Caille

Nicolas – Mon père vient d'acheter une douzaine de ces oiseaux en forme de caillou. Je prépare déjà la cruche de vinaigre, pour les œufs.

Dominique – Le restaurant Fore Street, à Portland, juste en retrait du quartier très touristique où les échoppes de crème glacée alternent avec les boutiques de poterie, sert les meilleures cailles du monde (ou, en tout cas, de l'État du Maine). Quand nous y sommes allés cette semaine, l'oiseau était simplement rôti à la broche, déposé sur une sorte de gremolata acidulée à base de noix et de rhubarbe, accompagné de cerises charnues.

Le menu change toutes les quelques semaines, au gré des saisons et des arrivages, aussi, si vous vous y présentez aujourd'hui, vous ne pourrez sans doute pas goûter à ce plat de *pork belly* grillé au four et servi sur un lit de pommes de terre grelot bleues nappées d'une sauce au raifort, ni à ces exquises carottes glacées au miel et aux pistaches. Comme je vous plains.

Œillet

Nicolas – Depuis l'époque où j'ai vécu au Pérou, je ne peux m'empêcher de voir le millet comme une sorte de sous-quinoa. Ou le quinoa comme un millet bionique.

Dominique – Moi qui m'émerveillais de la diversité et de la richesse des différents types d'abeilles, je n'avais pas encore fait connaissance avec la vaste famille des œillets, dont les noms sont tous plus évocateurs les uns que les autres : œillet superbe, œillet piquant, œillet rude, négligé, fourchu, œillet douteux, œillet velouté et – rien que ça – œillet de Dieu.

On jurerait une dynastie dont les représentants posséderaient chacun un surnom accordé à leur physique ou à leur personnalité (il y eut bien Pépin le Bref, pourquoi n'y aurait-il pas Œillet le Prolifère), et qui se terminerait dans la misère et l'anonymat par un ultime rejeton qui, s'il nous en dit assez peu sur les fleurs, nous en révèle passablement sur la façon dont on voit les artistes : l'œillet de poète, aussi appelé *œillet barbu*.

Sureau

Dominique – Je constate une fois de plus que je ne connais trop souvent des plantes que ce qu'on en trouve dans les boutiques ou qu'on en voit à la télé. Par exemple : j'ignorais jusqu'à ce matin si le sureau était un arbre, un arbuste ou une simple plante à fleurs, mais je savais qu'on en fait une liqueur douce, assez bonne d'ailleurs, légèrement parfumée, offerte dans une grande bouteille de verre à l'ancienne coiffée d'un bouchon de caoutchouc basculant sur de fines tiges de métal et qui donne envie de partir en pique-nique ou d'aller canoter dans un tableau de Renoir.

Il s'avère qu'il s'agit d'un assez petit arbre portant des baies bleues, rouges ou noires dont les oiseaux sont apparemment friands. En broyant ces baies et en les laissant tremper dans l'eau avant de les mélanger à du thé pour fixer les pigments, on obtient de l'encre de couleur bleue ou violette. Ce double emploi a quelque chose d'infiniment satisfaisant : une même créature vous permet d'écrire et vous désaltère tandis que vous le faites. Ce n'est pas la seiche qui pourrait en dire autant. (Quoiqu'elle fournirait sans doute un excellent plat de pâtes, tant il est vrai que la nature a pensé à tout.)

Nicolas – Ravageurs du sureau, selon Wikipédia : la tordeuse du sorbier, la tordeuse du prunier, la phalène du prunier, la tordeuse de l'olivier, la pyrale du sureau, le petit paon de nuit, la phalène du sureau, l'eupithécie couronnée, l'eupithécie triponctuée, le cul-brun, le drap d'or, la noctuelle de la persicaire, le puceron noir du sureau, la capside des pousses, le thrips du sureau.

S'il y avait plus d'insectes dans ce calendrier, il y aurait aussi plus de poésie.

Pavot

Nicolas – Indépendamment de la méthodologie utilisée par l'équipe de *Mythbusters,* je ne peux que saluer leur curiosité déjantée. Eux seuls osent escalader des tours de verre chaussés de ventouses, se jeter dans des sables mouvants ou vérifier si la consommation de muffins au pavot produit, oui ou non, un résultat positif lors d'un examen de consommation d'opiacés. (La réponse est oui.)

Dominique – Porté à la boutonnière en hommage aux soldats disparus au combat et aux vétérans, le coquelicot est l'une des premières fleurs à éclore dans les champs de bataille une fois que les coups de feu se sont tus, car il aime, dit-on, la terre fraîchement retournée. Devant ses pétales d'un rouge éclatant, on ne peut s'empêcher de songer que la fleur dont le lait est utilisé pour distiller le sommeil et les rêves s'est abreuvée au sang des morts jusqu'à en prendre la couleur – à la fois fleur de mémoire, fleur d'oubli et fleur vampire.

Tilleul

Dominique – Déjà le nom est reposant, son *t* initial comme une sorte de solide gouvernail, son double *l* qui glisse sur la langue, et sa douce finale rimant avec aïeul, fauteuil, glaïeul, eux-mêmes choses tranquilles. Un radeau qui flotterait doucement sur des eaux calmes. Je rêve pour ma fille d'un berceau en bois de tilleul.

Nicolas – J'ai mes moments de répulsion face à la modernité, notamment lorsqu'elle implique un certain degré de dématérialisation.

Je me rappelle avoir ressenti une profonde perplexité à l'égard de l'économie de Second Life, où des gens convertissaient des espèces du monde tangible en dollars linden, qui leur servaient à acheter des biens et services conçus, réalisés et utilisés au sein de la réalité virtuelle.

L'exemple du linden est un peu daté – ou *niché,* si l'on ne veut pas déplaire aux inconditionnels de Second Life –, mais je crois avoir ressenti le même genre d'inconfort lors de l'apparition plus récente du bitcoin, cette cryptodevise dont la valeur a monté en flèche avant de s'effondrer trois mois plus tard.

Pourtant, je ne suis pas totalement luddite : ma perplexité n'exclut pas la fascination. Au fond, je trouve ces technologies inacceptables, mais je souhaite inconsciemment vivre dans un monde où elles seraient acceptables. Je suis un crypto-luddite.

NICOLAS – J'ai toujours été fasciné par ces aiguillages où, dans mon histoire personnelle, une décision, un événement, m'ont mené (ou auraient pu me mener) sur une voie parallèle : une relation entamée ou terminée, un départ, une inscription à l'université, une rencontre dans la rue, la lecture d'un roman.

Au fond, et en dépit de l'humaine fascination pour la logique narrative, je suis convaincu que la vie n'est qu'une gare de triage sans début ni fin, à perte de vue – et je peux aisément imaginer, dans une version borgésienne de moi-même, être absorbé dans la remémoration et l'étude éternelles de ces différents aiguillages jusqu'à ne plus vivre du tout. Je ferais du surplace dans une sorte d'autisme narratif où plus aucune fourche ne se présenterait à moi.

DOMINIQUE – Dans le petit village de Sauve, dans le Languedoc-Roussillon, on cultive depuis le Moyen Âge des micocouliers que l'on élague de manière à n'en conserver que trois branches principales, qui seront à leur tour taillées pendant six ou neuf ans, afin qu'elles poussent également. Ce sont donc d'authentiques fourches que l'on fait pousser, pour les couper quand elles ont atteint la taille voulue. L'outil est paraît-il fort recherché par les producteurs de laine car il n'abîme pas les fibres et ne produit pas de statique.

J'ai vu des photos de ces champs hérissés de fourches, un musée leur est même consacré, pourtant je ne peux m'empêcher de les trouver aussi improbables que le seraient une plantation de vilebrequins ou une forêt d'arbres à ampoules électriques.

21	Primidi.....	*Barbeau*
22	Duodi......	*Camomille*
23	Tridi.......	*Chèvre-feuille*
24	Quartidi....	*Caille-lait*
25	Quintidi....	TANCHE
26	Sextidi.....	*Jasmin*
27	Septidi.....	*Verveine*
28	Octidi......	*Thym*
29	Nonidi.....	*Pivoine*
30	DÉCADI.....	CHARIOT

NICOLAS – « La chair des *Barbeaux* eft très blanche, délicate & de bon goût, principalement celle qui recouvre les groffes arêtes qui forment la capacité de l'abdomen. [...] La faifon où ce poiffon eft de meilleur goût commence au mois de Septembre, & dure jufqu'au mois de Mai. »

Traité des pêches, Henri Louis Duhamel du Monceau.

« Diagnostic du choléra. Déjections alvines et vomissements continuels avec douleurs abdominales, anxiété et ténesme. [...] À un haut degré, elle s'accompagne bientôt d'un affaissement extraordinaire, d'un pouls petit, à peine perceptible, de lipothymies, de spasmes, de convulsions, les extrémités sont froides. [...] Les causes occasionnelles sont des poissons corrosifs, une indigestion (l'usage des œufs de barbeaux qui agissent réellement spécifiquement) [...]. »

Enchiridion medicum. Manuel de médecine pratique, fruit d'une expérience de cinquante ans, Ernest Christoph Wilhelm Hufeland.

— Vous reprendrez bien un peu de poisson, mon cher d'Églantine?

— Si vous insistez.

— J'insiste. Vous me paraissez un peu pâle. Il faut veiller à bien vous alimenter. Encore une goutte de vin?

DOMINIQUE – Surprise : le bleu riche, profond et velouté tirant très subtilement sur le gris que j'ai toujours appelé *pervenche* est en réalité le bleu bleuet, ou bleu barbeau, qui est l'ancien nom du bleuet. Dans le *Dictionnaire étymologique de la langue française,* on explique que le nom de barbeau a été donné au poisson qui le porte en raison de ses barbillons – et, « par référence au sens argotique de maquereau, [qu'il] s'emploie en argot pour "souteneur" ». Voilà qui est on ne peut plus logique, mais pourquoi diable a-t-il été donné au bleuet? Le *Trésor de la langue française* est muet sur la question, et le *Grand Robert* se borne à mentionner qu'on trouve aussi la graphie *barbot.* Le *Glossaire angevin comparé avec différents dialectes* m'apprend en revanche que le bleuet a également pour noms vernaculaires *creconille, carconille, boufa et auboufouin* mais cela, vous en conviendrez, ne nous avance guère.

Pour résumer : ces bons ouvrages expliquent en détail pourquoi un poisson barbu s'appelle barbeau et comment on a donné à un fruit bleu le nom de bleuet (vraiment, jamais on n'aurait trouvé tout seuls), mais sur le glissement par lequel ledit fruit en est venu à prendre le nom du susdit poisson, ils ne sont d'aucune aide. Déception profonde ce matin, pour moi qui suis habituée à chercher et à trouver dans les livres les réponses aux mystères que nous présentent les mots – à défaut de ceux du monde.

(Pour ceux que ça intéresserait : le véritable bleu pervenche est quant à lui une sorte de lilas pâle. On ne peut vraiment se fier à rien.)

CAMOMILLE

DOMINIQUE – Petite, j'étais blonde. À l'adolescence, pendant quelques années, mystérieusement, j'étais bouclée, mais c'est une autre histoire. Lorsque j'étais enfant, donc, ma mère – pourtant loin d'être une femme futile ou dépensière – achetait à grands frais à mon usage exclusif un shampoing français à la camomille que lui avait conseillé la coiffeuse du Petit Mail de Cap-Rouge et qui était censé rehausser l'éclat des cheveux blonds. L'odeur douce, légèrement sucrée, rappelant un peu celle de l'amande, est l'un de mes tout premiers souvenirs. Encore aujourd'hui, quand par hasard je tombe sur un produit de beauté qui exhale le même parfum, je suis ramenée quelque trente-cinq ans en arrière, dans le boudoir de la petite maison de la rue de la Rivière où ma mère me séchait les cheveux. Ma madeleine est une camomille.

NICOLAS – SOIFS IMPROBABLES (6)

Je plaide coupable : je préfère souvent l'idée de la plante à la plante elle-même.

La camomille officinale poussait par grosses touffes dans les plates-bandes de notre chalet, et je décidai un matin de mon adolescence qu'elle constituait le remède à mes insomnies. (Je n'avais pas encore compris que je possédais tout simplement un tempérament nocturne.)

Je récoltai donc une poignée de fleurs odorantes que, le soir même, je noyai dans l'eau bouillante. L'odeur était envoûtante, mais je recrachai ma première gorgée d'infusion : elle était amère et imbuvable. Les délicats sachets de camomille vendus dans le commerce étaient donc mensongers?

Ainsi se termina mon histoire d'amour avec *Chamaemelum nobile*.

CHÈVREFEUILLE

NICOLAS – Lorsque je vois des maisons entières disparaître sous le chèvrefeuille, je pense immanquablement au *Cantique des cantiques* :

Tes cheveux sont tels
un troupeau de chèvres dévalant
les flancs du mont Galaad.

DOMINIQUE – À Saint-Antoine, où je n'ai pas apporté mon ordinateur, je tourne en rond en attendant d'emprunter celui de Fred pour y écrire le mot du jour, comme si ma journée ne pouvait véritablement commencer qu'une fois *Chèvrefeuille* réglé, l'énigme d'aujourd'hui résolue. Que vais-je donc faire le 22 septembre prochain?

Devant nous ce matin, le fleuve d'un bleu tranquille; sur la rive Nord, Neuville, dont on aperçoit le clocher d'étain et quelques maisonnettes sur fond de champs vert épinard. Dans les bouleaux, des oiseaux à ne plus savoir qu'en faire : merles, hirondelles, deux corneilles, une poignée de chardonnerets, quelques mésanges, un oriole d'un orange chair de pêche, un petit oiseau de proie qui plane très haut au-dessus de la grève mais juste devant nous, perchés sur la falaise, de sorte que l'on voit son dos ocellé de beige, le dessus des longues plumes de ses ailes. De temps en temps, un bateau glisse en silence sur l'eau étale. On entend le fils du voisin jouer un air compliqué et beau au piano. Victor dort au frais dans l'herbe, déjà un peu au paradis des chiens.

Ah oui, chèvrefeuille; en anglais *honeysuckle,* comme si on avait jeté dans un sac quelques verbes, deux ou trois adjectifs, une pincée de noms pour les en sortir par paires et les assembler au petit bonheur. On pourrait aussi bien lire *suckleleaf* ou *chèvremiel.*

NICOLAS – On dira ce qu'on voudra, la ricotta maison étalée sur une toast de pain frais est un grand bonheur de l'existence.

DOMINIQUE – Astringent, diurétique, vulnéraire (juste au cas : propre à favoriser la cicatrisation des blessures) et antispasmodique, le caille-lait possède des vertus nombreuses et des usages variés. On y avait jadis recours non seulement pour faire cailler le lait, mais aussi pour bourrer les paillasses, puisqu'il semblerait que son odeur ne plaisait point aux puces et aux punaises, et c'est en outre à lui que le fromage Double Gloucester doit sa célèbre couleur orangée.

La nature regorge ainsi de plantes aux emplois étonnamment divers, comme si, ayant le gaspillage en horreur, elle avait résolu de multiplier les propriétés de chacune afin que l'on ne puisse jamais être certain de la connaître tout à fait dans sa totalité, quelque insignifiante qu'elle puisse paraître au premier regard. Peut-être devrait-on imposer semblable contrainte aux fabricants d'articles électroniques/ménagers d'usage courant. J'aimerais bien, par exemple, que mon fer à repasser capte les ondes radio; je suis à peu près certaine que je m'en servirais plus souvent si c'était le cas. Et bien sûr les moules à gâteau devraient être munis d'un thermomètre intégré et vous avertir quand ils sont prêts à être sortis du four. Quelqu'un connaît l'adresse du bureau des brevets?

NICOLAS – Comment désignerait-on la nature de la tanche? Je propose *tanchéité*. Ce mot suggère des questions intéressantes. La tanchéité, par exemple, implique-t-elle l'étanchéité? La tanche, en somme, est-elle étanche?

Après tout, comme n'importe quel être vivant, la tanche cherche l'équilibre chimique avec son milieu : ses cellules échangent constamment des fluides avec l'environnement à travers leur membrane. En outre, la tanche mange : sa bouche et son système digestif peuvent donc être considérés comme une entorse à l'étanchéité.

Mais l'étanchéité n'est-elle pas un concept relatif? Je songe aux superfluides, notamment à l'hélium 4 qui, refroidi à 2,17 kelvins, peut traverser les contenants. Naturellement, la tanche ne saurait survivre à 2,17 kelvins. La tanchéité exclut l'extrémophilie, cela au moins nous le savons.

Humble tanche, sphinx de nos ruisseaux.

DOMINIQUE – Ne nous laissons pas leurrer : la tanche est si proche cousine de la carpe qu'on peut considérer qu'elles ne font qu'un. Nos révolutionnaires jugent encore une fois opportun de dédoubler les jours. Manquaient-ils vraiment à ce point de faune aquatique qu'il leur fallait exploiter ainsi cette famille pourtant peu inspirante? Ou bien avaient-ils simplement leurs préférés, nageant placidement entre les eaux de leur esprit fatigué?

Je ne suis pas une fan de la carpe et des autres poissons de fond – on raconte, est-ce vrai? que le pangasius d'élevage serait, comme le tilapia, bourré de gras saturés, au point où il vaudrait mieux manger un hamburger que d'en faire cuire un filet à la poêle. (Tout à coup se présente à mon esprit un hamburger à nageoires qui se déplace près d'un fond sablonneux, rappelant ces burgers ailés d'un écran de veille de jadis que les générations plus jeunes ne connaîtront jamais.) N'empêche, ce n'est malheureusement sans doute pas un hasard si ces espèces sont parmi les plus facilement disponibles et les moins chères dans les grandes chaînes d'alimentation.

Parlant de prix, la meilleure aubaine en ville, c'est le lunch chez Milos, où on nous a servi un poisson si frais qu'il goûtait la mer, un *tsipoura* cuit sur la braise, arrosé d'un filet d'huile d'olive, de quelques gouttes de citron, garni d'une pincée de fleur de sel et d'une cuillerée de câpres. Fred lui couvre pudiquement la tête avant de s'y attaquer, je n'ai pas de semblable scrupule et mange d'abord les joues.

Dominique – Fleur des parfumeurs, le jasmin est aussi fleur des amants. Kâma, dieu indien de l'amour, décochait des flèches enrobées de jasmin, et Cléopâtre, raconte-t-on, vogua à la rencontre de Marc-Antoine sur un navire dont les voiles avaient été imbibées d'essence de jasmin. Geste grandiose mais, si vous voulez mon avis, cela devait donner légèrement mal à la tête.

Toujours est-il qu'on n'a pas tous la même conception du sentiment : selon une théorie, le mot *jasmin* lui-même serait issu du persan *Jas* (désespoir) et *Min* (mensonge). Pendant qu'on est sur le sujet du mensonge, je suis curieusement déçue en découvrant que le riz au jasmin est en réalité du riz thaïlandais, et pas du tout parfumé au jasmin.

Nicolas – *Jasmin (métro de Paris) : analyse succincte et comparative de six articles de Wikipédia*

Le nom *Jasmin* désigne, comme chacun sait, une station du métro de Paris située dans le 16e arrondissement, au coin de l'avenue Mozart et de la rue de l'Yvette. Wikipédia consacre à cette station huit pages en huit langues différentes.

La page en français est naturellement l'une des plus élaborée. Elle donne la position géographique de la station (48° 51' 07'' Nord 2° 16' 04'' Est), assortie d'une carte et d'une photo du quai. Elle précise sa date d'ouverture (8 novembre 1922) et l'histoire de l'odonyme (« rend hommage au poète français de langue d'oc Jacques Boé, dit Jasmin, né à Agen (1798-1864), surnommé le Perruquier poète, qui fut, par ses œuvres occitanes, un précurseur du félibrige »).

On y précise également que le voyageur peut, à partir de cette station, prendre une correspondance sur la ligne de bus 22.

La page en anglais reprend à peu près toutes les informations de la page française, mais sous une forme plus ramassée. La page en allemand ressemble à la page en anglais; cependant, le rédacteur a pris soin d'y ajouter une référence bibliographique (Gérard Roland, *Stations de métro. D'Abbesses à Wagram,* 2003).

Les pages en italien et en tchèque sont des reprises légèrement moins détaillées de la page en français. Quant à la page en norvégien, elle a la brévité d'un haïku.

La page en néerlandais est également très courte, mais le rédacteur a cru bon d'y insérer une gravure involontairement comique de Jacques Boé, où l'index et la coiffure du poète semblent en proie à une singulière résonance.

Enfin, la page en espagnol apparaît aussi élaborée que la page française, voire davantage puisque le rédacteur fournit (à l'instar de son confrère germanophone) une référence bibliographique (Pierre Miquel, *Petite histoire des stations de métro,* 1993). En revanche, cette version mentionne à peine Jacques Boé, et se lance plutôt dans une description architecturale détaillée de la station, depuis le type de tuiles employé jusqu'à l'éclairage, sans oublier la typographie de la signalisation.

On n'en attendait pas moins d'un compatriote de Gaudí.

DOMINIQUE – Herbe de Vénus, la verveine était utilisée afin de purifier les autels, et entrait dans la composition de nombreux philtres d'amour. D'après ce que je comprends, on donnait ce nom sans trop de distinction à toutes les plantes sacrées ou dont on soupçonnait qu'elles avaient des pouvoirs magiques.

Il devait y avoir de la verveine (ou des verveines) dans la potion que la servante d'Iseult prépara à celle-ci pour qu'elle la partage avec le roi Marc au soir de leurs noces afin que fleurisse entre eux un attachement indéfectible. On connaît la suite : c'est plutôt Tristan qui en boit avec elle, tous les deux deviennent amoureux fous l'un de l'autre, elle épouse tout de même le roi mais s'enfuit quelque temps après avec son amant. La suite est plus compliquée, et varie selon les versions. Selon certaines, le mari finit par retrouver les amoureux endormis dans une grotte où ils se sont réfugiés. L'épée de Tristan plantée entre eux lui semble une preuve de chasteté et il leur laisse la vie sauve. Le philtre cesse de faire effet après trois ans, mais Tristan et Iseult continuent de s'aimer, cette fois d'une passion « humaine ». D'autres versions veulent qu'Iseult revienne auprès de son époux et que Tristan, le cœur brisé, prenne pour femme Iseult aux blanches mains (laquelle, folle de jalousie, entraînera la mort de son mari en lui affirmant qu'Iseult la blonde (son premier amour) refuse de venir à son secours alors qu'il l'en a suppliée). Ce personnage qui fait son apparition assez tard et joue un rôle périphérique me semble curieusement le plus intéressant de la légende. On ne sait presque rien de cette épouse malheureuse, si ce n'est qu'elle porte le même nom que la première flamme de Tristan. Quels sentiments l'animent exactement? Certes, ses mains sont blanches, mais qu'en est-il de son âme, à quoi ressemble le reste de sa personne, est-elle jolie, a-t-elle un physique ingrat? Il me semble que tout ce qui précède n'est qu'une sorte de mise en contexte ou d'introduction servant à mettre la table, en quelque sorte, pour le véritable drame, celui d'une femme qui voit son mari lui en préférer une autre. Il y a dans cette fin la conclusion de la légende ou de l'épopée, qui se terminent là où commencerait le roman tel qu'on le connaît.

NICOLAS – Verveine : tisane gériatrique, insignifiante et soporifique. Je risque d'être vachement contrarié si cette année se termine sans que la moindre journée ait été consacrée à l'épouvantail.

DOMINIQUE – Découvert il y a quelques années avec bonheur : le zahtar au parfum de thym, de sésame, de sumac, de coriandre et de cumin qui, saupoudré sur un pita qu'on trempe dans l'huile d'olive, vaut tous les caris, toutes les herbes de Provence, toutes les dukkhas et tous les garams masalas de ce monde. Citron et soleil.

NICOLAS – Toujours pas d'épouvantail?

NICOLAS – La lecture de Wikipédia permet de constater qu'un certain nombre de personnages de fiction ont porté le nom de Pivoine : une petite fille dans la télésérie luxembourgeoise *Pivoine et Pissenlit,* un certain Pivoine dans le roman éponyme de Pearl Buck, un inventeur (Lucien Pivoine) joué par Fernandel dans un film de 1930, un pion facétieusement nommé Pivoine (j'ignore si le jeu de mot est volontaire) dans le film *Amours, délices et orgues* datant de 1946, et une habilleuse dans *Nathalie,* un film italo-français de 1957.

Le patronyme Pivoine est-il très répandu en Europe? Je consulte l'annuaire du téléphone de France où — stupéfaction — je ne trouve pas le moindre citoyen Pivoine. Le nom semble avoir subi un brutal déclin à travers les époques.

Sur un site de généalogie, on affirme qu'une seule personne née en France depuis 1890 aurait porté ce patronyme, ce qui le porte au « 1 199 871e rang des noms les plus portés en France ». Mazette.

Tout de même un peu sceptique, je tente de recouper l'information sur d'autres sites de généalogie. L'un d'entre eux, d'assez bonne réputation, fait état de vingt et un individus nommés Pivoine, tous effectivement nés avant 1890. Les Pivoine formaient une famille si raréfiée que son extinction n'étonne guère.

Toute cette affaire semble irréelle. L'annuaire est pourtant formel : il ne reste pas un seul Pivoine dans tout l'Hexagone.

Comment diable disparaissent les patronymes?

DOMINIQUE – Ma mère a planté derrière la maison à Saint-Antoine un massif de pivoines. Les fleurs penchent leurs grosses têtes échevelées vers le sol, leurs pétales lisses comme de la soie, d'un rose très tendre. On dirait autant de grandes marionnettes jouant les soubrettes ou faisant les chœurs de quelque comédie de fleurs. De loin, elles sont magnifiques. En s'approchant, on se rend compte qu'elles sont couvertes de minuscules têtes d'épingle noires, qui vont et viennent le long des tiges et sur les pétales de velours : des fourmis par dizaines.

CHARIOT

DOMINIQUE – Si certaines constellations sont célèbres – la Grande et la Petite Ourse, Cassiopée, Orion, le Bélier, le Capricorne et toute la ménagerie du Zodiaque –, d'autres sont plus discrètes. Qui peut se vanter de connaître la forme et l'emplacement de la Colombe, de la Licorne ou du Paon? Quelques-unes sont plus étonnantes encore, pour la plupart imaginées au dix-huitième siècle par Nicolas Louis de Lacaille, à qui l'on doit notamment le Télescope, la Boussole, le Microscope et jusqu'à la Machine pneumatique. C'est en cherchant à me renseigner sur ces dernières que je suis tombée par hasard il y a quelques années sur le calendrier révolutionnaire, qui me semblait procéder d'une même volonté de baliser et de renommer le monde, de harnacher plus grand que soi et de le réduire en le ramenant à sa portée : les étoiles, le temps qui passe. Et que m'est venue presque aussitôt cette idée de tenter de déjouer l'entreprise en peuplant le calendrier à ma manière, qui est, je m'en rends compte, sinon une façon d'immobiliser le cours des jours, du moins une tentative pour le ralentir.

NICOLAS – Quelques rares personnages de la Bible méritent l'insigne honneur de ne pas mourir dans les règles de l'art. Élie, prophète gueulard et malcommode (mais quel prophète ne l'était pas?) est légendaire entre tous car, au lieu de casser sa pipe comme un péquenot, il quitte la terre à bord d'un chariot de feu.

Tout le monde ne peut pas en dire autant.

Sauf, peut-être, Hunter S. Thompson, dont les cendres furent, selon ses dernières volontés, chargées dans un canon, au sommet d'une tour de quarante-sept mètres, et tirées (avec quelques feux d'artifice pour faire bonne mesure) dans le ciel nocturne du Colorado.

Way to go, Hunter.

Meſsidor

1ère DECADE
1 Primidi..... Seigle
2 Duodi...... Avoine
3 Tridi....... Oignon
4 Quartidi.... Véronique
5 Quintidi.... Mulet
6 Sextidi..... Romarin
7 Septidi..... Concombre
8 Octidi...... Échalotte
9 Nonidi..... Absynthe
10 Décadi..... FAUCILLE
CONSTI TUTION
CONSTITUTION DE L'AN 2

NICOLAS – Ce matin, intrigué par l'étymologie de ce nouveau mois de messidor (et pas du tout par le seigle), je suis tombé sur un livre qui jette, ma chère Dominique, une lumière nouvelle sur notre calendrier. Cela s'intitule : *Rapport fait à la Convention nationale, dans la séance du 3 du second mois de la seconde année de la République Française, au nom de la Commission chargée de la confection du Calendrier.* Rapport signé – tu t'en doutes – de la main même de Philippe-François-Nazaire, vouivoui : notre Fabre d'Églantine, député de Paris à la Convention nationale et petite fleur tristement étêtée par le cours implacable de l'histoire.

Lecture passionnante, que ce rapport, où j'ai dû plisser les yeux à quelques reprises pour m'assurer de ne capter aucune information sur les jours qui viennent. Chaque mois, vois-tu, est divisé en périodes de 10 jours nommées décades, et de ces décades procède toute la logique interne du calendrier. Ainsi, les 5, 15 et 25 de chaque mois sont consacrés à des animaux, cependant que les 10, 20 et 30 sont consacrés à des objets de l'économie agricole. Évidemment, les éléments de ces trios sont tous liés les uns aux autres.

À titre d'exemple, prenons vendémiaire, où figurent respectivement trois animaux de trait : le cheval, l'âne et le bœuf, et trois outils vinicoles : la cuve, le pressoir et le tonneau.

Je réalise soudain qu'il ne reste que neuf chances pour voir apparaître l'épouvantail : les 10, 20 et 30 messidor, 10, 20 et 30 thermidor et 10, 20 et 30 fructidor.

DOMINIQUE – L'ergotisme, aussi appelé *mal des ardents* en raison de la sensation de brûlure qu'il provoque, est causé par une intoxication à l'ergot de seigle, un champignon parasite dont l'ingestion entraîne en outre des symptômes semblables à ceux de la lèpre, des hallucinations et parfois une folie permanente. Relativement courant au Moyen Âge et jusqu'au siècle dernier, cet empoisonnement se produisait habituellement sur une assez longue période, les personnes touchées absorbant chaque jour de petites quantités de pain fait à partir de farine contaminée (qu'on appelait : *pain maudit*). Le plus souvent, quand une épidémie se déclarait (l'une d'entre elles entraîna la mort de quelque quarante mille personnes au dixième siècle), on blâmait le Malin, accusant les malades d'être ou bien adeptes de sorcellerie ou bien possédés du démon. La maladie portait également le nom de *mal de saint Antoine,* puisque l'un des remèdes consistait à faire un pèlerinage jusqu'à Saint-Antoine-l'Abbaye, où étaient conservés les restes du saint homme, entreprise habituellement salutaire dans la mesure où les pèlerins s'éloignaient ainsi de la source de l'intoxication.

Si la plupart des empoisonnements eurent lieu au dix-neuvième siècle, certains ont frappé aussi tard que dans les années 1950, entraînant des morts et des dizaines d'internements, comme si, l'espace de quelques semaines, le temps avait ouvert une brèche et que l'an mil, ses terreurs, ses gargouilles et ses sorcières, avaient cohabité avec l'électricité, la radio et la pénicilline. L'ergot de seigle existe encore aujourd'hui, évidemment (c'est de là que vient l'acide lysergique, dont on fait le LSD), et nous sommes toujours là aussi. Pour ce que j'en sais, les ossements de saint Antoine reposent encore, tranquilles, en Isère. Mille ans se sont écoulés, mais on aurait tort de croire que le passé n'est plus – « The past is never dead. It's not even past », disait Faulkner, qui savait de quoi il parlait. Il est là, tout près; nous croyons vivre dans son ombre mais c'est lui qui vit dans la nôtre.

NICOLAS – Messidor était la période des moissons, et je m'étonne que la faux ne se soit pas retrouvée en ce mois plutôt qu'en prairial. Je ne peux m'empêcher de penser à la Faucheuse qui, durant ces années troubles, sifflait à Paris sous la forme d'une lame de guillotine. Terrible récolte.

Voulant (naïvement) savoir où donc se trouvait le corps de Fabre d'Églantine, j'ai songé – et confirmé – que les guillotinés étaient enterrés dans des fosses communes. Fabre, et quelque mille cent dix-huit autres raccourcis, s'entassèrent pêle-mêle au cimetière des Errancis. Les restes furent transférés dans les catacombes au milieu du dix-neuvième siècle.

Amer messidor, que cette révolution. S'il fallait refaire tous les drapeaux tricolores du monde, je donnerais au rouge une plus grande part.

DOMINIQUE – Je n'avais jamais tellement aimé le gruau (soyons honnête, celui qu'on vend en sachet, une fois réhydraté, ressemble à de la nourriture déjà à moitié digérée, et puis on a le tournis en lisant la liste des ingrédients censés le parfumer), mais j'ai découvert il y a quelques années les *steel-cut oats,* des grains d'avoine – un gruel, des gruaux – simplement coupés et séchés. On les prépare sur le feu, en y versant de l'eau et en remuant pendant une vingtaine de minutes, avant d'y ajouter un peu de lait et de garnir de noix, de fruits secs et de sirop d'érable. Le résultat a la consistance du risotto et, pendant quelques instants, par les petits matins d'hiver, on a l'impression en se chauffant les mains sur le bol fumant de goûter un authentique porridge comme dans les romans de Dickens.

NICOLAS – On s'imagine que l'informatique est une discipline insipide et incolore. Ce que l'on connaît moins, c'est la poésie, le ludisme, l'humour de certaines sous-cultures geek.

Considérons le cas du réseau TOR, qui permet de naviguer sur le web de manière anonyme. Lorsque l'usager André Thouin (nom fictif) se branche à ce réseau, ses requêtes transitent par plusieurs ordinateurs choisis de manière aléatoire. Le premier de ces ordinateurs connaît l'adresse IP d'André Thouin; en revanche, il ne sait pas ce qu'il va consulter puisque la requête est encryptée. Les ordinateurs suivants ne peuvent ni décrypter la requête, ni retracer son origine. Seul le tout dernier ordinateur est capable de décrypter la requête et de récupérer le contenu de la page web; en revanche, il ignore l'adresse IP d'André Thouin.

Le résultat est une anonymisation par couches successives, en pelures d'oignon – et voilà ce que signifie d'ailleurs l'acronyme TOR : *The Onion Router*.

Son logo est un beau bulbe pourpre, entaillé de telle sorte que l'on puisse admirer ses diverses strates, et au sommet duquel jaillit un germe vert tendre, comme la plume de Robin des Bois.

DOMINIQUE – D'abord, que ce soit clair : on ne me prendra jamais à écrire *ognon,* sauf si je me trouvais contrainte d'utiliser un clavier dont le *o,* le *g* et le *n* fonctionnent parfaitement mais qui serait, pour des raisons mécaniques ou idéologiques, dépourvu de *i* en état de marche.

Avec ses mille et une pelures translucides, l'oignon appartient davantage au domaine de la métaphore qu'au royaume du légume. Image d'un éternel dévoilement qui en fait ne s'accomplirait jamais puisque chaque nouvelle strate en révèle une autre toute semblable, jusqu'au cœur, dont on peut dérouler sans fin les pelures si minces qu'elles collent aux doigts et semblent presque fondre à la chaleur de la peau. La dernière pelure pelée, il ne reste plus rien qu'une absence et une odeur de soufre. L'oignon, cet illusionniste.

Il est une couleur du nom de *pelure d'oignon* qui désigne non pas une nuance de brun roux, comme on pourrait s'y attendre, mais un rose violacé. Pelure d'oignon rouge, donc.

Véronique

Nicolas – Imaginer Jésus sous la forme d'un taureau qui charge : vous êtes bien sûrs que l'Espagne est catholique?

Dominique – Ce n'est ni le nom d'une fleur ni celui de cette femme qui a donné son voile à Jésus portant sa croix pour qu'il puisse s'en éponger le visage, mais celui de la cousine qui m'a recueillie lorsque, adolescente, je menaçais de m'enfuir du pensionnat. Elle habitait, au deuxième étage d'un bâtiment de briques rousses de l'avenue de Bougainville, cinq pièces aux plafonds hauts et dont les planchers de lattes blondes craquaient. Il y avait des plantes vertes devant les fenêtres, un chat qui sommeillait sur le balcon à longueur de journée, l'ombre des arbres qui dansait sur les murs, des bandes dessinées dans de vieux cageots de lait en bois et des affiches colorées dans toutes les pièces. La cuisine n'était pas des plus modernes, la salle de bain était minuscule, les radiateurs à l'eau ressemblaient à des créatures d'un autre temps, et je rêvais, quand je serais grande, d'avoir un appartement tout pareil.

Mulet

Nicolas – Logiquement, les 15 et 25 de ce mois seront consacrés à des animaux apparentés au mulet. Pourtant, le cheval et l'âne sont déjà passés, ainsi que les bêtes de trait. À quoi ressembleront les 15 et 25? Compléteront-ils une triade des hybrides génétiques? Après tout, Thouin était un taxonomiste, disciple de Linné, donc forcément intéressé par les inclassables.

Le 15 sera peut-être dédié au jumart, cet hybride fantastique du cheval et de la vache – mais pour le 25, il faudra frapper un grand coup. Ce sera le jour du thabre, un mutant entre Thouin et Fabre d'Églantine, précurseur du monstre de Frankenstein, cousu et riveté dans le plus grand secret, au fond des caves du Muséum, par le Doppelgänger de Thouin.

Dominique – S'il est habituellement stérile, c'est que le mulet compte soixante-trois chromosomes (la jument et l'âne dont il est issu en possèdent respectivement soixante-quatre et soixante-deux), ce qui rend l'appariement cellulaire quasi impossible, puisque celui-ci procède normalement par paires.

Dans un laboratoire de l'hôpital McMaster, on a déchiffré il y a quelques années un fragment d'un de mes gènes à la recherche d'une anomalie rarissime dont mes parents sont tous deux porteurs, chacun sous une forme légèrement différente. Jusqu'à tout récemment, le seul moyen de savoir si un individu sain présentait ladite mutation consistait à prélever et à analyser du liquide céphalo-rachidien, procédure plus intrusive et plus risquée que le simple test sanguin auquel j'ai dû me prêter.

Les résultats sont arrivés quelques semaines plus tard. On détaillait la séquence d'ADN en cause, formule incompréhensible : CCGCCGG. J'aurais dû, en lisant ces lettres, être saisie d'admiration devant les progrès de la science, sa toute-puissance, mais c'est une impression inverse qui m'habitait, une sorte de respect mêlé d'incompréhension face au mystère qu'est toute vie.

NICOLAS – J'ai longtemps cherché à égaler la pizza de Jos et Basile, dans la Petite Italie, et si je n'ai jamais réussi, j'ai néanmoins pétri assez de pâte à pizza dans ma vie pour pouvoir naviguer de mon propre chef. Il est au moins une chose, de la pizza de Jos et Basile, qui a cédé à la rétro-ingénierie : le romarin. Il en faut.

ROMARIN

DOMINIQUE – La légende entourant la création du vinaigre des quatre voleurs veut que les brigands aient été arrêtés pendant qu'ils détroussaient des cadavres lors d'une épidémie de peste. Quand les magistrats leur demandèrent comment il se faisait qu'ils n'aient point été touchés par la maladie, ils livrèrent le secret d'une décoction dont ils imbibaient un mouchoir qu'ils tenaient devant leur nez et leur bouche, mélange à base de vinaigre où avaient été mis à macérer différents aromates : romarin, sauge, camphre, cannelle, menthe.

Les propriétés antiseptiques du vinaigre étaient depuis longtemps reconnues et continuèrent d'être mises à profit : au seizième siècle, le cardinal Thomas Wolsey, qui devait souvent être en contact avec la foule et était apparemment féru d'hygiène, ne se déplaçait jamais sans une orange qu'il avait évidée pour la remplir de vinaigre, et dont il se servait comme d'une sorte d'éponge pour se laver les mains. Je m'égare, je sais. Je parlerai davantage du romarin (dont le nom signifie, incidemment, « rosée de mer ») quand on nous suggérera le vinaigre.

NICOLAS – Bamberg (Allemagne), juillet 2003. Saleema me donne une leçon de raïta. Ce sont les gestes de sa grand-mère qu'elle entreprend de me transmettre, et une certaine solennité flotte dans la minuscule cuisine.

CONCOMBRE

Griller le cumin dans une poêle, sans huile. Râper le concombre frais acheté sur Grüner Markt, le faire dégorger dans l'eau salée. Mesurer un bol de yaourt (gloire éternelle soit rendue aux yaourts allemands). Préparer un riz basmati aux légumes.

Égoutter et presser le concombre. De temps en temps, prendre une gorgée de sylvaner. Regarder le soleil qui descend sur le canal, par les vastes fenêtres du studio.

Réaliser que la vie est courte.

Dominique – De doctes personnages ayant décidé au dix-septième siècle qu'il était dangereux de consommer fruits et légumes crus, le concombre fut longtemps considéré avec suspicion. Si longtemps, en fait, que l'on prétend qu'il tire son nom de ce bannissement : ne convenant qu'à l'alimentation des vaches, il fut appelé *cowcumber*.

Je ne peux m'empêcher de remarquer que depuis quelques jours les questions d'alimentation me préoccupent plus encore qu'à l'habitude. Bien sûr, une herbe ou un légume évoque presque toujours pour moi d'abord une recette (pommes de terre au romarin hier; salade fattouche aujourd'hui), mais à ces considérations gastronomiques se greffe depuis quelques mois la peur constante de m'intoxiquer ou de m'empoisonner, en causant du coup un tort irréparable à la petite créature que je porte, qui n'a pas de nom encore et que nous appelons pour l'instant « l'oiseau ».

Les listes d'aliments déconseillés ou carrément prohibés aux femmes enceintes sont longues et, pour mon plus grand malheur, émaillées des mets les plus délicieux : fromages au lait cru, œufs mollets, foie gras, glaces artisanales, tartares et viandes peu cuites, charcuteries, sushis, mayonnaise maison, jus non pasteurisés. Je mange des pâtes au beurre en m'assurant que le beurre n'a pas atteint sa date de péremption, que le parmesan a bien été pasteurisé et que le poivre n'est pas un aliment susceptible d'entraîner des palpitations. Pendant ce temps, je rêve d'un sandwich rosbif saignant et fromage bleu.

Nicolas – Je me rappelle avoir déjà essuyé des engueulades sur le bon emploi des feuilles de l'échalote, dont j'utilisais apparemment trop de vert. Depuis, j'ai établi une charte secrète indiquant jusqu'où je peux hacher l'échalote, avec qui, dans quelles circonstances, et pour quels usages.

Dominique – Si quelqu'un s'avisait de dresser un palmarès des mots le plus souvent mal orthographiés sur les menus et dans les livres de recettes, l'échalote (un *t*) arriverait sans doute au tout premier rang, suivie de près par la gaufre (un *f*) et la cardamome (deux *m*, pas de *n*).

DOMINIQUE – Il suffit de lire ou d'entendre le mot pour que se présentent à l'esprit des affiches de Toulouse-Lautrec, des huiles de Degas, cette encre où l'on voit Rimbaud, voûté, l'air buté, assis à la table d'un café, qui toutes dégagent une sorte de fébrilité triste. Peut-être l'éclairage au gaz, relativement nouveau à l'époque, y est-il pour quelque chose dans le caractère particulier de ces peintures – l'acidité des teintes des vêtements, les dorures rutilantes, le blanc de craie des visages, ponctué de carmin. L'absinthe est de si près associée aux peintres, aux poètes et aux artistes de tout acabit qu'on a l'impression que, plus qu'une boisson accompagnant leurs délires, la fée verte (ou bleue, tiens, je l'ignorais) était la source même de leur inspiration.

L'histoire du célèbre breuvage est en outre émaillée de personnages illustres, dont les patronymes sont depuis devenus des noms communs : Ricard, Pernod – sans oublier ce médecin à qui l'on a pendant un temps faussement attribué la création de la liqueur et qui avait pour nom : Pierre Ordinaire.

NICOLAS – SOIFS IMPROBABLES (7)

Lors de mon premier séjour à Barcelone, encore sur les traces d'Hemingway, j'ai fait des pieds et des mains pour me procurer de l'absinthe. Aucune boutique n'en vendait. Quand j'en ai finalement déniché, le commis a dû pêcher la bouteille sur une très haute tablette, à l'aide d'une pince télescopique.

C'était une bouteille d'absenta Montaña, titrant 55 degrés, dont l'étiquette ressemblait à celle d'une banale bouteille de Ricard. D'ailleurs, la saveur était à l'avenant. Moi qui n'aime l'anis que très modérément, j'étais déçu. J'imaginais quelque chose de plus exotique.

À force d'y goûter, cependant, j'ai réalisé que la saveur de l'absinthe était plus complexe que celle du pastis – et j'ai finalement bu ma bouteille au courant de l'hiver, marinant dans la baignoire, dans une ville frontalière du nord du Nouveau Brunswick.

NICOLAS – Double exotisme : découvrir à Lima les bureaux d'Aeroflot.

DOMINIQUE – Quand j'étais enfant, les cartes géographiques montraient, à l'est de l'Europe, une immensité le plus souvent coloriée en rose (pourquoi diable en rose?) que recouvraient les lettres *U.R.S.S.* Alors que les autres pays avaient des noms, celui-ci était plutôt désigné par une sorte de formule dont les termes m'étaient presque tous également mystérieux. Je comprenais *grosso modo* ce que signifiait : *Union*, mais les mots *républiques, socialistes* et *soviétiques* renvoyaient à des concepts politiques plutôt flous. Les deux derniers, de même longueur et possédant en outre une initiale commune, devaient être synonymes. De ces républiques mystérieuses, nous ne savions rien sinon qu'il s'agissait de pays de neige où la nourriture était rare. Les gens disait-on faisaient la file pendant des heures devant des magasins aux tablettes vides pour se procurer des pattes de poulet dont ils faisaient de la soupe. Ils s'entassaient dans des logements mal chauffés et s'enveloppaient dans des châles pour se protéger du froid. Et pourtant, si pauvres, ils présentaient tout de même un danger, puisque l'U.R.S.S. possédait la bombe atomique et menaçait de s'en servir contre nous.

Nous n'avons pas vécu ici l'hystérie qui présida, aux États-Unis, à ces exercices où l'on apprenait aux écoliers à pratiquer le *duck and cover,* c'est-à-dire à se précipiter sous leur pupitre et à y rester, dans la position de l'œuf, les mains sur le crâne, jusqu'à la fin de l'alerte, mais je me souviens d'avoir songé que mes parents étaient d'une monstrueuse imprévoyance car ils refusaient d'aménager, dans la cour, un abri antiatomique équipé d'une génératrice et de provisions pour des semaines, où nous aurions trouvé refuge en cas d'attaque. J'ai grandi à une époque où l'on croyait savoir d'où viendrait le danger, et comment s'en prémunir.

LIBERTÉ
IIE DECADE
11 Primidi..... Coriandre
12 Duodi...... Artichaut
13 Tridi....... Giroflée
14 Quartidi.... Lavande
15 Quintidi.... CHAMOIS
16 Sextidi..... Tabac
17 Septidi..... Groseille
18 Octidi...... Orge
19 Nonidi...... Cerise
20 DÉCADI..... PARC
WESTERMANN
RF
WESTERMANN EN VENDÉE

NICOLAS – Je me rappelle un lointain après-midi, en République dominicaine, où nous coupions le gazon du Club social. L'opération se faisait en groupe, à la machette. Les Dominicains font tout à la machette : tondre le gazon, hacher la chayotte, abattre des arbres, ouvrir des noix de coco et tailler de la tôle galvanisée. Cet instrument manque, dans notre calendrier.

Bref, nous taillions le gazon, tout le monde en ligne, lorsqu'une odeur intense commença à monter autour de nous. Je humais l'air, tentant d'identifier ce parfum puissant. Il était terriblement familier, mais difficile à identifier car totalement hors contexte.

Je me tapai finalement le front : ce gazon était complètement infesté de coriandre – la même coriandre que nous retrouvions dans nos fèves, deux repas sur trois! Je reniflai la lame de la machette, imbibée de jus de coriandre. Il n'y manquait qu'un peu de lime et une tranche d'avocat.

DOMINIQUE – Surprise ce soir en essayant de m'imaginer la ménagère française du dix-huitième siècle qui, disposant un dimanche sa poule au pot dans une assiette de service, entreprend de la garnir non pas d'une tige de persil, de quelques brins de romarin ou de deux ou trois feuilles de sauge, mais de coriandre, qui est pour moi une herbe exotique, associée aux parfums de l'Orient – je crois bien qu'avant de quitter Québec, je n'en avais jamais goûté que dans les restaurants indiens et thaïlandais.

Nigella Lawson a saisi la quintessence de la coriandre quand, en portant un bouquet à ses narines, elle s'est exclamée à la caméra, yeux mi-clos, en proie à une sorte d'extase : « It's like a drug it's so strong. »

NICOLAS – Qui donc a décidé que l'artichaut, et plus exactement la consommation adéquate d'icelui, était l'unité de mesure du savoir-faire mondain?

DOMINIQUE – Il semblerait que le légume est en fait une sorte de chardon, ce qui explique les épines qu'il porte à la pointe de ses feuilles et que l'on doit impérativement tailler sous peine de voir ses convives se charcuter les doigts en essayant de manger leur entrée.

Si je n'avais pas déjà amplement vanté les mérites de mes divers restaurants favoris, je vous parlerais des cœurs d'artichaut grillés de chez Da Emma, qui sont un pur délice – tendres, fondants, mais offrant tout de même quelque résistance à la dent, contrairement à ces choses gris-vert qu'on vend dans des bocaux, noyées dans le vinaigre et les épices. Il faut les commander à plusieurs, avec un assortiment d'antipasti : gambas au vin blanc, à l'ail et à la tomate, prosciutto et melon, roquette au parmesan, burrata. Ça n'est pas donné, mais ça évite d'avoir à prendre l'avion pour Rome.

GIROFLE

NICOLAS – Je l'avoue : les oranges de Noël farcies de clous de girofle me font furieusement penser à ce personnage de *Hellraiser,* le cénobite au visage hérissé d'épingles que, durant des années, j'ai croisé dans les allées des clubs vidéo. Je n'ai jamais vu *Hellraiser*. Je déteste le clou de girofle – sauf dans le Glühwein, peut-être.

DOMINIQUE – J'ai trouvé ce matin un compagnon à mon capitaine Frézier : Pierre Poivre, intendant de l'île de France (l'île Maurice d'aujourd'hui), qui au milieu du dix-huitième siècle fut le premier à transplanter des girofliers sur ce territoire, puis sur le continent européen.

Il y avait des années que je n'avais plus pensé à ces « cigarettes indiennes » dont le tabac était enveloppé de papier de couleur et que nous achetions, adolescents, à la boutique du Concorde pour aller les fumer sur les plaines d'Abraham dans la nuit bleue, devant le fleuve. Sur l'autre rive, constellation familière, les lumières de la raffinerie de Lévis brûlaient comme les flambeaux de quelque forteresse de fantasmagorie, le girofle sentait le froid et la toute nouvelle liberté de nos seize ans.

LAVANDE

DOMINIQUE – L'une des seules choses que je me souviens d'avoir rapportées de mon premier voyage en France (je devais avoir douze ans), c'est un sachet de lavande acheté à Carcassonne. Pendant des années, l'odeur savonneuse de la lavande m'a rappelé les murailles blanchies par le soleil, le chant des cigales, la petite place endormie où nous avions déjeuné dehors d'un sandwich jambon-beurre. C'était au plus fort de l'été, j'avais l'impression d'être arrivée par hasard au Moyen Âge et j'aurais bien voulu ne plus jamais en revenir.

***

Bientôt minuit, la lune presque pleine brille comme un œil.

Nicolas – Je suis allergique à ces publicités touristiques où l'on cherche à vendre les Cantons-de-l'Est en utilisant des champs de lavande. Combien de gens voyagent ou achètent des propriétés en Estrie tout en faisant d'énormes efforts mentaux afin de s'imaginer dans le Midi de la France?

Nicolas – Adolescent, j'étais trop pauvre pour me procurer l'équipement de vélo que je voulais. Je roulais sur un dix-vitesses tchécoslovaque acheté pour quarante dollars chez Belzile. Je rêvais d'être bien équipé – et lorsqu'on n'a pas un sou, à quoi rêver sinon à ce qu'il y a de mieux? Je fantasmais donc sur des cuissards avec du vrai de vrai chamois véritable.

Et pendant que je rêvais à ces vêtements de luxe, à ces cadres Marinoni, à ces casques aérodynamiques, à ces verres fumés profilés, j'accumulais des centaines de kilomètres sur les plus belles routes du monde.

Aujourd'hui, je pourrais mieux m'équiper, mais ça n'a plus d'importance. C'est désormais la route 132 qui me manque.

Dominique – Connais-tu, Nicolas, cette publicité débile qui passe tard le soir (lire : au milieu de la nuit) à la télé, et où l'on voit un homme blond, bronzé, maigre et fébrile, un casque d'écoute sur la tête, vanter, démonstration à l'appui, les vertus du Sham-Wow?

C'est, bien sûr, une façon détournée de te demander si tu connais l'insomnie et, le cas échéant, si tu la traites à grands coups de romans russes ou bien en essayant de t'abrutir devant des reprises de vieilles séries américaines. Pendant des années, Fred et moi gardions exprès des épisodes de *Frontline* sur le TiVo, parce que la voix de l'animateur nous faisait l'effet d'un somnifère extrêmement efficace. Le TiVo n'est plus (paix à son âme), et je suis désormais condamnée à regarder des cuisiniers suant à grosses gouttes s'affronter dans le Kitchen Stadium. Je suis incapable de lire la nuit, et toi? J'ai un temps cru que c'était parce que je n'avais pas la concentration nécessaire, mais je sais maintenant que c'est presque le contraire, je suis alors trop impressionnable; on dirait que la frontière qui sépare habituellement la page imprimée du monde réel devient poreuse, j'ai peur de me noyer.

Tabac

Dominique – Il me faudrait un roman au complet, celui de mes premières escapades, de mes premières clopes et de mes premières brosses avec Nadia et Jean-François. Je revois des visages, certains disparus, d'autres retrouvés presque identiques après des années : Annick, Christine, Denis, Yannick (se peut-il vraiment qu'il soit mort?), Geneviève, Colin. Nous passions des soirées entières dans un bar minuscule, à l'intérieur des murs, où jouaient, il me semble, toujours les mêmes chansons des Doors. Les barmans verrouillaient la porte et fermaient les volets à trois heures, mais nous restions là jusqu'au lever du soleil, à boire des kamikazes et du scotch. En sortant, je découvrais le matin, éblouie, comme si c'était le premier jour. Dans les lueurs de l'aube, Québec était déserte, ses rues étroites, ses vieilles maisons et ses pavés. Nous allions marcher sur les Plaines dans l'herbe humide ou bien nous nous asseyions sur les remparts comme si nous attendions quelque chose mais, en vérité, nous ne faisions que regarder couler le fleuve avec une infinie lenteur alors que le sang battait à nos tempes.

J'ai essayé d'arrêter de fumer plusieurs fois, cinq, sept, peut-être, en vain. Je blâmais l'accoutumance, mon manque de volonté, j'invoquais ma thèse à finir, un roman à écrire. C'est la dernière fois, il y a six ans, que j'ai compris que si j'étais incapable d'abandonner la cigarette, c'est que j'étais incapable de laisser cette partie de ma vie à laquelle si peu de choses me rattachaient encore et à quoi il me fallait trouver un moyen de renoncer sans me perdre.

Nicolas – Je crois avoir aimé les aventures de Tintin non à cause des aventures, et encore moins à cause de Tintin, mais plutôt pour des détails anodins – par exemple, lorsque le capitaine Haddock, dans *L'étoile mystérieuse,* tenant la barre pendant une tempête déchaînée, le navire à quinze degrés de gîte, parle d'un « simple coup de tabac ».

Groseille

Nicolas – Parmi les fruits légendaires de mon enfance, il faut ménager une place spéciale à la gadelle à poils (*Ribes glandulosum*) qui croissait sur les digues de roches, entre les crânes de vaches, et dont l'odeur rappelait furieusement celle de la moufette.

Dominique – Il me semble que je n'ai jamais entendu ce mot sans celui de *maquereau,* et pourtant, avant d'aller vérifier, j'ignore absolument ce qu'est la groseille à maquereau. Il appert que si on lui a donné ce nom, ce n'est pas parce que les maquereaux en sont friands, mais parce qu'elle était largement utilisée, dans les pays nordiques, pour la confection d'une sauce aigre-douce convenant particulièrement bien à ce poisson.

***

Il existe une sorte de groseille blanche qui est en fait d'un rose si délicat qu'on la dirait couverte d'une membrane translucide éclairée de l'intérieur par une lueur couleur chair, à la manière d'une minuscule et vivante lanterne chinoise.

GESSE

DOMINIQUE – Pendant un instant, après avoir tapé *gesse* dans Google, je m'étonne de découvrir qu'il s'agit d'un oiseau de bonne taille semblable à l'outarde, jusqu'à ce que je me rende compte que l'on me présente des images que les gens ont voulu identifier « geese » mais dont la description comporte une coquille.

Reçu récemment en cadeau, le *Dictionnaire de l'argot des typographes,* où l'on apprend, entre autres choses, la différence entre les sentinelles et les sonnettes (celles-ci désignant des lettres ou des mots « mal justifiés qui tombent d'une forme qu'on lève de dessus le marbre », tandis que celles-là servent spécifiquement à nommer les lettres tombées d'une forme et qui restent debout sur ledit marbre). On y découvre aussi le sens de la colorée expression *étouffer un perroquet,* qui ne correspond pas à une quelconque torture de volatile, comme on pourrait le croire, mais signifie plutôt « aller boire un verre d'absinthe ». (Voir *supra* : *Absinthe*.)

NICOLAS – En faisant des recherches sur les *gachas manchegas,* ces purées espagnoles préparées avec de la farine de gesse, j'ai découvert l'expression *étouffe-chrétien,* qui désigne un plat excessivement bourratif. Dans son *Glossaire du Centre de la France,* Hippolyte François Jaubert précise : « Pâtisserie indigeste, galette épaisse et lourde. »

Il va sans dire que l'étouffe-chrétien se sert très chaud, avec une bonne rasade de ce mauvais vin que l'on appelle *chasse-cousin.*

CERISE

NICOLAS – Je mangeais des griottes, à l'été de mes sept ans, juché tout en haut du cerisier, lorsqu'une idée me frappa brusquement, dont je devais absolument faire part à quelqu'un – un peu à l'image de ce personnage, dans *The Hitchhiker's Guide to the Galaxy,* qui comprend soudain le sens de la vie, de l'univers et de tout le reste.

Je *devais* partager ma découverte, mais avec qui?

Ma mère. Elle était dans la maison.

Du cerisier, je sautai sur le toit de la remise puis dans le gazon, je sprintai à travers la cour, je montai l'escalier de la galerie quatre à quatre et j'ouvris la porte arrière qui, lorsque je passai le seuil, pour des raisons qui demeurent mystérieuses trente ans plus tard, se referma sur mon majeur droit.

Il y eut un éclair de douleur – dix mille flash cubes qui auraient grillé en même temps.

Sans même ralentir ma course, je me précipitai vers la chambre de ma mère en serrant mon doigt avec la main gauche (plus tard, un examen attentif des murs du corridor permettrait de dénombrer des dizaines de minuscules gouttelettes de sang sur tout mon trajet, comme si j'avais baptisé les murs au goupillon).

Le reste a été évacué de ma mémoire – y compris l'épisode où un chirurgien rafistola mon doigt à la va-vite avec une greffe de peau prélevée sur le tranchant de la main.

Ma main resta enrubannée un bout de l'été. Depuis, il me manque un centimètre au majeur droit, et mon ongle accuse une courbure peu naturelle.

Je ressens encore une grande tristesse, néanmoins, car jamais je n'ai pu me rappeler cet éclair de génie qui m'a frappé, au faîte du cerisier.

DOMINIQUE – À propos de la soupe aux cerises à l'allemande, Alexandre Dumas n'y va pas par quatre chemins : « Nous ne citons que pour mémoire ce détestable plat de cerises écrasées et de noyaux pilés; le tout férocement épicé, noyé de vin et servi froid. »

Pourtant, en lisant les recettes, je ne peux m'empêcher de trouver que ça a l'air délicieux :

1 kilo de cerises

1 litre de vin rosé doux ou de vin rouge

½ verre d'eau

½ bâton de cannelle

3 clous de girofle

1 graine de cardamome

½ citron

2 cuillerées à soupe de farine

sucre (au goût)

1 petit verre de kirsch

Dénoyauter les cerises, et faire mijoter les noyaux avec les épices pendant une demi-heure. Passer le liquide, ajouter les cerises, mijoter encore 20 minutes. Servir glacé.

NICOLAS – Coïncidence : ce mot apparaît dans ma boîte de courrier alors que je m'apprête à partir pour le parc de la Mauricie, où je ferai avec mon pote Hugo une grande tournée de l'arrière-pays, parmi les moraines et les plages glaciaires.

Thouin pensait sans doute à un tout autre genre de parc, plus civilisé, plus urbain. Je pense pourtant qu'il n'aurait pas détesté les grandes pinèdes du lac Wapizagonke et les bassins de nymphéas de l'Anticagamac. Il aurait apprécié la fine organisation des barrages de castors, la logique des brûlis, le faux chaos des talus d'éboulis et des affleurements rocheux.

Mais pour visiter ce genre de parc, il ne suffit pas de débarquer à la gare d'Austerlitz et de payer les droits d'entrée. Le citoyen Thouin aurait dû faire comme tout le monde : portager sa juste part. Égalité, fraternité et liberté, c'est aussi le credo du canoteur.

DOMINIQUE – Y a-t-il un seul Montréalais qui, à l'évocation de ce mot, ne voit pas immédiatement se dessiner la silhouette familière du mont Royal?

Débarquée depuis Cap-Rouge en plein Shaughnessy Village, au cœur du centre-ville de Montréal, j'ai mis des années à m'adapter à la ville. Les premières semaines, mon regard ne cessait de buter sur les façades, les murs, les palissades. Je ne m'étais jamais rendu compte qu'à Québec on voit l'horizon et le fleuve de presque partout. L'Université Laval, où je faisais mon bac, a été construite au beau milieu d'un champ (l'hiver, dans les bourrasques, on dirait une gigantesque station polaire abandonnée), alors que McGill, où je m'étais inscrite à la maîtrise, est nichée au cœur de la ville, tout au pied de la montagne; des salles de cours du Peterson Hall, rue McTavish (sorte de village gaulois à l'époque réservé au Département de langue et littérature françaises), on voyait les lumières des gratte-ciel, on entendait les klaxons des taxis et les sirènes des ambulances. Je n'étais qu'à trois heures de route, mais j'étais dans un autre monde.

J'ai commencé à me sentir ici chez moi quand nous avons déménagé presque sur le mont Royal, à la base de l'une de ces rues en pente qui mènent à la forêt que j'arpentais tous les jours avec le chien, jusqu'à en connaître les moindres détails, chaque arbre et chaque oiseau du chemin familier. Et puis un jour, en rentrant en voiture de Québec, remontant l'avenue du Mont-Royal vers la montagne, en regardant la forme massive couverte d'arbres, j'ai songé, presque avec étonnement : on arrive à la maison.

Qu'imaginaient-ils, nos révolutionnaires, quand ils pensaient à un parc? Les anciennes forêts réservées à la chasse du roi et de sa cour? Un jardin à la française, avec ses allées de sable, ses massifs de conifères soigneusement taillés, ses plates-bandes bien nettes? Ou bien un jardin à l'anglaise, sentiers sinueux, étangs romantiques et buissons échevelés? Pensaient-ils aux Tuileries, au jardin du Luxembourg? Qui peut le savoir, quelque deux cent vingt ans plus tard, autrement qu'en décidant d'en faire un roman...

IIIe DECADE
21 Primidi..... *Menthe*
22 Duodi...... *Cumin*
23 Tridi....... *Haricots*
24 Quartidi.... *Orcanête*
25 Quintidi.... PINTADE
26 Sextidi..... *Sauge*
27 Septidi..... *Ail*
28 Octidi...... *Vesce*
29 Nonidi ..... *Blé*
30 DÉCADI..... CHALÉMIE
Marat.
MORT DE MARAT

Menthe

DOMINIQUE – Si le *g* au bout du coing te gênait, Nicolas, qu'en est-il du *h* presque à la fin de *menthe*?

Ces lettres dont on ne sait trop pourquoi elles sont là me font l'effet d'un morceau blanc qui affleure à peine à la surface du sable. En grattant et en creusant, on ne sait jamais sur quoi on va tomber : conque brisée, bout de plastique, crâne de mouette ou squelette de mammouth. Ils sont en tout cas le signe qu'il se passe quelque chose, ou s'est passé quelque chose *là*. Ils sont le X sur la carte.

(Dans le cas de la menthe, le *h* vient de Minthé, nymphe grecque changée en plante par une épouse jalouse ou – pire – par une belle-mère mécontente des attentions que lui réservait Hadès.)

NICOLAS – La menthe du vieux couple portugais du coin s'est échappée du jardin, elle a traversé deux clôtures, s'est retrouvée dans la ruelle où elle prospère, glorieuse et insoumise, sans Dieu ni maître. De temps en temps, je traverse la ruelle avec ma paire de ciseaux et je prélève une branche ou deux.

Le mojito est toujours meilleur lorsque la menthe marronne.

Cumin

NICOLAS –

> *Comminée de poulaille*
>
> Mettez-la par morceaulx cuire en l'eaue et un petit de vin, puis la frisiez en sain puis prenez un petit de pain, trempez en vostre boullon, et primo prenez du gingembre et du commin, deffait de vertjus, broyez et coulez et mettez tout ensemble avec du boullon de char ou de poulaille, et puis lui donnez couleur ou de saffran ou d'œufs ou des moyeux coulés par l'estamine et filés ou potage après ce qu'il sera trait hors du feu. Item, le meilleur est de le faire de lait tel comme dit est, puis broyer vostre pain après vos espices, mais il convient que le lait soit premièrement bouly afin qu'il ne s'aourse; et après ce que le potage sera tout fait, le lait soit mis dedans vin (Il me semble qu'il n'y sert de rien) et la frisiez. Plusieurs ne la frisent point, jàsoit-ce que c'est le plus friant.
>
> *Ménagier de Paris*, c. 1394

Dominique – Après le girofle et la coriandre, nous poursuivons dans la veine exotique. Je trouve nos révolutionnaires bien aventuriers. Mais il est vrai que jusqu'au dix-neuvième siècle les cuisiniers français étaient friands d'épices, et que la plupart des recettes réclamaient, notamment, de la muscade, de façon aussi coutumière qu'aujourd'hui elles recommandent le sel et le poivre. Si on les recevait à souper, ils trouveraient sans doute nos assaisonnements horriblement fades, et quelque chose me dit que si Thouin mangerait poliment ce qu'on pose devant lui, Fabre d'Églantine n'hésiterait pas à se plaindre et à réclamer quelque oie rôtie ou un chapon farci. Quelle drôle de tablée ce serait. S'attendraient-ils, comme je suis la seule femme, à ce que je fasse le service? Discuterions-nous république, liberté, astronomie, ou bien plutôt aromates et cucurbitacées?

À cette question qu'on pose parfois (pourquoi, grands dieux?) aux comédiens ou aux écrivains : si vous pouviez inviter qui vous voulez à dîner, qui seraient vos convives? et à laquelle les gens se sentent apparemment obligés de répondre : Gandhi, Cléopâtre, Socrate ou Jean-Paul Sartre, j'ai maintenant ma réponse toute prête : Fabre d'Églantine, André Thouin et Nicolas Dickner.

Nicolas – Si, dans ce cimetière, le visiteur prend l'allée 34 à droite et marche jusqu'au bout, il se retrouve dans la section où reposent les mèmes et légendes urbaines des années 1950. On y avance parmi les pierres moussues, parfois renversées, sous lesquelles reposent les lunettes à rayons X, le monstre du Loch Ness, l'âge du capitaine, les auto-stoppeuses fantômes, pour arriver enfin à un mausolée noirâtre, couvert de lichen. Il faut frotter pour voir le nom gravé dans le fronton de granit : *Mexican Jumping Beans*.

Parfois – mais rarement –, lorsque le soleil est au zénith, le mausolée vibre un peu.

Dominique – Il serait plus drôle d'écosser les haricots si l'on ne savait pas avant de débuter ce qui se cache sous les renflements de la cosse : un pois, un caillou blanc, deux pois, un coquillage, une boule de gomme, une agate, un pois, un têtard, deux cacahuètes, une bille, un pois, une perle, un pois, un pois, un pois, une dent de lait, un bouton de nacre, une coccinelle, un jujube, une gomme à effacer, deux pois, une pastille pour la toux, un macaroni, un pois chiche, un pois, un œuf d'oiseau-mouche, une boule à mite, un grain de café. Et la soupe aux pois serait autrement plus intéressante.

NICOLAS – À force de produire des bruits de modem, les épaulards ont développé leur propre Internet. Chaque animal est son propre serveur, relayant des données grâce à un protocole réservé aux odontocètes. Ils possèdent leur propre Wikipédia, leur propre Facebook, leur propre Reddit bourré d'images radars de thons en 8 bits, de blagues sur Greenpeace et de commentaires douteux.

DOMINIQUE – Partout on dit qu'il s'agit d'un deuxième nom de la buglosse. Nous voici donc devant un autre de ces doublons qui te hérissent tellement, Nicolas, et moi aussi, quoiqu'ils m'amusent en même temps, comme s'ils avaient pour mission de redonner à notre entreprise la légèreté qui doit être la sienne. Se mêler de vouloir marquer le cours des jours qui passent, voyez-vous ça, ma petite dame.

Le *Littré* évoque, apparemment sans trop y croire, une étymologie arménienne, *orak,* couleur, puisque la racine de la plante en question sert de pigment pour la teinture rouge. J'ai bien davantage l'impression d'un instrument de musique complexe, peut-être cordes et vent, tombé en désuétude quand plus personne n'a voulu se donner le mal d'apprendre à en jouer.

NICOLAS – Je crois avoir évoqué la pintade, il y a quelques mois, parmi les volatiles que mon père a possédés. Je ne crois pas avoir dit, cependant, qu'il s'agissait du vertébré le plus stupide, le plus farouche et le plus criard de notre basse-cour, à côté duquel la moindre poule pondeuse avait l'air d'Isaac Newton au cube.

Je me suis demandé récemment ce qu'il était advenu de ces volatiles. Je ne me souvenais pas que nous les ayons mangées (le sort habituel des représentants du règne aviaire, chez nous). Joint par téléphone, mon père m'a appris le tragique destin des pintades. Ces bestioles décidément trop bruyantes avaient été exilées au fond de la pinède, dans une cabane dont la porte fermait mal. Elles s'étaient barrées dès la première nuit, sans doute très contentes d'elles-mêmes.

Mon père n'a pas précisé avoir retrouvé les plumes éparpillées entre les pins. Ça allait de soi.

DOMINIQUE – Parmi les *Lettres édifiantes et curieuses* écrites par des jésuites depuis la Nouvelle-France et d'autres colonies américaines au début du dix-huitième siècle, il en est une qui – à défaut de m'édifier – m'a particulièrement réjouie. Ce petit bijou rédigé par le père Margat en 1730 à Saint-Domingue a pour objet la pintade, fascinant volatile grâce auquel, en véritable virtuose de la rhétorique, le bon père se livre à une sorte de tour de force argumentatif.

Le prétexte en est une dissertation qu'a consacrée à l'oiseau un certain Mgr Fontanini (archevêque titulaire d'Ancyre), texte dont Margat se promet, avec un rien de perfidie, de révéler les failles : « Les savans sont sujets à se tromper comme les autres; c'est un apanage de l'humanité, et ce que j'ai à dire ne peut rien diminuer de l'estime que l'on fait avec tant de justice d'un mérite aussi solidement établi dont l'est celui du savant prélat dont je réfute le sentiment. Mon dessein est de faire voir dans cette courte dissertation, que M. Fontanini n'est pas suffisamment fondé à chercher une différence spécifique entre la pintade et la meleagride. »

Pintade et méléagride forment-elles une seule et même espèce, ou convient-il de les distinguer? Grave question. Convoquant Varron, Suétone, Columelle, Pline et Scaliger, Margat livre un aperçu des descriptions respectives qu'ils ont livrées de l'oiseau, insistant particulièrement sur celle de Varron : *Gallinae sunt alie, grandes, variae, gibberae, quas melagrides appelant Graeci. Hae novissime in triclinium gallearium introierunt e culina propter fastidium hominum : veneunt, propter penuriam, magno.* Suit une discussion sur un point ajouté dans le texte latin par un commentateur, et qui a pour conséquence d'en changer le sens : « Mais outre que cette ponctuation est uniquement de l'invention de Scaliger, et qu'on n'en trouve aucun vestige dans les différens exemplaires, c'est qu'elle feroit tomber Varron dans une contradiction palpable, en ce qu'après avoir posé pour principe qu'il n'y a que trois espèces de poules, il en ajouteroit là même une quatrième. » Revenant au texte source, Margat assène, avec le même éclat qu'Archimède prononçant son Eurêka : « En premier lieu, *gallinae sunt* », ce qui fait presque l'effet d'une grandiloquente devise méritant d'être gravée sur quelque blason emplumé.

Le docte jésuite entreprend ensuite de compléter le portrait de la bête par ses propres observations : « Elle a le cou assez court, fort mince, et légèrement couvert de duvet. Sa tête est singulière : elle n'est point couverte de plumes, mais revêtue d'une peau spongieuse, rude et ridée, dont la couleur est d'un blanc bleuâtre. Le sommet est orné d'une petite crête en figure de corne, de la hauteur de cinq à six lignes : c'est une substance cartilagineuse. Gesner, à ce qu'on rapporte, la compare au *corno* du bonnet ducal, que porte le doge de Venise. Il y a pourtant de la différence, en ce que le *corno* du bonnet ducal est incliné sur le devant, comme la corne de la licorne : au lieu que la corne de la pintade est un peu inclinée en arrière comme celle du rhinocéros. »

Stupéfiante pintade, qui exige, pour être convenablement décrite, qu'on recoure au doge de Venise, au rhinocéros et à la licorne.

Sauge

Nicolas – Il est drôle de songer que la plante sacrée de maintes nations amérindiennes se retrouve dans de vulgaires petits pots, dans les tiroirs de nos cuisines.

Dominique – Encore une herbe dont les infusions sont interdites aux femmes enceintes, et peut-être même la simple consommation, puisqu'il s'agit d'une plante abortive.

Senti le bébé hier pour la toute première fois, quelque chose comme une petite bulle, un poisson qui se retourne d'un coup dans l'eau, mais l'eau, c'est moi. Couchée, je commence à ressembler à cette illustration du *Petit prince* où l'on voit un boa qui a avalé un éléphant.

Ail

Nicolas – L'un des tout premiers courriels que mon frère m'a adressés comporte les instructions détaillées pour faire cuire l'ail au four selon la tradition italienne.

Ce message date de novembre 1996. À l'époque, c'était encore la manière moderne de communiquer. Quelle ivresse, de pouvoir envoyer une recette d'ail au four de Montréal à Québec en deux secondes et quelques centièmes. Le futur était maintenant – et il était rapide.

Voilà seize ans que j'ai collé ce message dans mon livre de recettes, seize ans que je me jure de bientôt préparer de l'ail au four.

Dominique – J'ai repris goût au thé, mais je suis toujours incapable de manger de l'ail, et même d'en supporter l'odeur depuis maintenant bientôt quatre mois, comme les légumes verts – brocoli, rapini, chou kale – me donnent le frisson.

Reste que c'est un des plus jolis pluriels de la langue française : un ail, des aulx.

Vesce

Nicolas – J'ai longtemps cru, tout bêtement, que la vesce jargeau faisait ce qu'elle voulait, qu'elle s'enroulait au gré des circonstances et en vertu d'un sens de l'autodétermination qui ne faisait d'ailleurs aucun doute chez aucune plante grimpante. Or, aujourd'hui j'ai appris que les vrilles de la vesce sont dextrogyres. Elles virent à droite. C'est inscrit dans leur ADN. C'est d'ailleurs le sens de ce sigle : Auto-Détermination Nulle.

Dominique – J'ai retrouvé les oiseaux de mon enfance, cette plante mauve à minuscules pochettes qui poussait d'abondance dans les fossés, au milieu des marguerites et des plants de chicorée : c'est la vesce cracca, aussi appelée *pois à crapaud,* puisqu'elle fait partie de la grande famille des fèves. Je lis qu'elle est toxique pour les non-ruminants, pourtant je crois me rappeler son goût, une saveur sucrée, avec une pointe acidulée, qui rappelle le parfum des bonbons à la violette. Peut-être n'y ai-je jamais goûté, au fond, et c'est la profonde couleur mauve qui appelle ce faux souvenir.

Petite, je ne comprenais pas que les adultes se rappellent si mal leur enfance; sans doute, il devait entrer une part de mauvaise foi dans leur amnésie. Pour me prouver que je saurais faire résister mes souvenirs au passage du temps, je me suis répété pendant des années avant de m'endormir la liste des fillettes qui partageaient ma chambrée au camp du lac Saint-Joseph où j'avais passé quelques semaines à l'âge de sept ans. Et puis l'exercice a commencé de m'ennuyer, je pensais en me couchant à la journée du lendemain et ne repassais plus la liste de noms qu'un jour sur deux, puis une fois la semaine. J'ai fini par laisser tomber. Aujourd'hui, je ne me rappelle qu'un visage et un nom, Emmanuelle, une petite fille blonde qui avait partagé avec moi un sac de bonbons lors d'une excursion en canot-camping. Les autres ont disparu et il ne me reste de ces semaines que des flashes épars dont je ne sais pas trop si ce sont de vrais souvenirs ou des images aperçues par la suite sur des photos.

Mais je me rappelle nettement les délicats oiseaux mauves dont j'écartais les tiges pour cueillir les escargots.

Blé

Dominique – La culture du blé, qui est à la base de notre alimentation, ne remonte qu'à huit mille ans avant Jésus-Christ. L'introduction de cette céréale en Amérique du Sud ne date quant à elle que du seizième siècle – autant dire hier. On a du mal à s'imaginer l'immensité des prairies canadiennes recouverte d'autre chose que d'épis blonds se balançant dans le vent, véritable mer de paille à perte de vue, pourtant, il y a cinq cents ans à peine, c'est une infinie variété de graminées qui poussaient là, dont la majorité sont disparues.

On entend beaucoup parler ces dernières années de maladie œiliaque et d'intolérance au gluten, dont il semblerait qu'elles affectent une part de plus en plus importante de la population. Sans sombrer dans les folies de l'alimentation « paléo » (en fait, je pense que je suis immunisée par le simple fait que je suis une femme; ce sont les hommes, de préférence à gros bras, qui se nourrissent ainsi exclusivement de feuilles de laitue et de viande rouge), on ne peut s'empêcher de réfléchir au fait qu'une plante qui ne partage notre existence que depuis peu de temps (à l'échelle de l'évolution, s'entend) est maintenant à ce point omniprésente. Il est possible, sans doute, que notre système digestif n'ait pas eu le temps de s'y adapter convenablement, comme à cette habitude relativement récente qui consiste à boire du lait de vache – vingt-cinq pour cent de la population occidentale adulte serait dépourvue de la protéine nécessaire à sa digestion et donc intolérante au lactose.

Exit le blé et le lait, que faudrait-il manger, alors? On raconte que Mark Zuckerberg, le richissime patron de Facebook, a résolu, plutôt que de devenir végétarien, de ne consommer que la viande provenant d'animaux qu'il a lui-même abattus. Voilà que je nous imagine partir, le dimanche matin, arc et carquois sur le dos, à l'assaut du mont Royal...

Nicolas – Voici donc le blé, culture mythique entre toutes, relégué à une date insignifiante. Je ne m'explique pas que Fabre d'Églantine ait raté une telle occasion de grandiloquence structurelle... Soit le blé était, à l'époque du calendrier, d'une importance toute relative par rapport à d'autres cultures – ce dont je doute –, soit son association profonde avec la liturgie catholique en faisait une icône dont il fallait atténuer l'importance.

Sans doute est-il temps que cette année prenne fin, Dominique, car je commence à voir des conspirations partout, chaque jour devient le cadre d'une paranoïa historique, de soupçons interminables, et sans doute n'est-ce pas complètement hors propos vu le nombre de têtes qui roulèrent dans le panier révolutionnaire (près de dix-sept mille durant la Terreur). Je suppose que les calendaristes devaient marcher sur des œufs.

Chalemie

Dominique – Je vous le donne en mille, il ne s'agit cette fois ni d'une plante à fleurs, ni d'un outil aratoire, ni d'une obscure espèce peuplant la basse-cour, ni d'un combustible fossile, mais d'un instrument de musique, première référence aux arts dans ce calendrier dont les créateurs semblaient s'être donné pour mission d'ignorer tout ce qui n'était pas immédiatement relié à l'agriculture ou à la vie rurale.

Pratiquement disparue de nos jours, la chalemie est l'ancêtre du hautbois, dont elle rappelle le son, en plus nasillard. Elle se mariait particulièrement bien à la cornemuse, dit-on, et en écoutant sur YouTube les accents asthmatiques d'un duo des deux dinosaures, je songe à cette soirée à Saint-Malo, à bord d'un chalutier, lors de la remise du prix des Gens de mer, cérémonie à laquelle assistaient quelques journalistes, deux ou trois critiques littéraires (dont l'un, émacié et à peu près édenté, ressemblait de manière frappante à cette dépouille d'un des membres de l'expédition

Franklin retrouvée préservée dans la glace) et de vieux loups de mer malouins. Le bateau, un authentique morutier toujours en activité, dégageait une légère odeur de poisson. Sur le pont avait été dressé un buffet somptueux qui faisait la part belle aux coquillages et crustacés de la région. La pluie avait cessé quelques heures (les trois jours que nous avons passés dans la cité des corsaires tenaient de l'ouragan), et nous étions restés amarrés dans le port, sur ce navire de pêche, à respirer l'air de la mer en dégustant des petits fours avec un peu l'impression d'être dans un film et un peu l'impression que c'était la chose la plus naturelle du monde.

***

Au bas de la Côte-des-Neiges, le ciel est d'un gris de plomb; au-dessus de la montagne, une trouée bleue et or. Sous cette lumière de Michel-Ange, silhouette brun-gris, l'oratoire Saint-Joseph est plongé dans une ombre brumeuse, comme s'il appartenait à un tout autre tableau.

Nicolas – Héroïne du tube et du piston : Chalemie Jane.

THERMIDOR
C'EST ICI
LA VRAIE
EGALITE
AVIS
L. Métivet

LIBERTÉ
1ère DECADE
1 Primidi..... Épeautre
2 Duodi...... Bouillon-blanc
3 Tridi....... Melon
4 Quartidi.... Ivraie
5 Quintidi.... BÉLIER
6 Sextidi..... Prêle
7 Septidi..... Armoise
8 Octidi...... Carthame
9 Nonidi..... Mûre
10 DÉCADI..... ARROSOIR
JOURNÉE DU 9 THERMIDOR

ÉPEAUTRE

DOMINIQUE – Il est certains mots qui inspirent le réconfort et l'apaisement. *Épeautre* est de ceux-là. On voit des murs chaulés, des poutres en bois; dans l'âtre en pierre, au-dessus d'une flambée, une marmite où clapote une bouillie épaisse, à peine sucrée. Devant, près d'une table sur laquelle est posé un livre ouvert, une chaise berçante où quelqu'un est peut-être assis, peut-être pas. Sous une commode en bois ciré, un chat dort, et rêve tout le reste.

NICOLAS – Blé, épeautre... Ras le bol de la France rurale. Ils vont vraiment nous faire une année complète sans la moindre banane?

BOUILLON-BLANC

DOMINIQUE – Contrairement à sa cousine Boucle d'or, Bouillon-blanc n'était pas très difficile. Aux lits (durs, mous, grands, petits), il préférait une simple paillasse fleurant bon l'herbe fraîchement coupée. Au porridge (sucré, salé, épais, liquide), il préférait les framboises et les mûres qu'il cueillait par poignées et qui laissaient sur ses doigts des taches rouges et mauves. Plutôt que de prendre place sur une chaise (grande, petite, raide, droite), il s'asseyait par terre, jambes croisées, et laissait les fourmis grimper sur ses godillots. Il se contentait de ce qu'il trouvait sur son chemin et, quand il n'y trouvait rien, s'en contentait aussi. Le soleil lui suffisait, la pluie, les nuages, la lune, et les chansons qu'il inventait en marchant, car il s'était promis de découvrir du pays, de parcourir la campagne et la forêt, de continuer jusqu'à la mer (immense, étrange, infinie, bleue).

NICOLAS – Pour moi, il s'agit simplement d'un bouillon auquel on a ajouté trop d'eau. Aussi appelé bouillon fade, bouillon clair et bouillon navrant.

MELON

NICOLAS – Comme bien des gens, je n'ai entendu parler du légendaire melon de Montréal que lors de sa résurrection, en 1996. Afin de bien illustrer la notoriété du fruit, les artisans du miracle racontèrent que le *nutmeg melon* se détaillait à un dollar la tranche à New York, dans les années 1930.

Curieux de voir ce que les archives médiatiques de Google en disaient, j'ai découvert un cas de branding agroalimentaire fascinant.

Une chose apparaît d'abord indubitable : des melons exceptionnels, engraissés au crottin de Blue Bonnets, l'engrais des champions, poussent au tournant du siècle au pied du mont Royal. Une poignée de familles à peine – les Brodie, Décarie, Viau, Gorman – pratiquent cette culture, et plusieurs observateurs suggèrent d'ailleurs que la qualité du melon de Montréal repose davantage sur les compétences des producteurs et la sélection des fruits que sur la qualité intrinsèque du cultivar.

Quoi qu'il en soit, en 1906, un correspondant montréalais du *New York Sun* décrit un melon mirifique, plus gros que le banal Rocky Ford, mais aussi plus savoureux, et dont la production dûment numérotée est vendue presque exclusivement à de gros hôtels – ce qui entraîne une certaine rareté, et des prix à l'avenant. Le journaliste termine en prédisant que, dans une décennie tout au plus, l'urbanisation viendra à bout des champs de melon – comme autrefois des vergers où poussait la Fameuse.

La prédiction est juste, même si le phénomène prendra plus longtemps à se produire – si bien qu'en 1934, on annonce que les producteurs ont presque tous transféré leurs activités à l'île Jésus.

En 1914, William Stuart enfonce le clou en se demandant pourquoi la culture du melon de Montréal ne s'est pas répandue en dépit de l'incapacité chronique des rares producteurs à répondre à la demande. Stuart souligne la complexité de la culture – qui nécessite l'utilisation de panneaux de verre et le sol apparemment particulier de Montréal – mais finit par déclarer que le melon de Montréal présente une certaine inconsistance de caractère. Pour tout dire, il semble exister deux grands types de melon montréalais (le premier un peu plus plat, aux stries plus marquées; le second plus oblong), et selon Stuart il est incertain qu'aucun de ces deux types soit fixé.

Il ressemble un peu au Hollandais volant, ce melon de Montréal. D'ailleurs, il disparaît peu à peu, sans qu'on sache exactement pourquoi.

On retrouve finalement une poignée de graines en 1996, dans un centre de recherche de l'Iowa, que l'on confiera à l'horticulteur Ken Taylor. Il ne parviendra à faire germer qu'une seule de ces graines vieilles d'un demi-siècle, laquelle s'avérera être un cocktail génétique. On en tirera les deux variétés décrites par Stuart, l'aplatie et l'oblongue, lesquelles ne sont sans doute, au final, qu'un échantillon infime de la variété de melons qui se cultivaient autrefois à Montréal.

DOMINIQUE – Trop facile.

Deuxième échographie ce matin à l'aube. Dix doigts, dix orteils, de longs tibias bien droits; une bouche qui s'ouvre comme une minuscule caverne; une échine où chacune des vertèbres se dessine, couleur de lait, sur l'écran noir – un fossile de créature inconnue gravé dans la pierre; un petit cœur dont on aperçoit les quatre chambres bien distinctes, frémissant trèfle à quatre feuilles.

***

Pour ce qui est du melon de Montréal, une voisine généralement bien informée me jure que la toute première ferme où on a fait pousser ce fruit se dresse encore à un coin du chemin de la Côte-Sainte-Catherine. C'est une petite maison de pierre carrée aux volets bleus, habitée par un journaliste grand découvreur de mystères. Peut-être s'efforce-t-il depuis des décennies, dans le secret de sa cave, de recréer l'espèce mythique?

IVRAIE

NICOLAS – Aujourd'hui j'ai appris que de nombreux courts de tennis sur gazon, incluant Wimbledon, sont en fait plantés en ivraie – à hauteur de soixante-dix pour cent autrefois, et à cent pour cent depuis 2001, afin de ralentir la vitesse des balles.

DOMINIQUE – L'ivraie doit son nom au fait que, consommée à petites doses, elle provoque l'ivresse. Mais c'est parce qu'elle est l'envers du bon grain qu'on la connaît. Elle fait partie d'un de ces couples dont on ne saurait imaginer l'un des membres sans l'autre : Bonnie et Clyde, Charybde et Scylla, Dupont et Dupond.

BÉLIER

NICOLAS – Je suis déçu : j'imaginais que la Bastille avait été investie grâce à un bélier. Il semblerait plutôt que les insurgés se soient engouffrés à l'intérieur alors que les gardes ouvraient la grille pour faire sortir un parlementaire.

Par contre, il semblerait que l'usage de balader des têtes au bout d'une pique date de cette époque. Du coup, je m'étonne : pourquoi la pique ne figure-t-elle pas dans ce calendrier?

Je te le dis, Dominique, il est temps que l'année se termine. Vivement les sans-culottides.

FABRE D'ÉGLANTINE –

Il pleut, il pleut, bergère,
Presse tes blancs moutons;
Allons sous ma chaumière,
Bergère, vite, allons :
J'entends sur le feuillage,
L'eau qui tombe à grand bruit;
Voici, voici l'orage;
Voilà l'éclair qui luit.

Entends-tu le tonnerre?
Il roule en approchant;
Prends un abri, bergère,
À ma droite, en marchant :
Je vois notre cabane...
Et, tiens, voici venir
Ma mère et ma sœur Anne,
Qui vont l'étable ouvrir.

Bon soir, bon soir, ma mère;
Ma sœur Anne, bon soir;
J'amène ma bergère,
Près de vous pour ce soir.
Va te sécher, ma mie,
Auprès de nos tisons;
Sœur, fais-lui compagnie.
Entrez, petits moutons.

Œuvres mêlées et posthumes, 1780

DOMINIQUE – Les cornes du cocu s'expliquent par ce que l'on prétend que si la chèvre se laisse parfois séduire par le bélier, jamais la brebis ne cède aux avances du bouc; celui-ci est donc un mari trompé. (Quant au mot lui-même, il vient bien sûr du coucou, qui va pondre éhontément ses œufs dans les nids d'autres oiseaux, lesquels prendront soin de ses rejetons pour lui.) Mais oublions un instant époux malheureux et femmes volages pour revenir à notre mouton, si je puis dire.

On estimait au Moyen Âge que le bouc avait le sang si chaud qu'il était capable de tout traverser, même le diamant le plus dur. Quant au bélier, nous dit Michel

Pastoureau, on exposait dans les bestiaires qu'il dort couché sur le côté droit pendant l'hiver, se retournant à l'équinoxe pour dormir sur le côté gauche le reste de l'année. Le froid se tenant à gauche et le chaud à droite, on peut supposer que l'ingénieux animal fait ainsi pour se réchauffer ou se rafraîchir selon la saison. En ces temps de canicule, il y a là matière à réflexion.

***

Depuis quelques semaines, quand je cherche le sens d'un mot sur le site du Merriam-Webster, une publicité me demande : « Are you writing a book? » comme s'il n'y avait pas d'autre raison de consulter un tel outil. Je suis depuis quelques mois occupée à traduire un roman (ce qui explique le nécessaire recours à un dictionnaire anglais plutôt que français) et, chaque fois, j'ai une seconde de perplexité. Ce calendrier est-il un livre? Deux livres? Trois cent soixante-six (mais petits)?

DOMINIQUE – La plante rêche jadis utilisée notamment pour décaper, nettoyer ou polir a donné naissance à un verbe apparemment toujours en usage chez les doreurs sur bois : *prêler*. Si ces artisans ont leur jargon, comme les typographes, les médecins, les graphistes, les plombiers et les informaticiens ont le leur, qu'en est-il des romanciers? Possèdent-ils eux aussi cette manière de code secret qui permet de se reconnaître entre semblables – et d'écarter les importuns? Synecdoque, catachrèse et autres asyndètes relèvent davantage de la linguistique, il me semble, que de la littérature à strictement parler. Quant aux signes employés par les correcteurs d'épreuves pour annoter les copies, la plupart des écrivains que je connais ont du mal à les déchiffrer, comme ils sont incapables de suivre le discours d'un imprimeur (CMYK, vous dites?).

Un collègue étudiant au doctorat en littérature à McGill aimait à prétendre que nous étions tous là par refus de choisir. Alors que d'autres se préparaient à devenir ingénieurs, architectes, botanistes, nous n'avions réussi à écarter aucune des possibilités qui s'offraient à nous (ce rétrécissement des possibles lui apparaissait comme la définition même de l'âge adulte, il n'avait sans doute pas tort) et, par le fait même, n'en avions élu aucune non plus; ne nous restait que la littérature, choix par défaut, contraire d'un choix. Et c'est au bout du compte là que réside le lot des écrivains, ce qui leur appartient en propre étant paradoxalement le domaine de ce qui ne leur appartient pas, cette liberté d'imaginer la vie, les soucis et les amours tour à tour du typographe, du plombier et du doreur sur bois...

NICOLAS – Tiens, un autre rescapé du Carbonifère.

Ça ne m'avait pas frappé, à l'époque – j'entends par là mon enfance. Il faut dire que j'ignorais que la prêle était une sorte de fossile vivant. Chez les Sirois, en face de chez nous, l'asphalte craquelé du stationnement était transpercé chaque été par des forêts miniatures de prêles, d'allure tout à fait carbonifère maintenant que j'y pense. L'asphalte pouvait même évoquer les gisements de bitume. Il n'y aurait manqué que de minuscules arthropodes géants.

Rien ne me manque davantage, ces années-ci, à bien y penser, que du temps pour me coucher à plat ventre sur l'asphalte et regarder des grains de sable sous ma loupe.

NICOLAS – En faisant des recherches sur l'étymologie de l'armoise, j'ai découvert l'existence de Barthélemy l'Anglais, qui a écrit entre 1230 et 1240 les dix-neuf volumes du *Liber de proprietatibus rerum* – rien de moins que le *Livre des propriétés des choses*.

Attendez, ce titre mérite qu'on lui consacre une ligne distincte :

Livre des propriétés des choses.

Mazette. On dira ce qu'on voudra, mais la disparition de l'encyclopédisme a sonné le glas d'une certaine forme d'ambition.

DOMINIQUE – Aussi étonnant que cela puisse paraître, j'ai une anecdote personnelle au sujet de l'armoise. Elle n'est pas très intéressante, mais elle est véridique. (Pourquoi diable ne lit-on jamais ces mots en quatrième de couverture des témoignages de vie? On éviterait ainsi bien des déceptions.)

Il y a une dizaine d'années, je me suis littéralement tordu le cou en travaillant. Mon écran était installé à angle; ma surface de travail était trop haute, ou ma chaise trop basse, ce qui revient au même; je tapais à longueur de journée sur le petit clavier d'un portable, autant de mauvaises façons de faire dont une seule aurait été susceptible de donner un torticolis à n'importe qui. Dans mon cas, le torticolis s'est mué en inflammation chronique du nerf d'Arnold (si, il existe, il part de la branche postérieure du deuxième nerf cervical pour venir envelopper le crâne) que rien ne parvenait à soulager, ni les sacs de glace, ni les compresses d'eau chaude, ni les séances de physiothérapie, ni les relaxants musculaires ou les anti-inflammatoires que je prenais quotidiennement. La douleur me réveillait la nuit, le jour m'empêchait de rester debout ou assise plus de quelques minutes; je souffrais d'une migraine continuelle. Je finis, en désespoir de cause, par aller consulter un acupuncteur qui faisait aussi dans l'herboristerie. Après une première séance, j'eus la surprise, une fois rentrée à la maison, de dormir une nuit entière, ce qui ne m'était pas arrivé depuis des semaines.

Les fois suivantes, il m'offrit des tisanes amères que je buvais un peu à contrecœur, et me donna un bâton d'armoise semblable à un gros cigare dont il fallait allumer l'une des extrémités et la passer, brûlante, quelques centimètres au-dessus de la région douloureuse. Cela me semblait un peu trop proche de la sorcellerie pour que j'y accorde tout à fait foi, mais l'odeur n'était pas désagréable (on aurait dit une sorte d'encens, si je me souviens bien) et les risques me semblaient minimes, à condition qu'on prenne garde de mettre le feu aux rideaux.

J'ai donc continué pendant quelques semaines d'alterner anti-inflammatoires, acupuncture, tisanes et armoise, la douleur étant toujours présente mais légèrement moins débilitante, jusqu'à ce qu'un médecin me propose des injections de cortisone à la base de la nuque, traitement que tous les autres n'avaient jusque-là évoqué que comme un remède de dernier recours particulièrement risqué. Celui-là me dit qu'il en avait fait une dizaine dans la journée, allant même jusqu'à me montrer les fioles vides dans sa corbeille, et m'assura qu'il n'y avait pas lieu de m'inquiéter. Après un an de douleurs continuelles, je crois que j'aurais été prête à boire les anti-inflammatoires en décoction, à faire flamber la tisane et à avaler les aiguilles, aussi ai-je accepté. Une semaine plus tard, la douleur était disparue, et elle n'est jamais revenue. La morale de cette histoire : l'armoise, c'est bien, mais la cortisone, quelle plante formidable.

CARTHAME

DOMINIQUE – Habituée à lire le mot sur les emballages de nourriture, à la suite d'une série de termes plus ou moins compréhensibles désignant généralement des additifs, des colorants et autres préservatifs chimiques, je croyais que le carthame était une invention récente. Surprise : il s'agit du safran des teinturiers, de la même famille et presque du même jaune, mais plus modeste, que la plante qui nous occupait le 2 vendémiaire.

Il me semble qu'un siècle s'est passé depuis. J'ai eu le temps de devenir quelqu'un d'autre.

***

Cherchant ce matin si le mot *apartheid* prend une majuscule (non), je découvre qu'il vient du français *mettre à part*. L'autre bout du monde n'est jamais si loin qu'on pense.

NICOLAS – Le carthame n'est pas une plante : c'est un verbe à la première personne du pluriel du passé simple.

NICOLAS – Notre chalet était bordé, entouré par une vaste terre que mon grand-oncle Gérard avait défrichée et cultivée jadis. La propriété avait quitté la famille depuis longtemps, et les propriétaires n'étaient pas toujours cultivateurs, si bien que l'état des champs variait d'une année à l'autre. Avant ma naissance, on y élevait d'énormes bœufs Hereford, dont il n'est longtemps resté que des crânes moussus, éparpillés dans les sous-bois ou sur les murets de roches. Après les bœufs, la terre fut tour à tour louée et laissée en friche. La plupart du temps, les champs servaient aux cultures fourragères. Je ne me rappelle pas y avoir vu semer de graminées sérieuses.

La ferme en tant que telle tombait en ruine. La grande maison avait l'air hantée. Elle était bâtie devant un verger aux arbres tortueux, en diagonale d'une croix de chemin où pendait un Christ tout droit sorti d'un ring de kick-boxing. Longtemps, on vit un antique tracteur Farmall à roues jumelées rouiller devant la grange.

J'ai passé plusieurs années – de l'âge de cinq à quinze ans – à rôder sur cette terre, à la sillonner en tous sens, si bien que je crois l'avoir mieux connue que la plupart de ses propriétaires ou locataires. Je partais en balade seul, et personne ne savait où j'allais au juste, pas même mon père. J'aimais particulièrement ces clairières inaccessibles et secrètes que l'on atteignait en se frayant un chemin dans les framboisiers et la broussaille.

Et c'est dans une de ces minuscules clairières, entre un bosquet d'épinettes et un ruisseau, que se trouvait le seul mûrier sauvage des environs. Il donnait quatre mûres par été, et il fallait y être au bon moment pour les manger. Ces quatre mûres étaient un de mes innombrables rendez-vous secrets sur ce terrain de jeu de cent hectares.

DOMINIQUE – Alors que l'anglais ne se casse pas la tête (baie noire, baie bleue, baie paille, baie qui pique), les noms de ces divers fruits diffèrent en français du tout au tout.

Le mot *mûre* viendrait du latin *mora,* variante de *morus,* de l'indo-européen *moro,* apparenté au grec *moron*. Baie des idiots, donc.

Voilà que j'ai tout à coup envie de dessiner une carte géographique où cette baie des Idiots côtoierait l'anse aux Sots et le golfe des Innocents.

NICOLAS – Tu l'auras sans doute compris depuis un moment, Dominique, mais je suis assez vendu à Wikipédia – aussi bien au projet abstrait qu'à son incarnation. Sans avoir jamais été contributeur (hormis pour corriger des coquilles ici et là), j'ai tout de même été un adepte de la première heure puisque j'observe et utilise cette encyclopédie depuis sa création, en 2001.

Cela étant dit, mon amour n'est ni aveugle ni inconditionnel, et je suis le premier à souligner et à étudier les faiblesses du site. Certaines de ces faiblesses m'apparaissent néanmoins négligeables et me font sourire plutôt que désespérer.

Par exemple – et voilà où je voulais en venir –, il apparaît qu'en dépit des incessants efforts déployés par ses fondateurs et ses contributeurs alpha, Wikipédia ne parvient pas toujours à préserver l'uniformité du ton encyclopédique. Si le résultat est assez bon pour les articles techniques et scientifiques, il arrive que les choses s'effritent un peu en périphérie, si bien que l'on voit transparaître une variété de tons caractéristiques des diverses communautés qui nourrissent l'encyclopédie.

Dans les pages musicales, on devine l'enthousiasme des groupies, on assiste à des discussions animées visant à déterminer si tel album ou telle chanson méritent leur propre page. Lorsqu'il est question de religion ou de spiritualité, on glisse souvent vers la théologie. De nombreuses pages consultées pour notre projet pullulent de sous-sections où l'on décline les vertus médicinales d'une tige ou d'un tubercule, en tisane ou en salade – souvent flanquées du tag « [réf. nécessaire] », qui est la manière polie dont les Wikipédiens expriment leur scepticisme.

Et ce matin, je n'ai pu m'empêcher de sourire. Alors que je m'attendais à des données archéologiques sur l'apparition de l'arrosoir, ou à une étude comparative de ses diverses déclinaisons nationales, je me suis retrouvé dans un article gentiment paternaliste où l'on donne des conseils sur l'utilisation de l'arrosoir, le choix et l'orientation de la pomme, et les bonnes pratiques d'arrosage – tout à fait à l'image que l'on se fait, en somme, de ces horticulteurs amateurs toujours prêts à discuter bulbes et boutures.

Wikipédia est un outil fantastique pour arpenter le paysage du Savoir – mais plus fantastique encore pour arpenter le paysage humain.

DOMINIQUE – Victor le danois nourrit une passion pour les sprinklers, qu'il sait repérer à des dizaines de mètres à leur petit bruit caractéristique. Il faut le voir lever les oreilles, dresser la tête et s'immobiliser, attentif à déterminer d'où vient le son, puis se mettre en marche vers la source au petit trot. Une fois rendu, le rituel prend un tour moins élégant : il penche son gros museau vers le sol, révélant un dessous de menton rose et étonnamment glabre, et se met en devoir de laper tout ce qui jaillit du petit bec. S'ensuivent moult éclaboussures, et nous revenons le plus souvent tous trempés (car les gicleurs habituellement sont pivotants, ce que le chien n'est pas).

Pour adoucir les vieux jours de notre vieux toutou, Fred lui a offert son propre sprinkler, différent des petites choses basses qui se déclenchent automatiquement et oscillent quelques minutes toutes les nuits pour arroser le gazon. Il s'agit d'un gros bec circulaire, dont il est possible de faire couler doucement un jet à hauteur des genoux, bref, un vrai abreuvoir pour chien. Une dame promenant un bichon, tous les deux inconnus, s'est d'ailleurs arrêtée la journée même, demandant si son Nestor pouvait aussi en profiter. En gros, il y a maintenant une buvette canine dans notre jardin.

ÉGALITÉ
IIe DECADE
11 Primidi..... Panis
12 Duodi...... Salicot
13 Tridi....... Abricot
14 Quartidi.... Basilic
15 Quintidi.... BREBIS
16 Sextidi..... Guimauve
17 Septidi..... Lin
18 Octidi...... Amande
19 Nonidi...... Gentiane
20 DÉCADI..... ÉCLUSE
J. LAMBERT TALLIEN
FIN DE LA TERREUR

<u>Nicolas</u> – Encore un de ces matins où il faut déployer un peu d'ingéniosité pour trouver de quelle plante il est question... On doit faire deux ou trois détours pour déterminer que ce panic est en fait le *panicum,* et plus probablement le *Panicum miliaceum,* ou panic faux-millet, mieux connu sous le nom de panis.

J'aime ce travail de détective, et je suis toujours déçu de trouver trop facilement (comme ce matin) la réponse à l'énigme – surtout lorsque le panis en question s'avère être une espèce de sous-millet dont on fait un pain passable, voire de la bouillie pour les poulets.

<u>Dominique</u> – Vous avez sans doute vu (ré)apparaître, depuis quelques années, ces affiches créées pour le compte du gouvernement britannique au début de la Seconde Guerre mondiale. Imprimées à plusieurs millions d'exemplaires, elles avaient été très peu distribuées et la presque totalité avait disparu, jusqu'à ce qu'un libraire d'occasion londonien en découvre une parmi de vieux papiers et imagine d'en offrir des copies à ses clients qui en faisaient la demande.

Lesdites affiches sont rapidement devenues des objets-cultes, et à ce titre ont fait l'objet de plusieurs parodies. Mes préférées :

Et, pour les amoureux de la typographie :

SALICORNE

NICOLAS – *Ça* se mange?!

DOMINIQUE – On sait que le verre est fait de sable, mais on ignore qu'il est aussi constitué de végétaux – et, dans certains cas, plus particulièrement de salicorne, plante charnue poussant sur les sols marins et que les artisans de jadis faisaient brûler afin que ses cendres fournissent la soude qui est un ingrédient nécessaire à la fabrication du verre.

Ces vitraux où entrait, outre des grains de plage, un peu d'eau salée doivent avoir gardé quelque chose comme le souvenir de la mer, ou la donner à voir alors même qu'ils prétendent montrer le ciel. Je suis sûre que ce sont eux que l'on trouve, tapissés d'algues, aux fenêtres de l'abbaye du Mont-Saint-Michel.

ABRICOT

NICOLAS – Je suis épicurien, sans doute, en ce sens que j'aime bien pouvoir me contenter de peu. Et ce peu doit être aussi entendu de manière esthétique – dans le sens chirurgical du mot. Je ne suis pas très silicone et teinture, en somme, et rien ne me réjouit autant que l'abricot séché bio qui, faute d'agents de préservation, devient tout noir et ratatiné. Il faut dire que les apparences sont trompeuses, car si cet abricot mort-vivant n'est pas aussi beau que son cousin sulfité, sa chair est nettement plus tendre. On gagne parfois à se contenter de peu.

DOMINIQUE – Les biscuits amaretti que l'on pourrait croire parfumés à l'amande sont en fait aromatisés à l'huile de noyau d'abricot. Avis à ceux qui auraient voulu se faire une collation de la matière première : le noyau lui-même est toxique à forte dose. Ce qui m'amène à l'évidence suivante : la majorité de ce qui nous entoure est, d'une manière ou d'une autre, empoisonné. Des millénaires d'essais et erreurs ont sans doute conduit l'espèce humaine à savoir assez précisément de quelles plantes elle devait consommer les feuilles et de quelles essences il valait mieux se garder des racines, quels poissons il fallait impérativement cuire et quels champignons éviter à tout prix, mais, tout de même, la moindre prairie, le plus petit étang – l'humble abricot lui-même – est une jungle.

NICOLAS – La présence du basilic dans le calendrier républicain me semblait anodine et naturelle, jusqu'à ce que je découvre par hasard que la première mouture du calendrier mentionnait *deux* basilics : un premier le 15 prairial, un second le 14 thermidor. Suite à la présentation à la Convention nationale, cependant, l'un des deux basilics disparaît, et il ne reste plus que celui du 14 thermidor.

Que s'est-il passé? Simple distraction de la part de nos calendaristes?

Il faut fouiller abondamment les archives de Google Books pour trouver, dans le numéro 32 de la *Décade philosophique, littéraire et politique,* au milieu d'un article consacré aux tortues, une référence évasive à un squelette fragmentaire qui aurait été exhumé dans le massif du Jura et apporté au Musée d'histoire naturelle quelques années auparavant, et que personne n'aurait pu identifier. Le squelette était celui d'un quadrupède de grande taille, pourvu d'un bec – justement – similaire à celui des tortues et qui évoquait le fabuleux basilic, cette bête à mi-chemin entre coq et reptile.

André Thouin aura sans doute eu l'occasion d'examiner ce squelette, et si Buffon était timidement évolutionniste, on peut en revanche soupçonner Thouin, en bon disciple de Linné, d'avoir eu des penchants fixistes. Aurait-il cédé à ces penchants et convaincu Fabre d'Églantine – qui ne demandait sans doute pas mieux – de consacrer le 15 prairial au basilic? Après tout, André Thouin pouvait se révéler moyenâgeux à ses heures; n'oublions pas qu'il avait voulu consacrer le 15 messidor au jumart, lequel n'aura survécu ni à la Convention nationale ni à la zoologie moderne.

Qu'est-il advenu du basilic du Muséum d'histoire naturelle? On l'ignore. Il a disparu du calendrier et des archives.

DOMINIQUE – Si l'on en croit un bestiaire en latin du quinzième siècle, « Devenu vieux, le coq se met parfois à pondre des œufs. Si l'un d'eux est couvé par une bête venimeuse, tels le crapaud, l'aspic ou le dragon, il en sort un être effroyable : le basilic. Sa tête, ses ailes et ses pattes sont en forme de serpent. Il peut tuer par son seul regard. Tous les animaux en ont peur, sauf la belette, qui s'attaque vaillamment à lui. »

Sans doute en mémoire de ses origines aviaires, ce formidable basilic est parfois aussi appelé ***basilicoq,*** mot-valise qui donne le goût d'en créer d'autres et de les confier à l'un de ces illustrateurs du Moyen Âge ou de la Renaissance : serpenthère, castornythorinque ou, pourquoi pas, topinambourson ou herbe à poulet.

NICOLAS – LE MEILLEUR SANDWICH DE MA VIE

C'était à l'Ovella Negra, une taverne de Barcelone où je m'étais retrouvé allez savoir comment. Je voyageais seul, pourtant j'étais attablé avec un groupe. L'alcoolémie avait atteint le statut d'entité autonome. Il approchait minuit lorsque j'ai commandé un sandwich au jambon. Je pensais recevoir l'habituel bocadillo au jambon serrano, succulent mais coriace. À la place, on m'apporta deux immenses tranches de pain de campagne moelleux; sur l'une des tranches s'étalaient quelques tranches de jambon cuit et, sur l'autre, on avait écrasé de la pulpe de tomate.

Récemment devenu fan du *jamón serrano,* j'étais un brin sceptique. Je refermai le sandwich et pris une bouchée. C'était tendre, savoureux, céleste. Le petit Jésus en culotte de velours.

On aura tous, un jour ou l'autre, mangé le Meilleur Sandwich de sa Vie. En ce qui me concerne, c'est chose faite.

DOMINIQUE – La première chose qui me revient, c'est ce souper chez ma traductrice lorsque, déposant sur la table un plateau de fromages, elle nous a indiqué, avec un geste souverain et définitif : « Vache, chèvre, brebis. »

DOMINIQUE – Compte tenu du nombre de camps d'été auxquels j'ai été inscrite (certains volontairement, d'autres à mon corps défendant; une pensée toute particulière ce matin pour cet endroit horrible, géré par des zélotes chrétiens du YMCA, où l'on nous faisait scander, main sur le cœur, *The Star-Spangled Banner* au lever du drapeau tous les matins), on pourrait s'attendre à ce que j'aie plusieurs souvenirs attendris de feux de camp. Il n'en est rien. Je me rappelle les échappées en douce dans les champs pour aller fumer des cigarettes, les après-midi de soleil en dériveur au milieu du lac Otter, les leçons de natation à l'aube, dans l'eau cuivrée et glaciale, les fêtes sous les poutres en bois de grandes salles aux airs de grange où l'on dansait au son des B-52's, les premiers baisers tremblants, les couchers de soleil sur l'eau et les piqûres de moustiques, je me souviens même des paroles de l'hymne des Green Gable Girls, mais je ne me rappelle aucun feu de camp. Et je n'ai jamais goûté à un s'more.

***

Neuf heures du soir, je suis en train de préparer des carrés aux Rice Krispies en songeant que c'est une de mes premières lubies de femme enceinte. Ce n'est qu'en versant les guimauves dans la casserole chaude – une odeur si sucrée s'en dégage qu'elle donne presque le frisson – que je me rends compte que c'est la faute à Thouin et Fabre d'Églantine.

NICOLAS – Dans le cadre de mon incessante quête de la perfection totale et multidimensionnelle, j'aimerais ici témoigner de mes plus récents progrès en matière de grillage de guimauve sur feu de camp.

Quiconque a déjà prêté attention aux sensations (nombreuses et complexes) que procure la guimauve grillée aura noté que cette expérience comporte généralement une faiblesse similaire au point aveugle, dans le fond de la cornée, ou à l'angle mort dans un véhicule motorisé : le bout de la guimauve qui fait face à la personne demeure ingrillé, ce qui constitue une source d'insatisfaction sans fin.

On peut solutionner ce problème d'une manière fort simple. Il suffit de griller d'abord l'un des bouts – le plus rapidement possible, afin d'éviter une liquéfaction précoce du cœur –, puis de retirer délicatement la guimauve et de la rembrocher de telle sorte que le bout non grillé se retrouve du côté des braises. On procédera ensuite de la manière habituelle, afin d'obtenir une guimauve *intégralement grillée*.

Prière d'envoyer mon prix Nobel à l'adresse habituelle.

DOMINIQUE – Le lin, on le sait, connaît de multiples usages : il sert notamment à tisser des vêtements et des draps (cet emploi est si répandu qu'on nomme en anglais *linen* l'ensemble du linge de lit); les artistes en utilisent les fibres comme surface pour peindre et l'huile pour diluer les couleurs; on en consomme les graines, riches en oméga-3. Mais il existe aussi un livre en lin, le *Liber linteus zagrabiensis,* manuscrit étrusque consistant en une douzaine de colonnes tracées sur des bandelettes de tissu qui enveloppaient une momie égyptienne. Découvert par hasard en 1848 puis oublié pendant quelque trente ans avant d'être retrouvé à nouveau, le texte n'a toujours pas été entièrement déchiffré, la langue étrusque continuant de présenter des questions irrésolues. Quoi qu'il en soit, si les fibres de lin entrent dans la composition des billets de banque, de certains papiers à cigarettes et de sachets de thé, cette manière de calendrier antique demeure le seul véritable livre de lin que l'on connaisse; une sorte d'hapax textile.

NICOLAS – La légende raconte que les ateliers où l'on inventa les premières excavatrices modernes, peu après la Deuxième Guerre mondiale, étaient situés au Plessis-Belleville, en Picardie.

Il s'agissait d'une zone agricole, et en face des ateliers se trouvait une de ces fosses qui servaient autrefois au rouissage du lin et que dans le patois local on nommait *poque à lin*. La compagnie fut donc nommée Poclain et devint un leader mondial de la machinerie lourde pendant des années, avant d'être vendue à Case au courant des années 1970, puis à Fiat.

Ma blonde se fout de ma gueule, mais je conserve de doux souvenirs d'enfance des excavatrices Poclain. Je trouvais qu'elles avaient de la classe, avec leur livrée rouge et argentée que l'on repérait de loin. Le nom Poclain (que ma blonde trouve ridicule) avait des accents exotiques et solennels à mes oreilles.

En outre, la Poclain est la seule excavatrice que j'aie jamais conduite. C'était en 1987. Un ami de notre famille me faisait visiter l'usine de boulettage de Port-Cartier, et, comme nous croisions un de ses collègues qui creusait un fossé avec une Poclain modèle 125, on me fit prendre les commandes, le temps de donner un ou deux coups de godet.

L'épisode est, je le précise, documenté sur pellicule argentique. J'y rayonne de bonheur, malgré un kangourou en coton ouaté gris. J'ai ça dans une boîte à chaussure, quelque part à la cave.

Nicolas – Je suis un grand fan de dessins animés japonais, et pourtant une caractéristique fondamentale de ces œuvres m'agace : les personnages n'y ont jamais, jamais les yeux bridés.

J'aime les yeux bridés.

Dominique – Une copine qui me racontait les déboires amoureux ayant marqué sa jeunesse me parlait de ce petit ami pâtissier qui l'avait trompée avec une collègue du nom d'Amandine – « comme une tarte ».

Dominique – En regardant les photos des différentes gentianes, j'ai l'impression de contempler un petit assortiment de timbres. Les images de même taille semblent toutes avoir été prises dans une même lumière, à l'aide d'une même lentille, et à une égale distance des fleurs, qui se ressemblent par plusieurs aspects (pétales souvent bleus ou mauves terminés par une pointe plus ou moins aiguë et disposés en une corolle rappelant un peu une étoile à plusieurs branches) tout en présentant des différences évidentes (quelques-unes sont en forme de trompettes, d'autres s'ouvrent largement comme des paumes; certaines sont d'un bleu presque électrique, d'autres tendent vers le lilas, voire le rose ou le jaune). Cette combinaison de pareil et de dissemblable est la définition même de la collection; personne (je crois) ne se met en tête de réunir des timbres, des cuillères ou des coquillages en un assemblage qui consisterait en plusieurs exemplaires d'un même spécimen. Les bibliophiles, s'il arrive qu'ils se passionnent pour un auteur en particulier, voire pour une seule œuvre, vont chercher à en dénicher les diverses éditions et non pas en accumuler une seule en différents états. Mieux, chez les numismates ou les philatélistes, ce ne sont pas tant les exemplaires produits en petit nombre qui sont les plus recherchés, mais les spécimens de tirages importants présentant d'infimes erreurs, ou des variations uniques. Ceux-ci sont paradoxalement la quintessence à la fois du même et du différent, carrefour improbable qui fait tout l'intérêt des collections.

Nicolas – Je profiterai du jour de la gentiane – à laquelle je ne parviens pas à m'intéresser – pour dresser la liste des articles qui auraient dû se retrouver dans ce calendrier. Le marteau (son absence m'apparaît inconcevable), le clou (ou la cheville), la scie, le ciment (ou la colle), la brique. La bouilloire, la casserole et la louche, le couteau ou le canif (encore que nous ayons eu le greffoir et diverses serpettes). Le métier à tisser. Le seau, le puits – et, donc, par la force des choses, la poulie.

Et, bien entendu, l'épouvantail.

NICOLAS – Voilà enfin un peu d'humour – sans doute involontaire – dans ce calendrier : le 20 faisant écho au 10, on aura jugé que l'écluse n'était rien d'autre que la grande sœur de l'arrosoir!

Il me vient, tiens, le rêve tranquille d'être éclusier.

Garde-barrière, je me serais assurément emmerdé. La croisée du chemin du village et de la voie ferrée est aussi ennuyante que poussiéreuse... Mais éclusier? Habiter une petite maison sur le bord du canal, à l'écart des chemins, frôlée sans hâte par des péniches venues des quatre coins de l'Europe...

Et, surtout, contrôler des forces inouïes avec une simple manivelle!

DOMINIQUE – Les réviseurs ont tous leurs *pet peeves*. Celui qui revoyait la plupart des romans dans la première grande maison où j'ai travaillé en tant que correctrice d'épreuves ne supportait pas de lire « il avala une gorgée de scotch » ou « elle a avalé un verre de lait ». À strictement parler, il avait raison : le verbe *avaler* signifie « manger », non pas « boire » (une autre acception, plus jolie mais étrangère à notre propos, serait : « suivre le courant de la rivière »). Or les synonymes de *boire* sont en français assez peu nombreux. On peut certes siroter une boisson ou bien, à la limite, la téter, mais ces deux actions supposent une certaine lenteur, pour ne pas dire une langueur certaine. Le réviseur réglait le problème en biffant systématiquement « avaler » pour le remplacer non par *boire* (trop commun, trop pauvre) mais par *siffler* ou par *écluser,* qui ne sont pas très courants dans la langue québécoise actuelle, écrite ou parlée, mais dont fourmillent conséquemment les romans qu'a publiés au cours des années 1990 et 2000 l'éditeur en question. Je me dis parfois que, quoique exerçant sa profession dans l'ombre, notre homme songeait peut-être à la postérité, et qu'il avait trouvé là le moyen – à sa mesure – de signer son œuvre aussi sûrement que les tailleurs de pierre qui gravaient jadis leur marque aux murs des églises.

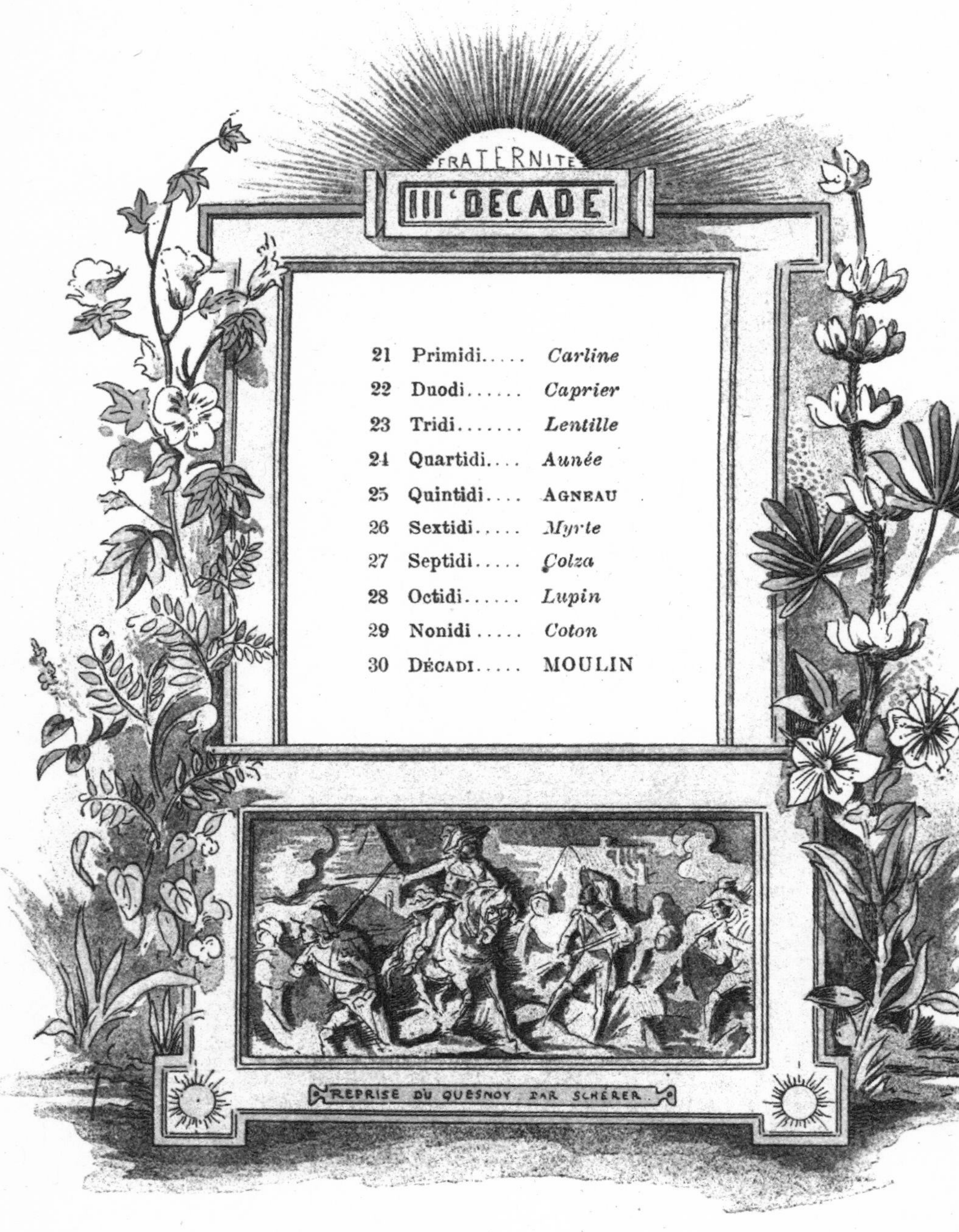
FRATERNITÉ
IIIe DÉCADE
21 Primidi..... Carline
22 Duodi...... Caprier
23 Tridi....... Lentille
24 Quartidi.... Aunée
25 Quintidi.... AGNEAU
26 Sextidi..... Myrte
27 Septidi..... Colza
28 Octidi...... Lupin
29 Nonidi..... Coton
30 DÉCADI..... MOULIN
REPRISE DU QUESNOY PAR SCHÉRER

CARLINE

NICOLAS – Joli prénom, pour un chardon.

DOMINIQUE – Plutôt qu'à une famille d'astéracées, les carlines font songer à un établissement pour jeunes filles comme il faut.

« Et votre petite dernière, Claire-Emmanuelle, où l'avez-vous inscrite?

— Nous avions d'abord pensé au Saint-Nom-de-Marie, mais nous avons finalement opté pour les Carlines. »

Hochement de tête approbateur de part et d'autre, tandis que, dans une ruelle du centre-ville, Claire-Emmanuelle, treize ans, est en train de se faire tatouer un loup sur l'épaule.

CÂPRIER

DOMINIQUE – La première fois que j'ai goûté un capron, j'étais à Paris. Nous avions acheté sandwich et salade au Petit Comptoir adjacent à notre hôtel et avions marché jusqu'à Notre-Dame. Nous nous étions assis à quelque distance de la cathédrale pour manger en la regardant. L'orage menaçait; les tours se découpaient sur un ciel gris et nous avions avalé la salade à toute vitesse. À la fin, ne restaient plus au fond du bol en plastique que ces objets oblongs non identifiés, qui ressemblaient un peu à des olives, en plus mat, et se terminaient par une courte queue. J'avais prudemment croqué dans l'un d'eux : c'était saumuré, acide, salé, délicieux.

Nous avons passé les deux heures suivantes au milieu des touristes japonais, allemands, chinois et américains à faire le tour de cette immensité qu'est Notre-Dame. Ressortis, nous avons refait le même trajet, mais de l'extérieur, tout seuls cette fois sous le regard des gargouilles. La pluie avait cessé. Près des ponts de la Seine, les bouquinistes dépliaient leurs étals.

Aussitôt revenue à Montréal, j'ai acheté un bocal de caprons – que j'ai jeté à peine entamé. Sans Notre-Dame en toile de fond, c'est beaucoup moins bon.

NICOLAS – Les boutons de pissenlit peuvent être marinés à la manière de géantes câpres. Un jour, tiens, j'essaierai ça. Avec de la truite fumée.

(Je vais finir par ressembler à mon père, je le sens.)

LENTILLE

NICOLAS – On croit que c'est essentiellement la peau qui fait le zombie. Grise ou verte autrefois, et désormais décolorée ou ecchymosée de toutes les manières possibles, perforée, déchirée, étirée, gonflée, tavelée. L'épiderme du mort-vivant sert de toile pour toute une génération de maquilleurs fous – et on y voit s'étaler, il est vrai, des délires dignes de Hieronymus Bosch.

C'est néanmoins la pupille, et non la peau, qui fait vraiment le zombie. Pas seulement le regard (qui est le travail du comédien), mais l'iris même, qu'il faut altérer avec une lentille cornéenne ad hoc.

Tout est dans l'œil : la vie, la mort, la non-mort.

DOMINIQUE – Soupe aux lentilles simplissime
(recette piquée, si je me souviens bien, à mon amie Francesca)

Une boîte de lentilles ou une tasse de lentilles sèches bien rincées
6 tasses de bouillon de poulet
1 poivron rouge
1 branche de céleri
1 carotte
1 gousse d'ail
½ cuillerée à soupe de bonne poudre de cari (ou plus, au goût)
Sel et poivre

Faire revenir les légumes dans un peu d'huile d'olive, ajouter les lentilles et le bouillon, laisser mijoter d'une demi-heure à une heure. Passer une moitié de la soupe au mélangeur à main (ou la soupe au complet, pour une texture plus uniforme). Déguster bien chaud par un soir de thermidor un peu frisquet.

AUNÉE

NICOLAS – Combien de fois avons-nous, ma chère Dominique, discuté de la forme que prendrait une version moderne de ce calendrier? Ce matin, en découvrant l'épithète spécifique de l'aunée – *helenium* –, j'ai songé à un élément radioactif et j'ai réalisé le caractère intrinsèquement anachronique du calendrier.

Le calendrier républicain s'adressait aux paysans, il visait à célébrer ou à rappeler les dates importantes du cycle agricole. De nos jours, les gens sont décrochés du calendrier annuel. Nos cycles sont variables et, au final, les cycles hebdomadaires ou mensuels ont presque plus d'importance que les cycles saisonniers.

Tant qu'à être moderne, il serait plus intéressant de concocter un tableau périodique. D'ailleurs, ce ne serait pas la première variation du genre : une recherche sur Google révèle une vaste palette de parodies du tableau périodique qui, prises ensemble, composent un portrait fascinant de notre époque.

Parmi les fleurons, citons le tableau périodique des polices de caractères et celui d'Internet, celui des desserts et celui des manettes de jeux vidéo, le tableau périodique des abréviations de texto, celui des super-héros, celui des bières et celui des jurons, de la viande, de la musique, des sandwichs, des cocktails, des Band-Aid, des vins, des types de munitions, du cyclisme professionnel, du jazz, du rock, de *Mad Men,* d'*Harry Potter,* des bonbons, des hipsters, des robots géants, des couleurs, des essences de bois, des positions sexuelles – ainsi que le tableau périodique des choses qu'aiment les fumeurs de cannabis.

PIVOINE

DOMINIQUE – Portés par leur enthousiasme, certains amateurs de plantes ont tendance à doter celles-ci de caractéristiques quasi-humaines, le plus souvent physiques, mais parfois aussi morales. Ainsi la dame qui a rédigé l'article consacré à l'aunée pour le site PasseportSanté.net, manifestement une fan, nous apprend qu'il s'agit d'une plante « grande, forte et belle » qui « peut atteindre, dans ses meilleurs moments, trois mètres de haut, quoiqu'elle se contente généralement du mètre, mètre et demi ».

Passons sur les qualités esthétiques de l'aunée (s'imagine-t-on l'auteur d'un semblable article décréter que son sujet est un végétal malingre et disgracieux?), vous aurez noté que l'aunée a « ses meilleurs moments » – ceux, il faut croire, où elle donne la pleine mesure de son caractère ou de son talent. Le reste du temps, comme l'écrit encore la dame en question, cédant à sa modestie naturelle et à la sage modération qui fait le fond de son caractère, « elle *se contente* du mètre ».

LOUTRE

DOMINIQUE – Si le nom français dérive du latin *lutra,* qui nous a par ailleurs donné *leurre,* le nom anglais (*otter*) est issu de la racine indo-européenne *wódr̥,* d'où vient aussi *water.*

La loutre, animal métonymique.

Nicolas – Pourquoi avoir évincé l'agneau, qui figurait dans la version originale du calendrier et faisait le pendant du bélier (5 thermidor) et de la brebis (15 thermidor)? On s'en étonne. Cette loutre semble égarée dans la bergerie – d'autant que, en qualité de membre du sous-ordre des caniformes, elle se rapproche davantage du loup que du mouton. À quoi rime donc cette substitution absurde?

Ça n'a rien à voir avec l'Agneau pascal, bien sûr, tout honni fut-il. En fait, ce changement s'explique par la prodigieuse notoriété de Nini la Loutre Lutteuse qui fut en spectacle permanent au Jardin des plantes, de 1789 à 1795. Spécialiste de la boxe poitevine, elle domina en combat singulier les plus grands athlètes de la période révolutionnaire, dont Jojo l'Esquiveur et Fabien la Frappe. Si grande était sa notoriété que Fabre d'Églantine lui dédia un sonnet.

Nini parvint à s'échapper du Muséum au printemps 1795 et alla rejoindre la perfide Albion, où elle s'engagea dans la Royal Navy et partit pour les Indes occidentales. Passablement diminuée par le paludisme, elle finira sa vie lors d'un combat de coqs, à Saint-Domingue.

Nicolas – La minute linguistique

Il est des mots qui inspirent plus naturellement la métathèse – l'inversion de deux phonèmes –, tout simplement parce qu'ils se prononcent mieux (ou semblent mieux se prononcer) ainsi. C'est le cas du mot *formage,* signifiant « conçu dans une forme », et qui deviendra *fromage*. Ou encore de la fameuse souche qui, chez certains vieux bûcherons, se prononce *chousse*.

Myrte se prononce-t-il moins bien que *mytre*? Je le suppose. Pourtant, *myrtille* se prononce au moins aussi bien que *mytrille*. Tout cela est bien mêlant, d'autant qu'il n'existe aucune parenté entre le myrte et la myrtille. Bref, rien ne semble expliquer pourquoi, dans la version préliminaire de ce calendrier, la myrtille est orthographiée *mirthill*. On dirait un éternuement typographique.

Etaoin shrdlu.

Dominique – Le mytre (oui, c'est masculin; comme *trampoline*; que voulez-vous, on n'y peut rien) figure avec le palmier dattier, le saule et le cédrat parmi les quatre espèces entrant dans la composition du faisceau constitué pour le Souccot, ou fête des cabanes, à l'occasion de laquelle les familles juives pratiquantes aménagent à l'extérieur de leur domicile une sorte de hangar où elles prendront leurs repas pendant neuf jours en souvenir de l'aide reçue par les enfants d'Israël durant l'Exode

Je n'avais jamais vu de ces cabanes avant de déménager à Outremont, où une proportion assez importante de la population appartient à la tradition hassidique, cohabitant le plus souvent pacifiquement avec les Québécois francophones qui sont leurs voisins. Mais en fait, il ne s'agit pas d'une véritable cohabitation, puisque les orthodoxes semblent habiter un monde à eux, imperméable et autonome. En voyant marcher les femmes muettes, leur tête rasée recouverte d'une perruque et d'un couvre-chef, quelques pas derrière leurs maris vêtus de longs habits noirs, le visage encadré de papillotes, suivies de ribambelles d'enfants et poussant un carrosse de toile noire comme en possédaient nos grands-mères, on a un peu l'impression de partager avec elles un lieu, mais que nous habiterions à des époques différentes.

Si la plupart des femmes se débrouillent en anglais, la majorité des hommes ne parlent que l'hébreu, ce qui contribue encore à creuser l'écart et à compliquer les rapports. Au cours des dix années que j'ai vécu ici, il m'est arrivé une seule fois de parler à l'un d'eux. C'était un adolescent roux d'une quinzaine d'années, coiffé de la kippa, en chemise blanche et longue veste noire, qui s'est approché de moi avec un regard de conspirateur dans le stationnement des 5 Saisons. Il faisait soleil, et sur son front perlaient des gouttes de sueur – à moins qu'il n'ait été terrifié par l'énormité de ce qu'il s'apprêtait à faire. Il tremblait presque, et ses amis, qui l'observaient à quelque distance de là, semblaient se demander s'il oserait. Je l'ai regardé s'avancer, curieuse. Et puis, quand il a été à deux pas, beaucoup plus près qu'un inconnu ne s'approche habituellement pour vous parler – cela n'avait rien de menaçant, j'avais simplement l'impression que jamais il n'avait ainsi adressé la parole à une femme qui n'était ni sa mère ni sa sœur ni sa cousine –, il a soufflé quelque chose d'incompréhensible. Je lui ai demandé de répéter. Il a de nouveau chuchoté, et cette fois j'ai réussi à entendre : « Do you have the time? » J'ai secoué la tête en lui faisant signe que je n'avais pas de montre et, manifestement soulagé, il a tourné les talons et détalé pour aller rejoindre ses amis. Venait-il de gagner une gageure, ou avait-il simplement le sentiment d'avoir échappé aux feux de l'enfer qui le guettaient assurément s'il avait poursuivi la conversation plus avant? Qui sait. Je pourrais l'avoir croisé des dizaines de fois depuis sans le reconnaître; car s'il est vrai que c'est la seule fois qu'un hassidim m'a adressé la parole ou même regardée en dix ans, je ne les vois pas vraiment non plus, derrière leurs barbes et leurs habits de drap noir.

COLZA

NICOLAS – Lorsque j'habitais en République dominicaine, les femmes du village cuisinaient presque exclusivement à l'huile de colza. Tous les mets en nécessitaient des quantités importantes, notamment le riz, qui cuisait dans un chaudron à fond épais, à feu vif. Ce mode de cuisson contribuait à la formation du *concón,* cette strate de riz croustillant qui est une des pierres angulaires de la mythologie culinaire dominicaine, et pour laquelle nous nous battions à chaque repas.

Heureux repas, que celui où Carmen me glissait, avec ma portion d'habichuelas, une généreuse part de *concón* et une belle tige de coriandre.

DOMINIQUE – Ce qu'en France on appelle colza est ici connu sous le nom de canola. Si le mot n'apparaît pas dans les dictionnaires européens, c'est qu'il s'agit en fait d'une marque déposée par la Western Canadian Oilseed Crushers' Association, créée à partir des mots *Canadian oil, low acid.* Je ne sais pas pour vous, mais il me semble que désormais je ne regarderai plus ma margarine matinale du même œil – ni ces champs tellement jaunes qu'ils en font presque mal aux yeux.

***

Il faudra des semaines encore avant que ce ne soit vraiment l'automne, mais on dirait que j'ai déjà cessé de croire tout à fait à l'été dès le moment où il est apparu qu'il n'était pas là pour toujours. Je voudrais bien être faite autrement; toujours les choses à mes yeux cessent d'exister non pas lorsque leur vie prend objectivement fin, mais lorsqu'elles trahissent l'existence de cette fin, qui peut être lointaine encore, cela ne change rien. Le charme est rompu.

LUPIN

DOMINIQUE – À la fin de cette année, nous serons mûrs pour ouvrir une pépinière, un restaurant ou une pharmacie. Dickner & Fortier, apothicaires, ça ne te dirait pas, Nicolas?

On consomme les graines du lupin, mais on se demande un peu pourquoi une fois qu'on a lu les différents dangers auxquels on s'expose ce faisant. Sachez d'abord, bonnes gens, qu'il existe deux types de lupins : les doux et les amers. Avant de manger ces derniers, il faut préalablement les faire cuire, puis les mettre à tremper dans une eau salée pendant plus d'une semaine, sous peine d'être incommodé (lire : tué) par les alcaloïdes que renferme la plante en phénoménale quantité. C'est d'ailleurs ces lupins amers qui ont donné leur nom à l'espèce, puisqu'on disait que seuls les loups (*Canis lupus*) pouvaient s'en régaler. Mais les lupins doux ne sont pas pour autant dépourvus de tout danger, puisqu'ils sont susceptibles d'être contaminés par le champignon

Diaporthe toxica, dont le nom, il me semble, parle de lui-même. Leur consommation entraîne alors de gravissimes lésions au foie.

J'oubliais : il semblerait que les gens allergiques aux arachides soient aussi souvent allergiques au lupin. Avec tout ça, pouvez-vous me dire comment il se fait qu'on en trouve des conserves sur les étagères des supermarchés?

NICOLAS – En faisant des recherches sur Arsène Lupin, j'ai découvert par hasard l'existence du tout premier film d'Hayao Miyazaki, *Le château de Cagliostro* (*Kariosutoro no Shiro*). Voulant visionner la bande-annonce, j'ai découvert le film au complet sur YouTube. J'en ai écouté les vingt premières minutes, et il a fallu me faire violence pour revenir à ce texte.

C'est à la fois très semblable aux autres films de Miyazaki – influence européenne, iconographie déjà personnelle – mais, aussi, assez différent. Peut-être plus dans la tradition de *Porco rosso*. Pour un fan comme moi, il est émouvant de voir ces premiers pas de Miyazaki sensei.

Avec tout ça, je réalise que je devais parler des lupins, et l'envie m'en a passé.

Tu me trouveras sans doute simplet de le faire remarquer si tard, Dominique, mais notre projet m'apparaît une entreprise de nature essentiellement dérivative – qui sait s'il ne s'agit pas, au fond, d'un vaste prétexte, et si d'autres mots, pigés dans un chapeau melon, n'auraient pas fait l'affaire. La prochaine fois, je nous concocterai un logiciel qui sélectionnera un mot au hasard dans le dictionnaire, tiens.

Je m'assurerai néanmoins qu'il s'y trouve un épouvantail et une guillotine.

NICOLAS – Au Québec, comme chacun sait, le coton désigne la tige des grandes plantes herbacées – tournesol, maïs –, lesquelles forment souvent d'importants résidus de cultures.

Les cotons de maïs posaient un problème de taille, chez nous. Ils se compostaient mal, et si les veaux acceptaient certes de les manger, on ne pouvait pas les leur donner en un seul morceau. Mon père résolut le problème à sa manière, sans détour : il se procura une vieille tondeuse électrique rouge dont il retira les roues et le manche, et qu'il fixa au mur, verticalement. Il perça la surface du capot, afin de découvrir quelque trente centimètres de lame, et installa une glissière en bois. L'évent de la tondeuse, par où sortait normalement le gazon, était orienté vers le bas, dans la gueule d'un sac de plastique.

C'était, en somme, le Attila le Hun des broyeurs domestiques.

Lorsqu'on branchait cet engin, la grange au complet vibrait, et le moteur venait à bout de boisseaux entiers de cotons de maïs avec des grincements jurassiques.

Il me vient à l'esprit que ce bricolage aurait fait bonne figure dans le calendrier propret des Républicains.

Tiens, d'ailleurs, c'est le 30 demain. Nous aurons un outil ou un objet – celui qui doit succéder à l'arrosoir, puis à l'écluse. Je me demande bien lequel. Chaloupe? Canal? Égout? Baguette de coudrier? Pot de chambre?

DOMINIQUE – *La porte du ciel* devait initialement comporter deux parties, situées à près de cent cinquante ans d'intervalle, la première narrée par le Roi Coton, la seconde par le Roi Pétrole : un roi blanc, un roi noir, symétriques et opposés. La première version du manuscrit était une chose énorme, qui faisait près de cinq cents pages. Quand j'ai entrepris de l'assembler, je me suis rendu compte que la seconde partie, bancale, ne servait trop souvent qu'à offrir un contrepoint à la première ou à mettre en lumière dans cette dernière quelque chose qui aurait dû y apparaître clairement. J'ai réécrit beaucoup de scènes, supprimé tout ce qui ne me semblait pas absolument nécessaire ou que je soupçonnais de pouvoir constituer une distraction, pour constater, à la fin de l'opération, que la seconde partie avait à peu près disparu. N'en reste plus, dans la version finale, que l'ombre, qui est, je m'en rends compte maintenant, ce qu'elle était dès le départ destinée à être – une absence.

MOULIN

NICOLAS – Le parc du Cavalier du moulin est assurément l'un des parcs les moins connus de Québec et – peut-être pour cette raison – mon préféré.

Il occupe un coteau pompeusement nommé Mont-Carmel, sur lequel Simon Denis de la Trinité érigea un moulin à vent en 1663. L'endroit dominant le versant ouest de la ville, Frontenac y installa quelques canons et une palissade lors du siège de Québec par Phips. Quelques années plus tard, on construisit un cavalier – un ouvrage de fortification qui surplombe un terrain. Il ne sera en fonction que quelques années, puisque les secondes fortifications de Québec, bâties en contrebas vers 1700, le rendront inutile.

De nos jours, on s'y rend en montant le cul-de-sac du Mont-Carmel. Le parc, minuscule, occupe le sommet du cavalier. Il fait à peine quarante mètres sur quarante mètres, et on a l'impression d'être dans un méandre de l'histoire.

Dominique – C'est une semaine au moins qu'il aurait fallu consacrer au moulin, pas une seule journée, pour pouvoir aborder convenablement *Les lettres de mon moulin* de Daudet, le tourbillonnant *Moulin rouge* de Luhrmann et les affiches de Toulouse-Lautrec, puis rendre un bref hommage à Jean Moulin avant de bifurquer vers le moulin à café, le moulin à coudre, le moulin à vent et le moulin à paroles.

Une semaine entière pour pouvoir parler comme il se doit de *Don Quichotte,* dont je n'ai toujours pas lu les quarante dernières pages, que je réserve pour je ne sais quand, comme je n'ai jamais lu les dernières pages de *La recherche* – un moyen comme un autre de refuser qu'ils aient une fin.

***

Téléphone de l'hôpital vétérinaire, où nous avons laissé Victor ce matin pour une batterie de tests. On lui a trouvé une masse maligne d'une dizaine de centimètres sur la rate. Les au revoir sont commencés depuis longtemps, mais je me rends compte avec une acuité particulière depuis quelques jours que c'est avec le chien que je passe le plus clair de mes journées, je suis plus souvent avec lui qu'avec n'importe qui, il a tout partagé, tout vécu de ces onze dernières années.

FRUCTIDOR
L. Mélivet
PRIVILÈGES

Ière DECADE
1 Primidi..... Prune
2 Duodi...... Millet
3 Tridi....... Lycoperde
4 Quartidi.... Escourge
5 Quintidi.... BARBEAU
6 Sextidi..... Tubéreuse
7 Septidi..... Sucrion
8 Octidi...... Apocyn
9 Nonidi..... Réglisse
10 DÉCADI..... ÉCHELLE
CONSTITUTION
ADOPTION DE LA CONSTITUTION DE L'AN III

Nicolas – Je me souviens de la sauce aux prunes VH que, jadis, nous servions avec les egg rolls et autres délicatesses d'inspiration lointainement chinoise, et dont l'ingrédient principal (hormis le glucose) était en réalité la pâte de citrouille.

Dominique – Découvert la semaine dernière un fruit qui doit être d'assez récente création : le pluot, croisement entre une prune et un abricot, à la peau lisse et verte tachetée de grenat (ce qui lui a valu son surnom d'*œuf de dinosaure*). Le pluot a une chair sucrée et parfumée, avec une pointe d'acidulé, tellement rose qu'elle en est presque lumineuse, couleur confiture de rhubarbe, ou melon d'eau électrique. Je n'aime vraiment ni les prunes ni les abricots, mais le pluot, *go figure,* est délicieux.

***

C'est la saison des jeunes écureuils. Ils sont partout, se pourchassent sans fin dans les branches de l'érable, traversent la rue à pas excessivement prudents, comme s'ils n'étaient pas encore habitués de sentir le sol sous leurs pieds. Leur queue est moins fournie que celle des adultes, ils sont plus élancés, plus vifs aussi, yeux brillants, museau frémissant. Peuvent-ils seulement deviner l'hiver qui s'en vient?

Dominique – Vas-tu écrire aujourd'hui ce que t'inspire l'œillet, Nicolas? Ou bien, en guise de punition, t'astreindre de nouveau à te pencher sur ce millet que tu as en horreur?

Je ne partage pas ta haine du millet, farine insipide, certes, mais qui me rappelle surtout le mélange de graines dont on remplissait une mangeoire quand j'étais enfant pour que les oiseaux viennent s'en nourrir au cœur de l'hiver. Mes parents accrochaient aussi à un arbre un morceau de suif, pour les geais bleus ou les pics, je ne sais plus trop. Cap-Rouge en ce temps-là fourmillait d'oiseaux, et par la grande fenêtre de la salle à manger on voyait des gros-becs et des mésanges faire la lutte aux roselins et aux moqueurs-chats. Nous gardions pas loin de la fenêtre un gros ouvrage noir, répertoire de tous les oiseaux du Canada, qui est peut-être finalement le premier livre dans lequel j'ai appris à lire.

Au fait, savais-tu qu'il existe une ville du nom de Millet? Située en Alberta, elle est, si l'on en croit son site Internet, « the pride of the county » (j'avais d'abord lu « the pride of the country », ce qui me semblait un brin excessif, mais je dois avouer que je ne comprends pas trop pourquoi elle fait la fierté du comté non plus). Les photos montrent un parc désert dont les installations consistent apparemment en une fontaine et une unique table à pique-nique; un centre communautaire dont la façade disgracieuse fait un peu penser à un salon mortuaire; une petite église en bois blanc à la peinture qui s'écaille, dépourvue de clocher, dont une des fenêtres est placardée; une blême patinoire intérieure; et, perchée sur un poteau entre deux fils barbelés... une petite cabane à oiseaux.

NICOLAS – Je remarque ce matin – ou plutôt tu me fais remarquer, Dominique – que j'ai mal interprété cet énigmatique *?illet* du 16 prairial dernier, et qui résultait d'un problème d'encodage UTF-8.

Il ne s'agissait pas – ne pouvait pas s'agir – du millet, puisque la lettre *m,* qui fait partie des vingt-six bénies, n'aurait pas pu poser de problème d'encodage. J'ai bêtement raisonné.

Ce qui me fait penser que, dans une version moderne de ce calendrier, il faudrait consacrer quelques dates à l'informatique.

Un jour du C, du Python, d'Unix ou du HTML.

LYCOPERDON

NICOLAS – Dans mon enfance, la mycologie familiale englobait de rares espèces de champignons : le coprin chevelu (qui poussait chaque automne sur notre pelouse et que mon père poêlait occasionnellement), l'amanite tue-mouche (jaune ou rouge), le pleurote (que mon père cultiva sous le balcon), divers bolets (toujours véreux, au grand dam de mon père) et la vesse-de-loup, que j'adorais cueillir de deux manières : fraîche pour la casser et admirer la chair compacte et immaculée, et mûre afin de lui faire cracher ses nuages de spores.

DOMINIQUE – On dirait le nom d'un instrument inventé par le professeur Tournesol. Avant d'aller vérifier de quoi il s'agit, j'essaie de retrouver une racine : *lyco* comme dans *lycopène*? Un cousin de la tomate? *perdon* comme... heu.

J'avais tout faux. Il s'agit d'une famille de champignons correspondant *grosso modo* aux vesses-de-loup. (Le nom anglais de *puffball* est plus imagé.) Quant au lycopène, il tire son nom de la racine latine pour tomate, *lycopersicum,* pêche du loup.

Notre loup à nous traîne la patte. Nous comptons les jours, nous demandant comment ils font, les gens normaux, pour décider. Groggy depuis trois jours à cause des calmants administrés à l'hôpital vétérinaire, il recommence seulement maintenant à nous reconnaître tout à fait. Hier il était impassible, aujourd'hui il a retrouvé ses mille expressions, truffe palpitante, sourcils mobiles.

C'est plus dur encore.

NICOLAS – Voir *Sucrion*. ESCOURGEON

DOMINIQUE – Que voilà une plante aux jolis noms, puisqu'elle s'appelle aussi *soucrillon, sucrion,* ou *orge d'hiver*.

Ces considérations terminologiques autour de l'orge me rappellent l'époque pas si lointaine où, travaillant comme réviseure à la pige, je relisais la majeure partie des textes des campagnes promotionnelles pour une grande brasserie montréalaise. J'avais fini par devenir malgré moi une sorte d'experte ès bières et spiritueux, et pouvais vous dire sans coup férir quels produits importés étaient distribués ici par quelles entreprises locales, les dates précises de l'Oktoberfest de Munich (c'est en septembre, avouez que ça vous en bouche un coin), les ingrédients et caractéristiques des principales bières – lager, rousse, stout et compagnie – et détailler les étapes de leur fabrication.

De tout ce joyeux savoir, je n'ai retenu qu'une chose : le mot *orge,* qui est féminin, s'accorde au masculin dans *orge perlé* et *orge mondé,* caprice dont je n'ai jamais trop su s'il était d'ordre orthographique ou botanique.

NICOLAS – Aucune identité n'a progressé et changé aussi spectaculairement, au cours de la dernière décennie, que celle du geek. J'en veux pour preuve (si cela est nécessaire) l'article que *Wired* consacrait, le mois dernier, à l'art d'attraper un poisson à mains nues. SAUMON

Le texte en question figurait entre un article sur la réparation de vieux haut-parleurs et un autre sur la configuration d'un mur coupe-feu.

Cela se passe de commentaire.

DOMINIQUE – Dans *Remèdes pour la faim,* D. Y. Béchard relate ses souvenirs d'une enfance et d'une jeunesse pour le moins atypiques (mère férue d'ésotérisme et maniaque de saine alimentation, père au passé mystérieux qui se révèle voleur de banques), racontant notamment sa fascination d'enfant pour les poissons. Cette passion n'était sans doute pas étrangère au fait que son père possédait des poissonneries, et que père et fils, dont la relation était compliquée et orageuse, ne se trouvaient une certaine complicité que lorsqu'ils allaient ensemble à la pêche au saumon.

Les poissons, tant réels qu'imaginaires, occupent ainsi dans sa vie une place particulière. Il passe de longues heures à compulser des ouvrages qui leur sont consacrés : « Couché dans mon lit, je contemplais des images de poissons : le grand barracuda aux dents pointues, le poisson-pêcheur avec son antenne. J'étais fasciné par leur mystère, par la manière dont ils surgissaient des noires profondeurs des eaux et s'évanouissaient, par le fait qu'ils appartenaient à un autre monde. »

Un jour, en prévision des vacances de Noël, il se rend à la bibliothèque de l'école afin de faire le plein de lecture : « Je suis allé jusqu'aux étagères et suis resté debout devant comme je le faisais en face du réfrigérateur ouvert. J'avais prévu de cesser de lire des ouvrages sur les poissons, alors peut-être pourrais-je emprunter le roman où il était question d'enfants mutants et de télépathes vivant après une grande guerre? Je m'en étais inspiré pour les sermons que je livrais à la récréation, racontant de sombres histoires sur l'avenir.

« Mais il y avait aussi un volume consacré aux poissons préhistoriques que j'adorais, aussi me suis-je dirigé vers la section des livres sur les poissons. Elle était vide, et je me suis rendu compte que je les avais tous empruntés, et qu'ils étaient à la maison. »

Il y a dans cette scène à peine esquissée, chez ce garçon debout devant une étagère vide, une sorte de concentré de ce qu'est l'enfance – désœuvrement, espoir qui refait surface malgré tout, volonté de trouver un sens, stupéfaction devant soi et le monde.

TUBÉREUSE

NICOLAS – Je n'arrive pas à m'enlever de l'esprit la ressemblance entre tubéreuse et tuberculose.

D'étranges parentés apparaissent entre les nomenclatures épidémiologique et botanique.

La syphilis est une délicate petite fleur blanche et la gonorrhée une plante carnivore, la pneumonie est une mousse de sous-bois, cependant que l'anthrax et la lèpre sont des lichens. Le psoriasis est une sorte d'orchidée, et le lupus une fougère.

La rhinite est un champignon allongé et inflammable, le diabète un tubercule, et le choléra a de grandes feuilles. Le chancre est une plante grimpante et la varicelle donne de petits fruits vermeils et acides. Les fleurs de la diphtérie attirent les abeilles, et les racines de la gangrène sont inarrachables.

DOMINIQUE – Jamais je n'ai pu voir ce mot sans songer à un mal mystérieux qui ferait pâlir les joues des jeunes filles, les rendant languides et rêveuses. Il émanerait d'une fleur imprudemment respirée, sans doute, ou alors des effluves qui montent de certains marécages aux premières lueurs de l'aube.

On raconte que le parfum des tubéreuses indispose les femmes enceintes, et que pour cette raison une maîtresse de Louis XIV en faisait disposer tous les jours dans sa chambre afin de montrer à la reine qu'elle n'était point grosse d'un royal héritier.

Parfum ou pas, mon bébé à moi gigote sans arrêt, sursaute et cabriole, de préférence au milieu de la nuit. On voit distinctement tressauter le tissu de mon pyjama, comme s'il y avait là un petit animal infiniment leste et joueur. Je porte peut-être une loutre.

***

Victor a survécu à son opération. La dernière image que j'ai de lui, hier : calmé par une légère sédation, il est enveloppé dans sa couverture rouge, couché sur un brancard que soulèvent deux vétérinaires et trois techniciennes. Tête droite, oreilles levées, air modérément intéressé par ce qui arrive, il ressemble à une sorte de prince qu'on balance doucement dans une chaise à porteurs.

SUCRION

NICOLAS – Voir *Escourgeon.*

DOMINIQUE – Les seules références au sucrion que je trouve figurent dans des articles consacrés à l'escourgeon, puisqu'il semble bien qu'il s'agisse d'une seule et même plante. Selon une source, le terme serait utilisé entre Valenciennes et Cambrai. Pas ce Cambrai-ci, par contre, je puis vous l'affirmer. Ici, on fait essentiellement dans les bêtises.

J'ai découvert le thème de ce septième jour de fructidor au beau milieu de la nuit. Cette fois ce n'est pas bébé-acrobate qui m'a réveillée, ni un de nos chats, mais un bruit inédit, quelque part entre un miaulement et un cri de protestation. Fred réveillé lui aussi hausse les épaules : « C'est dehors. » Mais je suis sûre que le bruit monte de l'escalier. Quelques secondes plus tard, tintamarre d'ustensiles qui tombent sur le carrelage. Mon chum (ce héros) se lève, descend à la cuisine pour découvrir qu'un raton a enfoncé l'une des moustiquaires et est tranquillement assis sur la cuisinière en train de déguster une banane. Il a au préalable fait une razzia dans les boîtes de thé que je garde sur l'appui de la fenêtre, se régalant d'un sencha bio, d'un Anastasia, d'un rooibos vert, d'un Mariage à la rose, d'un mélange de Darjeeling et de thé chinois et d'un Bouquet de fleurs nº 108. Un connaisseur.

DOMINIQUE – On jurerait ce matin le nom d'un antibiotique destiné à traiter les infections des voies respiratoires, même s'il s'agit d'une nouvelle plante poison (fleurissant en même temps que l'asclépiade avec laquelle on risque, dit-on, de la confondre, ce qui m'incitera à y réfléchir par deux fois quand d'aventure je verrai celle-ci sur le menu d'un restaurant) et qui a en outre comme charmante caractéristique d'être carnivore. Si cette année devait se poursuivre au-delà des douze mois réglementaires, je suis sûre qu'on ne croiserait plus dans le calendrier que cactus, méduses et autres tigres de Sibérie.

N'empêche, l'apocyn est joli, avec ses feuilles vernissées et ses petites fleurs blanches. Peut-être ne sait-il pas qu'il est mortel et se demande-t-il pourquoi les abeilles hésitent à venir le butiner.

NICOLAS –

Chère Dominique,

Il m'arrive de penser que nous communiquons, selon les mots de Neil Stephenson, ainsi que communiqueraient deux météorologues distants : en observant le même nuage, sous deux angles différents.

Ce calendrier se déroule parallèlement dans nos deux vies et chaque fois que je tente de décortiquer un mot, je tente aussi de deviner ce que tu en feras. Or, s'il m'arrive de pressentir ce qui relève de tes tournures d'esprit et de tes intérêts, je ne peux deviner, en contrepartie, ce dont sera faite ta vie quotidienne, de matin en matin, et qui constituera le contexte de ton texte. En un mot, je sais la forme du nuage, et je sais les formes que tu seras susceptible d'y deviner, mais j'ignore tout de ton humeur, de ton état d'esprit, de ce qui t'afflige ou te réjouit.

Or ce matin, ce n'est pas le cas. J'écris ces mots avec quelques jours de retard – ce qui est une entorse hélas fréquente à la procédure – et je sais trop bien ce qui sera sur le point d'advenir, en ce 8 fructidor 220.

Et, par conséquent, je ne peux m'empêcher de noter que le mot *apocyn* vient du latin *apocynon,* qui signifie plante fatale aux chiens.

Notre calendrier est en berne.

Nicolas – Ce matin, j'ai appris que ces bonbons à la réglisse britanniques qui ressemblent à des sandwichs multicolores miniatures s'appellent des *liquorice allsorts*. D'ailleurs, lorsqu'on y regarde à deux fois – et ma mémoire étant ce qu'elle est, y regarder à deux fois s'avère une précaution fondamentale –, les allsorts ne comportent pas uniquement ces sandwichs, mais aussi de petits cylindres fourrés et d'autres recouverts de billes de sucre, des segments de rosette noire qui ressemblent ni plus ni moins qu'à des bouts de réglisse en bâton, ainsi que des parallélépipèdes oblongs à carreaux bicolores, le tout dans une variété de couleurs orchestrée par un opérateur de machinerie autistique.

Est-ce que le allsort ne te semble pas, Dominique, une métaphore adéquate pour décrire notre entreprise?

Dominique – Je n'ai jamais aimé ces pipes couleur de charbon dures comme du bois qu'on trouvait au dépanneur quand j'étais petite et qui noircissaient les dents et la langue. Je leur préférais de loin les bonbons à l'unité, ces petits sacs (existent-ils encore?) où deux pochettes en papier glacé renfermaient deux poudres acidulées où l'on plongeait une sorte de bâtonnet à sucer, et, délice des délices, ces petits bonbons un peu surs (ceux-là ne sont plus, j'en suis certaine, il doit bien y avoir quinze ans que je n'en ai plus vu) contenus dans une minipoubelle de plastique et qui épousaient diverses formes de déchets – suscitant chaque fois le commentaire mi-amusé mi consterné de ma mère : « de vraies cochonneries! » – : vieille bottine, boîte de conserve vide, arête de poisson. Ils goûtaient, si je me souviens bien, à peu près la même chose que les autres bonbons poudre, une saveur crayeuse, où à travers le sucré perçait une pointe d'acide, mais c'était leurs formes qui me ravissaient, l'impression d'un minuscule univers bien enclos dans sa boîte en plastique.

Dans ce temps-là, les longs popsicles Mr. Freeze dans leur sac transparent se vendaient dix cents l'unité, et nous nous désolions que le Provi-Soir de l'autre côté du petit pont n'en offre pas, jusqu'au jour où un Perrette est venu s'installer juste en face.

Je crois bien qu'ils sont toujours là, de part et d'autre de la rue, bien que sous d'autres bannières. Le pont de métal vert a disparu dont les planches du tablier claquaient au passage de chaque auto, remplacé par une bête travée asphaltée. Pour avoir une idée du Cap-Rouge de mes dix ans, il suffit de regarder *1981,* de Ricardo Trogi, qui l'a habité en même temps que moi. Nous ne nous connaissions pas à l'époque (il était en cinquième année quand j'étais en quatrième : un fossé infranchissable nous séparait) et ne nous sommes toujours jamais rencontrés, mais nous partageons un monde.

***

Victor le chien vit ses dernières heures à la maison.

Il aimait la montagne et la mer, le fleuve et la neige. Et il nous aimait nous.

NICOLAS – Dans mon panthéon personnel des nouvelles les plus puissantes, je réserve une place spéciale à *Del rigor en la ciencia,* ce texte où Jorge Luis Borges et Adolfo Bioy Casares décrivent – *en dix lignes!* – comment des générations successives de cartographes en vinrent à élaborer des cartes de plus en plus précises de leur Empire, débouchant finalement sur l'accomplissement ultime d'une carte à l'échelle 1:1, aussi vaste que l'Empire lui-même. La nouvelle se conclut sur l'abandon de la carte, jugée inutilisable.

Mais voilà une chose étonnante : alors qu'autrefois, à l'époque où les cartes étaient de papier, cette nouvelle semblait une délirante illustration de l'absurdité, elle apparaît au contraire, de nos jours, comme un phantasme absolu. Après tout, le vice de la carte, en dépit de ce qu'annonce le titre de la nouvelle, n'est pas son degré de rigueur, mais l'inutilisabilité qui en résulte. Il s'agit (c'est du moins la manière dont cela nous apparaît en 2012) d'un détail technique, et non d'une faille essentielle.

Cette inutilisabilité a été balayée par la numérisation des cartes qui, de nos jours, a rendu l'échelle entièrement relative : on peut afficher le même ensemble de données indifféremment à 1:5 000 ou 1:50 000.

Nous n'en sommes pas à l'échelle 1:1, tant s'en faut, mais si on considère Google Street View comme une partie de Google Maps, alors sur mon écran on obtient une échelle approximative de (*insérer mesure de la rue en face de notre porte suivie d'une règle de trois*), une échelle approximative, disais-je, de 1:30 – ce qui est tout de même énorme!

Énorme mais néanmoins insuffisant, et je rêve d'un moteur cartographique capable d'afficher à, l'échelle 1:1, la grille d'égout située coin Saint-Laurent et Sainte-Catherine – voire, pourquoi pas, à l'échelle 1 000 : 1. On pourrait contempler l'Amazonie à l'échelle du pollen, ou arpenter le désert d'Atacama un grain de sable à la fois, ou relever les empreintes digitales sur les poignées de porte de la Maison-Blanche.

Cet atlas prodigieux serait indissociable du microscope.

DOMINIQUE – Victor est mort à 1 h 41 cette nuit, jour de l'échelle. J'espère qu'elle mène tout droit au paradis des chiens.

La dernière chose qu'il a faite, haletant, c'est de poser sa patte sur Fred qui le tenait dans ses bras.

L'aube ce matin est d'un silence de glace. Pas une feuille ne bouge, pas un oiseau. Le temps s'est arrêté.

LEX
IIe DECADE
11 Primidi..... *Pastèque*
12 Duodi...... *Fenouil*
13 Tridi....... *Épine-vinette*
14 Quartidi.... *Noix*
15 Quintidi.... GOUJON
16 Sextidi..... *Orange*
17 Septidi..... *Cardière*
18 Octidi...... *Nerprun*
19 Nonidi...... *Tagette*
20 DÉCADI..... HOTTE
LAZARE CARNOT
L.M.

Pastèque

NICOLAS – Lu dans *Les fausses pistes mémorables de la gastronomie potentielle,* ISBN 0-099-43759-7, page 237 : « Grandeurs et misères du pastèque-frites. »

DOMINIQUE – Je commence à penser que ce ne sont pas nos révolutionnaires qui se moquent de moi, Nicolas, mais que tu as reprogrammé en douce Reginald Jeeves pour glisser parmi sa liste de mots des allusions peu subtiles à ma silhouette. Ce n'est pas très galant.

Pumpkin cherche le chien, arpente les rues en miaulant comme s'il avait perdu quelque chose et essayait de le rameuter. Dans la maison, il se couche à la place de Victor, exactement comme lui, sur le flanc, pattes étendues, et nous regarde en attendant.

Fenouil

NICOLAS – François Le Lionnais, mathématicien et cofondateur de l'OuLiPo, a publié en 1957 *Poème composé d'un seul mot,* qui se lit comme suit : « Fenouil ».

Incidemment, il fut déporté par les Nazis pour travailler dans une de leurs usines, et il en profita pour saboter le système de guidage de missiles V2.

DOMINIQUE – Je ne connaissais pas ce poème de François Le Lionnais, qui consiste en un seul mot : « Fenouil ». Pour être tout à fait honnête, je ne connaissais pas François Le Lionnais non plus. Mais c'est toute l'attention que je peux accorder au fenouil aujourd'hui.

Je n'ai pas la tête à travailler, ni même à lire, je suis incapable de me résoudre à reprendre le manuscrit que je repassais dans la voiture le dernier soir où Fred est allé rendre visite à Victor à l'hôpital vétérinaire, alors qu'on ne savait pas qu'il ne lui restait que deux nuits. De ces deux-là, il en a passé une entouré d'étrangers, et je n'en finis pas de la regretter.

Épine-vinette

DOMINIQUE – C'est un bijou vivant, une enfilade de perles rose vif, à la fois fines et charnues, au milieu de feuilles fuchsia, un collier de jujubes, une dentelle de fruits à quoi son nom latin ne rend pas du tout justice : *Berberis vulgaris.*

NICOLAS – L'épine-vinette tire son nom de l'oseille (qui se nomme aussi vinette) par analogie de goût. Selon Marie-Victorin, les Acadiens nomment l'oseille *vignette* – c'est-à-dire « petite vigne ». La vigne donne son nom à l'oseille, qui donne son nom à l'épine-vinette

Ça devient mêlant, ces espèces échangistes.

NOIX

NICOLAS – Les fruits du noyer cendré surpassent en goût, dit-on, la noix de Grenoble, et sont plus riches en protéines. On peut les cueillir à l'époque des pommes et des noisettes, et les faire sécher afin de les déguster à Noël. Marie-Victorin affirme même que la noix « [faisait] l'objet d'un *certain commerce* dans le district de Montréal ». Les italiques sont miennes.

D'ailleurs, ce commerce ne date pas d'hier. Jacques Cartier observait, en 1534, que des hommes de Stadaconé avaient transporté des noix jusqu'à Gaspé. Le récit du Malouin a été conforté lorsqu'on a trouvé des écales de noix sur le site archéologique Levasseur, à l'île Verte, c'est-à-dire une centaine de kilomètres au nord de l'aire de distribution du noyer cendré.

Un commerce certain plutôt qu'un certain commerce, donc – mais qu'est donc ce commerce devenu depuis les années 1930 où Marie-Victorin écrivait ces mots? Voilà qui me semble une question aussi importante que celle du melon de Montréal, d'autant que, dans ce cas-ci, nous n'aurions pas à repêcher de graines dans d'hypothétiques archives de semences de l'Arizona. Encore que... Depuis l'épidémie de chancre des années 1990, le noyer cendré a été désigné espèce en voie de disparition.

Bibi va bientôt aller faire une randonnée en forêt.

DOMINIQUE – Il n'y a que l'expression « coquille de noix » qui me vienne en tête, il me semble que c'est ce que nous sommes, depuis quelques semaines, ballottés sur une grosse mer, essuyant une vague après l'autre en essayant tant bien que mal de garder le cap, non pas tant que je croie que ce soit possible, mais c'est une distraction qui en vaut bien une autre.

Les hôpitaux pour humains offrent une ressemblance troublante avec les hôpitaux vétérinaires : même attirail de tubes en plastique, de seringues, de compresses stériles et de cathéters, même personnel à la fois souriant, pressé et impersonnel vêtu de blouses bleues ou vertes. Même sentiment d'impuissance, d'être livré au hasard.

DOMINIQUE – En écoutant les premières mesures du quintette de Schubert, j'ai la surprise de retrouver un air étrangement familier. Je ne connais pas beaucoup la musique et ne la fréquente que par à-coups, mais cet air-là, je suis tout de suite capable de le fredonner, c'est une mélodie depuis longtemps oubliée et dont les notes remontent d'elles-mêmes à la surface comme des bulles d'air. Était-ce le générique d'une émission des années 1970, la musique accompagnant une scène d'un film mille fois revu, un des airs que jouait au piano la dame lors de nos cours de ballet, ou bien ces quelques mesures avaient-elles été détournées au profit d'une publicité de thé, de bouillon ou d'une autre chose reposante? Aucune idée, elles ne sont associées dans mon esprit à rien d'autre qu'à elles-mêmes, et peut-être à une lumière un peu particulière, un crépuscule d'hiver feutré qui est l'éclairage sous lequel je revois l'essentiel de mes souvenirs d'enfance.

NICOLAS – Encore un mot de circonstance, alors que nous nous préparons à partir en canot au parc de la Mauricie. J'ai passé la soirée dernière à organiser le matériel de camping, à sceller des portions de riz et d'avoine, à remplir les barils – et demain, à cette heure-ci, nous pagayerons sur le bassin 3 du Wapizagonke en pensant rêveusement aux truites mouchetées qui passent sous notre quille.

Sais-tu, Dominique, que la colonisation des lacs du Bouclier canadien par l'omble de fontaine a eu lieu après la dernière glaciation? Dit de cette manière, ça semble tomber sous le sens : on n'imagine pas les poissons passer une glaciation complète en état de cryogénisation, congelés en pleine nage sous deux kilomètres d'inlandsis. Il fallait bien qu'ils se poussent et reviennent par la suite.

Or, l'omble de fontaine est un poisson très accommodant en ce qui a trait à la salinité de l'eau, et lorsque les glaciers se sont retirés, laissant momentanément place à la mer de Champlain, il s'est installé dans des zones d'eau douce où d'autres espèces ne pouvaient survivre. Lorsque le continent a rebondi et que la mer de Champlain s'est retirée, des barrières ont émergé qui ont découpé la dentelle de lacs que l'on sait, abondamment peuplés de résilientes truites mouchetées.

J'ai l'air d'un spécialiste, mais c'est pure *bullshit :* je viens de parcourir, en buvant mon café, un document intitulé « Distribution post-glaciaire de l'omble de fontaine dans le bassin hydrographique du fleuve Saint-Laurent ». Je t'assure, ça m'intéresse réellement.

J'ai déjà prétendu, ici et là, que tout écrivain mâle nord-américain devait écrire, un jour ou l'autre, un texte sur la pêche à la truite. Bien que, pour ma part, ce soit chose faite, je ne suis plus tout à fait sûr d'être encore à l'aise avec la pêche à la truite comme figure narrative imposée – tout comme il m'arrive, je l'avoue, de me demander si je suis bien à l'aise d'écrire, matin après matin, ces petits textes sur les résédas et les ancolies.

Suis-je un écrivain botaniste, un indécis ou un imposteur? J'ai passé l'été à lire de la science-fiction et il me vient des envies, certains jours, de faire débarquer des commandos de mercenaires rétrofuturistes dans le Jardin des plantes, afin de peler vif tout ce qui bouge, y compris – ou surtout – André Thouin.

J'ai parfois l'impression, à l'heure d'avouer lire la *Flore laurentienne* ou canoter en Mauricie, qu'il me faut passer par le filtre de la science pour ne pas apparaître fleur bleue, pittoresque ou carrément réactionnaire.

Toi, Dominique, qui t'es déjà décrite comme une geek (j'en ai la preuve écrite et signée), éprouves-tu ce genre de déchirement devant l'humble truite de nos lacs?

NICOLAS –

Chère Dominique,

En cherchant ce matin dans des dictionnaires et livres de cuisine du seizième siècle, suis par hasard tombé sur cette citation de Rousseau :

« On dit qu'un Allemand a fait un livre sur un zeste de citron, j'en aurais fait un sur chaque gramen des prés, sur chaque mousse des bois, sur chaque lichen qui tapisse les rochers, enfin je ne voulais pas laisser un poil d'herbe, pas un atome végétal qui ne fût amplement décrit. En conséquence de ce beau projet, tous les matins après le déjeuner, que nous faisions tous ensemble, j'allais une loupe à la main et mon *Systema naturae* sous le bras, visiter un canton de l'île que j'avais pour cet effet divisée en petits carrés dans l'intention de les parcourir l'un après l'autre en chaque saison. »

Plusieurs pensées – j'allais écrire *penſées* – me viennent à la lecture de cet extrait des *Promenades d'un rêveur solitaire*.

Je constate tardivement que notre projet de calendrier est étrangement similaire à ce que décrit Rousseau : une balade systématique sur un territoire découpé en petits carrés. Dans notre cas, le territoire est un calendrier, et la balade est plus souvent imaginaire que réelle, tour à tour menée dans nos souvenirs et dans Google Street View; cela dit, la parenté des propos est d'autant plus frappante que Rousseau fait allusion à Linné, dont André Thouin était un fervent disciple; j'ai tout d'un coup envie de lire les *Promenades,* sur lesquelles pourtant je me suis cassé les dents l'an dernier.

Anecdotiquement, je demande de quel Allemand il est question dans cette citation – mais mes recherches sur Buch + über + eine + Zitronenschale ne donnent rien, et je dois accepter l'hypothèse la plus tristement plausible : ce mystérieux Teuton est un simple procédé rhétorique.

DOMINIQUE – Sur une des photos de Fred enfant que je préfère, on le voit, âgé d'un an à peine, vêtu d'un pyjama à pattes en ratine, les yeux ronds comme des billes, croquer avec délice dans un quartier de citron.

CARDÈRE

NICOLAS – Je définissais l'outil, dans une note précédente, comme un objet prolongeant ou augmentant une partie du corps humain. Voici aujourd'hui un cas particulier, où l'humain s'outille d'un appendice appartenant à une autre espèce : en servant de carde, la fleur de la cardère remplace ce peigne naturel que forment les doigts de la main.

Il faudrait un nom pour désigner cette catégorie d'outils. Peut-être existe-t-il déjà, en anthropologie des technologies.

DOMINIQUE – C'est de la cardère que vient le verbe carder, car on se servait autrefois de ses raides aiguillons pour peigner la laine.

Je me souviens tout à coup de ces sacs en plastique que remplissait ma mère, quand j'étais petite, des longs poils blancs de Kimo après l'avoir brossée. On les envoyait ensuite chez une dame qui, dit-on, les filait, car les longs fils soyeux des samoyèdes sont censés se rapprocher davantage de la laine que du pelage des autres chiens. Je m'imaginais avec un certain malaise des inconnus se balader avec des pulls ou des bonnets en poil de Kimo qui devaient dégager, sous la pluie, une odeur de chien mouillé.

Si l'on appelle aussi la cardère *cabaret des oiseaux,* c'est que ses feuilles sont fixées deux à deux à la tige, formant de petits réservoirs où s'accumule l'eau de pluie. Ce nom à lui seul me donne envie d'en planter une pleine plate-bande où j'enseignerais à ma fille les merles et les mésanges.

NEPRUN

DOMINIQUE – Ce nerprun me ramène en ventôse, où nous avions marqué, t'en souvient-il, le jour de l'alaterne. C'était au plus creux de l'hiver, dans une succession de journées grises et sans clarté que perçait de temps en temps l'éclat d'un soleil froid.

Il entre aujourd'hui par toutes les fenêtres une lumière d'automne, rayons obliques, poudre dorée; sauf dans la chambre du bébé, baignée d'une lueur verte par le feuillage du bouleau et la vigne qui a envahi la terrasse. Un aquarium au printemps.

Il vit dans le nerprun une véritable ménagerie de conte, des chenilles de papillons aux noms qui ont l'air inventés : le citron de Provence aux ailes jaune vif, la farineuse, la feuille morte du chêne, qui a très exactement l'air d'une feuille d'automne brune et sèche, le pacha à deux queues, le petit paon de nuit, dont les ailes portent deux paires d'yeux grands ouverts.

Nicolas – Le fruit du nerprun cathartique, affirme Marie-Victorin, servait à colorier les cartes géographiques, et donnait aux peintres une teinte de vert.

Amusante coïncidence, nous venons justement d'en faire l'expérience. Un camion de déménagement a arraché trois grosses branches du nerprun des voisins, il y a trois jours. La ruelle était jonchée de feuilles et de fruits écrasés. Nous avons tenté de balayer et d'arroser ce dégât, mais partout où le jus des fruits avait imprégné le béton, il subsistait un vert tenace et étonnant, tirant sur le bleu. On croirait voir resurgir les couleurs d'une carte géographique sous-jacente, qui aurait été recouverte de béton et d'asphalte.

Sans doute une carte 1 : 1 de l'île de Montréal, laissée à l'abandon.

Tagette

Nicolas – Lors de mon premier voyage au Mexique, en 1997, une amie et moi nous sommes arrêtés à Puerto Escondido, un petit village que les surfeurs avaient pris d'assaut – et c'est là que j'ai découvert la mangue Ataulfo.

J'habitais alors à Québec, où cette variété de mangues n'était pas disponible, et je ne connaissais que l'obèse et fibreuse mangue rouge, qui ne m'épatait guère. L'odeur de la petite mangue jaune a été comme une révélation. Bach jouait à tue-tête, cependant que les nuages s'écartaient, laissant tomber des pieds-de-vent. Couché dans le hamac, brûlé au troisième degré par le soleil, pompette, je me goinfrais de ma quatrième mangue avec une avidité animale, en cherchant une manière de décrire, de comprendre cette saveur florale, qui ne ressemblait à rien de ce que j'avais mangé auparavant.

En rongeant la peau, là où la chair prend une saveur âcre, on percevait une odeur particulière, qui me rappelait les œillets d'Inde que mes parents faisaient pousser le long du mur de la maison, quand j'étais petit, et sur le fouillis desquels j'aimais poser mon nez.

Dominique – On jurerait cette fleur criarde qui figure dans une publicité pour Miracle Grow ou je ne sais quel engrais censé donner des plates-bandes fournies et si violemment multicolores qu'elles en font mal aux yeux. Il y a avenue Lajoie une maison dont les abords sont ainsi garnis d'une débauche de corolles jaune moutarde, orange, rouges, ocre et lie-de-vin, assortiment qu'on dirait sorti tel quel d'un chapeau de magicien. Je me demandais chaque fois que je passais devant pour aller vers le Sanctuaire si ce n'était pas là qu'habitait le concepteur de l'infâme publicité – ou, pire encore, l'inventeur du produit lui-même.

Fred et moi n'osons plus nous promener dans les rues aux alentours, qui nous rappellent trop notre toutou. Nous restons dans la maison silencieuse où l'ombre des arbres tremble sur les murs.

Nicolas – Lendemain d'élections provinciales.

Débâcles, nausée, attentat à l'AK-47.

Grève du calendrier.

Dominique – Un bout de père Noël dans ma boîte de courriel ce matin, alors que dehors il fait encore chaud et que les feuilles sont toujours vertes, et le dos rond du mont Royal. J'appréhende déjà la première neige où, plutôt que de me précipiter dehors avec le chien pour qu'il lape tout son soûl, je resterai derrière la vitre à regarder les flocons tomber au ralenti.

Nous passerons si tout va bien Noël avec un petit bébé tout neuf à qui il faudra apprendre la neige et puis le printemps, la mer, les papillons, les étoiles et les chiens. Je crois bien qu'elle s'appellera Zoé. Vie.

IIIe DÉCADE
21 Primidi..... *Églantier*
22 Duodi...... *Noisette*
23 Tridi....... *Houblon*
24 Quartidi.... *Sorgho*
25 Quintidi.... ÉCREVISSE
26 Sextidi..... *Bigarade*
27 Septidi..... *Verge-d'or*
28 Octidi...... *Maïs*
29 Nonidi..... *Marron*
30 DÉCADI..... CORBEILLE
PASSAGE DU RHIN PAR JOURDAN.

DOMINIQUE – Il n'a que des qualités : apprécié en parfumerie, excellent porte-greffe, il porte des fruits qui recèlent une concentration extrêmement élevée d'antioxydants. On croyait même dans l'Antiquité qu'il avait le pouvoir de guérir de la rage, ce qui lui a valu son surnom de *rosier des chiens*. L'églantier figurait en outre en bonne place dans les *victory gardens*, ces potagers aménagés au cours de la Seconde Guerre mondiale en Grande-Bretagne, au Canada et aux États-Unis afin d'éviter les disettes subies lors de la Première Guerre et aussi de fouetter le moral de la population. Ces jardins de la victoire qui déployaient leurs rangs dans les cours des maisons, sur les toits des immeubles et jusque dans certaines sections de parcs célèbres, tels que Hyde Park à Londres ou le Golden Gate Park de San Francisco, servaient à une époque à nourrir près de la moitié des habitants des pays alliés. Ce qu'on ignore le plus souvent, c'est la raison pour laquelle ils étaient nécessaires en Amérique : une grande partie des fruits et des légumes produits aux États-Unis étaient cultivés en Californie par des fermiers d'origine japonaise, lesquels furent internés dans des camps dès 1942. Si le pays n'avait plus assez à manger, ce n'était pas tant en raison des combats qui faisaient rage de l'autre côté de l'Atlantique, mais parce qu'il avait emprisonné ses jardiniers.

***

Je me force à marcher jusqu'au parc Pratt, en passant devant le sprinkler préféré de Victor. Les canards dans l'étang sont presque aussi grands que leur mère. Un homme allongé dans l'herbe leur jette de la mie de pain qu'ils regardent avec un semblant de curiosité polie. Je rentre toute seule en marchant sous les arbres, avec l'impression de plus en plus forte, au fur et à mesure que je me rapproche de la maison, d'avoir abandonné mon chien quelque part.

NICOLAS – Ah! Voilà donc notre Fabre d'Églantine qui fait son petit caméo coquin, manière Alfred Hitchcock... Je constate ce matin que notre poète parisien aurait dû faire preuve d'un peu de curiosité pour la culture vernaculaire avant de choisir son nom de plume, puisque l'églantier se nomme aussi *gratte-cul*. À l'époque, on écrivait *grattecu*.

À ce sujet, le *Dictionnaire universel d'agriculture et de jardinage, de fauconnerie, chasse, pêche, cuisine et manège* (1751) donne une définition aux apparences joyeusement tendancieuses :

« EGLANTIER efpece de rofier fauvage qui vient le long des chemins & dans les bois. Son fruit s'appelle *grattecu*. [...] Les Arabes & les Perfiens appellent cet arbre *nefrin & nifrin*. Leurs Poëtes en font grand état car ils en tirent fouvent des comparaifons, ce qui peut faire croire que ce buiffon a dans l'Orient des qualités plus exquifes que celles de notre églantier commun. »

Contrairement aux Poëtes Arabes et Perfiens, nous n'en tirerons aucune, mais alors là aucune comparaison.

Noisette

Nicolas – Après l'avelinier et le noisetier, voici la noisette. « Le doublet est surfait, mon cher André, osons le triplet! »

Quel foutoir.

En faisant des recherches, j'ai découvert une substitution intéressante entre les deux calendriers. Le 7 pluviôse, jour de l'amadou, était originalement consacré au mnie.

Je sais : ton cerveau a immédiatement cru détecter une coquille. Je t'assure, c'est bien le nom de cette plante. Mnie, de la famille des mniacées (qui est si obscure que même Wikipédia ne daigne pas lui consacrer une page) et du genre *Plagiomnium* (autrefois *Mnium*), simple mousse que l'on aura retirée du calendrier puisque le 2 pluviôse est déjà consacré aux mousses et qu'il ne faudrait pas ficher des doublets dans ce calendrier.

Insérer rire nerveux.

Dominique – Non, tu ne rêves pas, Nicolas, ils nous refont le coup : la noisette est bien la jumelle de l'aveline, qui nous revient sous un autre nom.

Au chapitre des aptonymes, savais-tu qu'un célèbre botaniste du dix-huitième siècle, créateur entre autres du rosier Noisette puis architecte des jardins du prince Nicolas II Esterházy, avait pour nom : Louis Claude Noisette? Il me semble que si jamais j'écris un livre de contes pour enfants, les personnages principaux ne pourront s'appeler autrement que Pierre Poivre, Pierre Ordinaire et Nicolas Noisette.

Houblon

Nicolas – Soifs improbables (8)

J'ai pu le constater lors de mon année en Bavière : les Allemands tirent une indéniable fierté de leur Reinheitsgebot, ce décret du seizième siècle selon lequel les ingrédients pour le brassage de la bière doivent se limiter à l'eau, l'orge et le houblon. (La levure n'était apparemment pas en usage à l'époque; on se contentait de semer dans chaque cuvée une louche de la cuvée précédente.)

On m'a expliqué que le Reinheitsgebot visait à réserver l'utilisation du blé à la boulange, mais je m'aperçois aujourd'hui que les raisons étaient plus complexes et demeurent encore, de nos jours, ambiguës. Il semblerait en tout cas que l'un des buts était de substituer le houblon aux gruits, ces mélanges d'herbes qui servaient à conserver et aromatiser la bière, voire à lui donner des propriétés stimulantes ou aphrodisiaques.

Pourquoi le houblon plutôt que le gruit? On ne le sait pas très bien, et diverses théories circulent qui évoquent tour à tour le politique, le religieux, le fisc et la santé publique.

Quoi qu'il en soit, je réalise que la piste de cette bière archéologique que j'évoquais le 29 vendémiaire dernier se trouverait du côté de petits brasseurs qui élaborent des produits où le gruit remplace le houblon. Il existe justement une microbrasserie de Vankleek Hill, dans l'est de l'Ontario, la Beau's All Natural Brewing Company, qui brasse sa Bog Water avec un gruit de myrte des marais.

Bibi va bientôt aller faire une expédition à la LCBO.

DOMINIQUE – Il m'a toujours semblé particulièrement juste qu'on ait appelé le houblon *hop* en anglais.

Ce devrait être *hic* en français.

NICOLAS – En lisant que le génome d'un organisme – tel que le sorgho – a été entièrement séquencé, je ressens un vertige similaire à celui que m'occasionnerait l'affirmation selon laquelle un jeu – tel que le jeu de dames – a été mathématiquement résolu.

L'ADN, ce jeu de molécules en cours depuis 3,5 millions d'années...

DOMINIQUE – Tu as raison, Nicolas, de voir dans ce calendrier une série de nuages que nous observons tous les jours chacun de notre côté en nous efforçant d'y discerner des formes plus ou moins fantaisistes selon notre humeur. Le résultat aurait-il vraiment été le même si nous avions plutôt pigé au hasard chaque matin un mot dans le dictionnaire? Je me pose la question depuis que je t'ai lu hier; il n'y a bien sûr qu'une façon d'y répondre hors de tout doute. Tu me vois venir? Mais nous mériterons tous les deux quelques mois de repos après ce déluge de plantes entrecoupé de quelques bêtes et de deux ou trois instruments aratoires ou contondants. N'empêche, je serais curieuse de voir ce que tu ferais d'une semaine où l'on te proposerait, attends que je feuillette le *Robert,* au hasard : *fluorescent, parking, applaudimètre, de, postglaciaire, tuyauter, enfantement...*

Passé les premiers jours ou les premières semaines, je me doutais bien moi aussi que nous ne parlerions plus tant de carottes, de navets et de choux (avons-nous eu le chou? je crois bien que non) que de nos souvenirs, de nos enfances, de nos états d'âme et de ceux qui nous entourent, du temps qu'il fait et du temps qui passe, bref, de ce qui nous habite et nous occupe. Lorsque Stendhal décrit le roman comme un miroir qu'on promène le long d'un chemin, on oublie que ce miroir reflète aussi, ou d'abord, la main qui le tient – et à plus forte raison dans cette série d'exercices imposés qui viennent s'imprimer sur notre quotidien, le plus souvent sans le secours de la fiction qui est peut-être le pays où nous nous sentons tous les deux le plus à notre aise.

De sorgho à Rorschach, il n'y a pas loin.

Nicolas – Voici le tout dernier animal de l'année, qui apporte dans ses pinces une drôle d'information.

Ayant noté la parenté entre le sorgho d'hier, introduit aux États-Unis par les esclaves africains, et l'écrevisse d'aujourd'hui, denrée emblématique de La Nouvelle-Orléans, j'ai eu l'idée de lancer une requête Google *sorgho + écrevisse,* afin de suivre, pour ainsi dire, la filière louisianaise. Le résultat est déconcertant.

Que connaissons-nous de l'aquaculture de l'écrevisse, ô Dominique? Bien peu de choses, en vérité.

Sache que cette bestiole décapode croît dans des étangs artificiels qui, durant l'été, sont asséchés afin qu'on puisse y cultiver les plantes qui lui serviront de nourriture – essentiellement le riz et le sorgho. Puis, à l'automne, l'étang est inondé, juste à temps pour la période de reproduction. Les crustacés sont récoltés au printemps, dans des nasses coniques. On assèche à nouveau l'étang, et le cycle recommence.

Cela me rappelle obscurément nos propres vies, petits *Homo sapiens* présomptueux que nous sommes, et je me sens solidaire de l'écrevisse.

Dominique – Connais-tu La Nouvelle-Orléans, Nicolas?

Il me semble que c'est le genre de ville qu'on ne peut que rêver, qu'en y allant pour de vrai on est fatalement déçu de ne pas la trouver comme on se l'était imaginée. Les lieux réels me font souvent cet effet, j'ai l'impression d'y arriver trop tard, une fois qu'ils ont perdu leur âme, qu'ils ne sont plus que des décors vides. Pourquoi suis-je toujours à traquer le passé en toute chose, comme si dans cette absence résidait une sorte de vérité, je l'ignore, mais il me semble que le présent n'en est que le souvenir.

Pascal Quignard, qui dit merveilleusement ce que je ne fais que pressentir : « Le passé est un immense corps dont le présent est l'œil. Ce corps rêve. La voix l'a abandonné. »

DOMINIQUE – C'est de cette orange amère et non pas de sa cousine sucrée que l'on fait la marmelade et aussi l'eau de fleur d'oranger. Le nom du fruit lui-même fait penser à quelque préparation méridionale – piperade –, voire à une altercation pour rire, sous le soleil, l'algarade.

Pour préparer une eau-de-vie de bigarade, *Le dictionnaire de cuisine et d'économie ménagère à l'usage des Maîtres et Maîtresses de maison, Fermiers, Maîtres-d'hôtel, Chefs de cuisine, Chefs d'office, Restaurateurs, Pâtissiers, Marchands de comestibles, Confiseurs, Distillateurs, &c.* (1836) recommande :

« Ayez des zestes de bigarrades de Provence et de Portugal, des bigarrades ordinaires à l'eau-de-vie et de l'eau; garnissez votre alambic; faites distiller sans tirer de phlegme et à feu modéré, afin que la distillation ne prenne pas de goût empyreumatique; ajoutez macis et muscade pour assaisonner votre liqueur; pour le sirop, deux pintes d'eau fraîche, et environ deux ivres de beau sucre; mêlez vos esprits distillés; faites clarifier le tout, en le passant à la chausse. »

Je vous l'accorde, il faudrait sans doute lire « deux *livres* de beau sucre » plutôt que « deux ivres », mais ces poivrots qui précèdent tout juste l'injonction de mêler ses esprits me réjouissent autant que l'usage désinvolte de l'adjectif *empyreumatique* (un art qui se perd) et que cette toute première consigne, que l'on ne prend pas soin de détailler tant la marche à suivre doit être évidente : Messieurs-dames, garnissez votre alambic.

(Mais oui, je vais vous le rappeler, car vous le saviez déjà, bien sûr : *empyreumatique* vient d'*empyreume,* qui désigne l'odeur, le goût âcre et désagréable d'une substance organique soumise à l'action d'un feu vif.)

NICOLAS – Je viens d'apprendre que le chinotto, cette espèce de coca italien amer, est concocté à partir d'oranges de Séville. Comment diable parviennent-ils, à partir de *ceci,* à arriver à *cela*?!

NICOLAS – J'ai passé mon enfance dans des champs en friche, où poussait une végétation anarchique – l'épilobe, la verge d'or, le mil et le brome, le chiendent, la marguerite et le silène enflé, de vastes étendues bordées par des digues de roches, des haies d'aulnes noirs et de peupliers et des clôtures rouillées. Tôt le matin je traçais des chemins dans le foin, mes jeans mouillés jusqu'aux cuisses par la rosée et la mousse des cicadelles. On entendait les grillons et le vol des mouches à chevreuil. Je n'allais nulle part en particulier.

Il ne reste que trois jours à ce calendrier. J'ai l'impression d'avoir passé le plus clair de mon année à ressasser des souvenirs vieux de trente ans. Je déteste la nostalgie – pourtant, je n'arrive pas me secouer d'une espèce de tristesse, comme si cette époque me manquait, au fond, où je n'allais nulle part en particulier.

DOMINIQUE – On sait que l'on doit notamment à Thomas Edison, inventeur fécond, l'ampoule incandescente. Mais on ignore qu'il travaillait au moment de sa mort à trouver un substitut au caoutchouc tiré du latex de l'hévéa, dont on fait encore aujourd'hui les pneus des voitures. Dans les jardins de sa propriété de Fort Myers, en Floride, il testa quelque deux mille plantes avant de réussir à créer une variété de verge d'or haute de près de quatre mètres aux allures menaçantes de végétal préhistorique, et qui contenait pas moins de douze pour cent de caoutchouc. La plante en question fit l'objet de son tout dernier brevet, le numéro 1090. On raconte qu'Henry Ford, favorablement impressionné, offrit à son ami un modèle T dont les pneus étaient faits de caoutchouc de verge d'or.

Je ne trouve nulle part de photo du véhicule en question. Pour un observateur non averti, la voiture devait avoir l'air tout à fait quelconque, bien sûr, et pourtant je ne peux m'empêcher d'imaginer des pneumatiques jaune pissenlit, qui produisent en roulant une faible lueur dorée.

***

Je croyais que chaque fois que je verrais un chien j'aurais le cœur brisé, mais c'est le contraire. Le moindre corniaud du Mile End m'arrache un sourire. Dans chacun je vois non pas le toutou que nous avons perdu, mais peut-être ce qui nous restera de lui, une sorte de joie pure qui n'appartient qu'aux chiens et qu'ils nous font la grâce de partager avec nous de temps en temps.

MAÏS

<u>NICOLAS</u> – Entre 1534 et 1542, Jacques Cartier trouve des villages iroquoiens le long du Saint-Laurent. Stadaconé. Hochelaga. Mais lorsque Champlain arrive à son tour, armé des récits de Cartier, il cherche en vain ces « Iroquois ». Il n'en reste aucune trace. Ces villages et leurs quelques milliers d'habitant ont disparu en une cinquantaine d'années à peine.

Qu'est-il advenu des Iroquoiens du Saint-Laurent? Il s'agit de l'un des grands mystères de notre archéologie. Les hypothèses sont nombreuses, et incluent une épidémie provoquée par les contacts avec l'équipage de Jacques Cartier, l'éradication lors de guerres tribales, les perturbations du petit âge glaciaire, la migration pure et simple. La réponse est possiblement multifactorielle.

Chose certaine, ces populations sédentaires reposaient en grande partie sur l'horticulture, et elles habitaient la frontière septentrionale de la zone d'expansion du maïs – à tout le moins du maïs tel qu'on le connaissait à l'époque. Ne l'oublions pas, le maïs était – et demeure en grande partie – une plante mexicaine annuelle. Contrairement à d'innombrables espèces introduites, le *mil d'inde* n'a jamais marronné, au Québec. Il n'existe pas à l'état naturalisé, et notre culture du maïs, aussi bien actuelle qu'historique, est artificielle.

Cet épi de maïs que nous croyons typiquement québécois, luisant de beurre, servi entre une Labatt 50 et un hot dog moutarde-relish-ketchup, est aussi exotique qu'un ananas.

<u>DOMINIQUE</u> – Avec le retour des courges et des pommes, du maïs et des citrouilles, je commence à retrouver les parfums et les saveurs de l'année dernière, même époque, quand nous avons entamé ce tour de l'an comme on accepte de monter dans un train dont on ignore où il mènera exactement mais dont on sait qu'on ne pourra pas descendre quand bon nous semble. Une sorte d'acte de foi, modeste, peut-être, mais de foi quand même.

Je m'ennuie de la mer, ce matin, je voudrais revoir avancer Victor, truffe levée, oreilles au vent, sur la plage de Cape Elizabeth.

Nous y aurons une maison l'an prochain.

MARRON

<u>DOMINIQUE</u> – Il est normal que cet automne qui commence et cette année qui finit fassent en passant la révérence au marron. J'étais sûre que nous l'avions déjà vu tout au début de vendémiaire (il s'agissait plutôt de la châtaigne) puis à la fin de germinal (c'était cette fois le marronnier). Ce matin, *marron* it is, la boucle est bouclée.

J'ai l'impression en découvrant les ultimes thèmes imaginés par nos révolutionnaires de faire le tour d'une maison déserte qu'on s'apprête à quitter en cherchant si on n'y a pas oublié quelque chose. Les boîtes sont fermées, les vêtements et les livres emballés, les meubles repoussés contre les murs, les pièces vides résonnent de l'écho de nos pas. Il reste une journée encore à fructidor, et puis ces sans-culottides ajoutées comme à la va-vite pour que l'année puisse tourner bien rond, fût-elle bissextile.

NICOLAS – J'aurai passé plus de temps en compagnie de Marie-Victorin, cette année, que dans tout le reste de ma vie. Chaque matin, en recevant le mot du jour, j'ouvrais Wikipédia, puis Marie-Victorin. Parfois l'inverse. J'avais ma *Flore* – une édition de 1964 délestée par la bibliothèque de l'école Curé-Antoine-Labelle – si souvent à la main que je ne la rangeais plus. Depuis six mois, elle traînait près de mon clavier, sur le plancher, par-dessus le tas de factures à payer, sous ma tasse de café.

Non, c'est un mensonge. Je n'aurais jamais mis la *Flore* sous ma tasse de café. N'importe quel livre, mais pas la *Flore*.

Année marivictorinienne, donc, et comme si ça ne suffisait pas, j'en ai profité pour lire sa correspondance avec le frère Léon – celle où il avoue qu'au fond il aurait aimé être Cubain. Et moi qui me servais de la *Flore* pour donner une tournure québécoise à ce calendrier trop européen, pour assassiner la myrtille et le bleuet. Marie-Victorin était mon maître d'armes.

Mais voilà, c'est terminé. Demain nous sommes le 30, et le 30 est toujours consacré à un objet. Pas de plante, ni d'arbre, ni de champignon, ni de bestiole à poils ou à plumes.

Je range ma *Flore* dans la bibliothèque.

PANIER

NICOLAS – Le panier, apothéose de l'année républicaine… Difficile à croire, à moins d'y voir une version modeste et paysanne de la corne d'abondance. Peut-être nos calendaristes plaçaient-ils, dans ce panier du 30 fructidor, les raisins du 1er vendémiaire – voire la récolte de l'année entière.

Dans le haut du Bas-du-fleuve, c'est-à-dire dans le Kamouraska, il existait autrefois une tradition de vannerie où l'on utilisait des tiges de hart rouge pour confectionner des paniers pratiquement indestructibles, idéal pour cueillir les patates, ou conserver les oignons. J'en ai un chez moi, que j'adore mais dont je ne sais pas quoi faire : il est hémisphérique, comme la plupart des paniers de hart rouge, et loge mal dans les armoires et sur les tablettes. Ce n'est pas un panier conçu pour les surfaces planes, mais plutôt pour reposer sur le sol, dans les sillons, ou être accroché à un clou.

Par sa forme même, ce panier récuse tout ce qui l'entoure dans notre duplex montréalais.

DOMINIQUE – Nous avions tout faux en cherchant le troisième membre du trio composé de la hotte et de l'échelle. L'année « régulière » se termine sur l'humble panier, et je ne peux m'empêcher de croire que nos deux compères ont dû voir là un moyen de ramasser en catastrophe tout ce qu'ils avaient oublié et commençaient peut-être à regretter de n'avoir pas inclus dans leur entreprise (à commencer par l'épouvantail, bien sûr).

Étymologiquement, le panier est le récipient dans lequel on transporte le pain, comme le copain et le compagnon sont les commensaux avec qui on le partage. À ce titre, il revêt une importance capitale.

Sans doute est-ce au pain quotidien qu'ils songeaient, Thouin et Fabre d'Églantine, en inscrivant la dernière journée de l'année sous ce signe? Ou bien s'imaginaient-ils, libérés de leur corvée, partir aux champignons, le pas léger, un panier d'osier sous le bras?

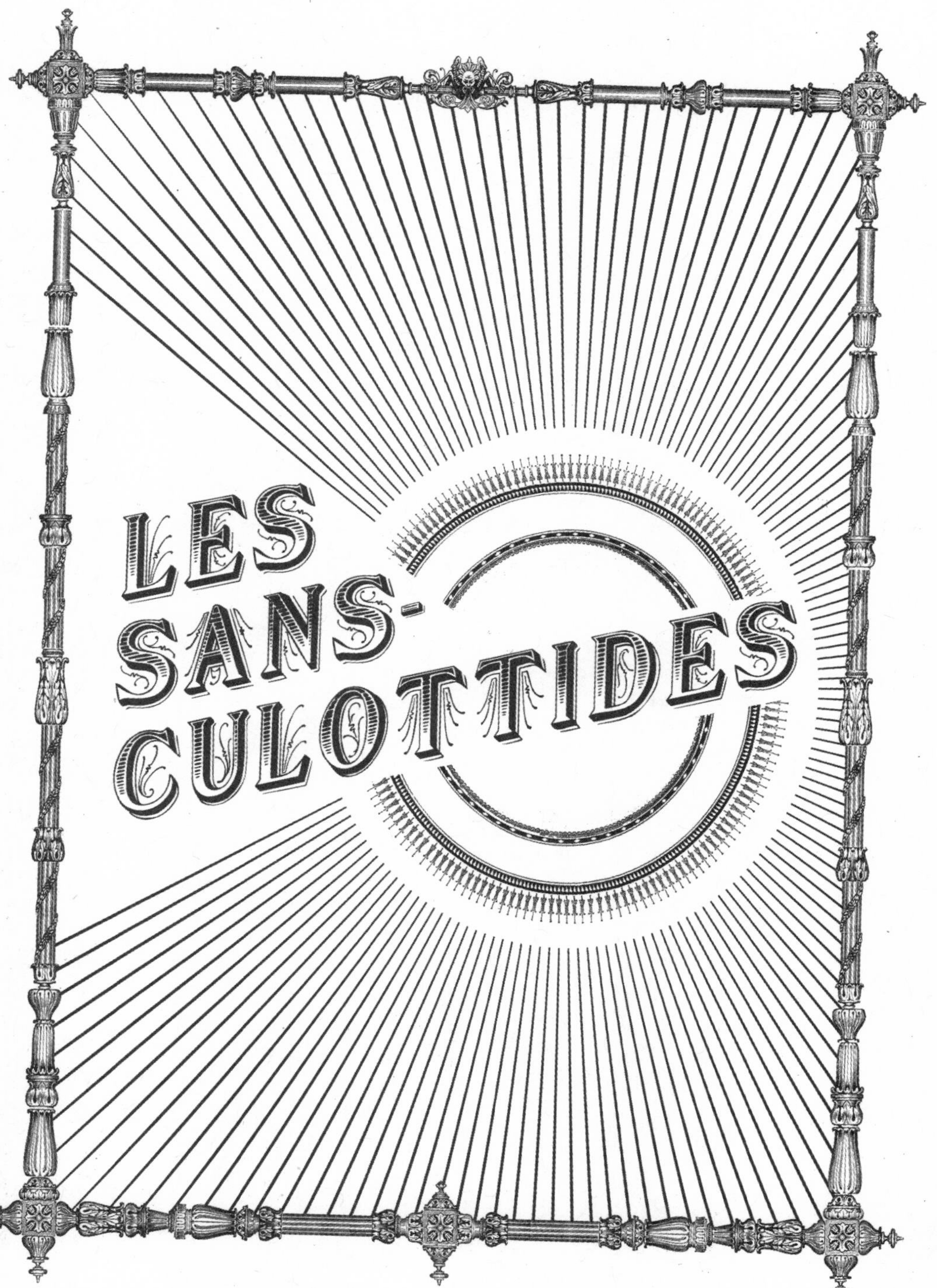
LES
SANS-
CULOTTIDES

NICOLAS – Nous entamons la période des sans-culottides avec la Vertu, et il convient donc de trouver un objet, une plante, un légume susceptible d'incarner ce concept.

Je t'épargne, Dominique, le fruit détaillé de mes recherches. Elles m'ont mené de Robespierre au club des Jacobins, en passant par les intrigues et malversations de Fabre d'Églantine, la section des Piques, les sans-culottes, diverses listes de guillotinés, le cimetière de Picpus et les catacombes de Paris. J'ai appris que Wikipédia recense deux Guillotins : Joseph Ignace (chirurgien et inventeur de la guillotine) et Simon (joueur de kayak-polo), mais ça n'a pas suffi à me rehausser l'allégresse. On aura beau dire, la Révolution reste une sinistre chose.

C'est, en somme, *Massacre à la tronçonneuse* place de la Concorde.

Afin d'illustrer la vertu, je choisis donc ce grand tiroir que l'on glisse sous les clapiers afin de ramasser tout ce que les lapins, à la suite de leur digestion, laissent choir et couler entre les mailles du grillage. Ce tiroir ne porte pas de nom, et ce qui s'y accumule tient de l'innommable. On s'en sert pour engraisser les coins stratégiques du potager.

Cela donne des oignons gros comme la tête.

DOMINIQUE – J'essaie ce matin de m'y retrouver dans la hiérarchie des anges qui est, pardonnez-moi l'expression, un innommable foutoir. Là où certains prétendent que les Vertus doivent côtoyer les Trônes et les Dominations (tout de suite après les Chérubins, Séraphins et Puissances), d'autres les ignorent tout bonnement. Selon d'aucuns, les archanges sont au nombre de dix; d'autres n'en considèrent qu'un seul véritable : Michel. Sans oublier que la kabbale en dénombre, elle, pas moins de soixante-douze, classés en dix ou douze ordres, selon les sources, parmi lesquels : les êtres de sainteté, les roues, les trônes, les étincelants, les enflammés, les rois, les messagers, les forts et les hommes surnaturels (ces derniers bannis par un concile œcuménique). L'impression de me trouver face à un tableau de Jérôme Bosch fourmillant de petits personnages ailés brandissant le poing et dont aucun n'est content de la place qui lui est assignée.

NICOLAS – Parmi les trente-six objets de ce calendrier, on ne trouve aucune lampe. (Aucun épouvantail non plus, d'ailleurs, mais il s'agit d'une autre histoire.)

J'ajouterais donc, à ce calendrier, la lampe-tempête, inventée un bon demi-siècle après la Révolution. Elle est remarquable en ce sens qu'il s'agit d'une technologie novatrice qui ne fait appel à aucun savoir neuf. Contrairement à l'ampoule à incandescence ou au tube fluorescent, qui découlent d'avancées scientifiques cruciales, la lampe tempête aurait pu exister bien avant. En fait, toutes les innovations en matière de lampes à l'huile, au tournant du dix-neuvième siècle, proviennent d'innovations de design.

On est, en somme, plus près du Prométhée patenteux que de Nikola Tesla. Pour un romancier, c'est toujours rassurant.

DOMINIQUE – Comment ne l'avons-nous pas aperçu avant, ce génie du calendrier émergeant dans une fumée blanche, turban sur la tête, comme sans doute nos révolutionnaires s'imaginaient les êtres surnaturels sommeillant dans les lampes des contes des *Mille et une nuits*? (On m'a un jour expliqué que la langue arabe veut que l'on répète l'article, et que le titre français devrait donc plutôt être : *Les mille et l'une nuits,* curieusement plus joli.)

Les Grecs anciens avaient chacun qui son génie, qui son démon – celui de Socrate fait une apparition remarquée quelque deux mille ans plus tard dans *Le voyage dans la lune* de Cyrano de Bergerac. Souvent je me dis, en voyant des gens promener leur chien, qu'il pourrait bien s'agir d'un phénomène semblable, la bête étant une sorte de manifestation physique, une incarnation issue des replis secrets de la personnalité de leur humain dont elle dévoile des aspects cachés. Il est bien sûr des exceptions, où maître et chien se ressemblent d'une manière frappante; ce voisin un peu bourru, par exemple, et son bouledogue aux épaules carrées, qui marchent tous deux du même pas lourd, l'air à la fois redoutable et vaguement attendrissant.

NICOLAS – Ce matin, le mot *travail* m'a instantanément fait penser au travail du bois. Je n'entends pas par là l'ébénisterie ou la menuiserie, mais ce travail que le bois exerce sur lui-même lorsqu'il sèche.

L'eau peut en effet compter pour quelque cinquante pour cent du poids d'un bois vert. Cette eau étant logée un peu partout, dans les cellules ou dans les pores du bois, il s'ensuit d'énormes changements structurels lorsqu'elle s'évapore. Je me souviens d'un schéma que mon père a rapporté de ses cours de menuiserie, et qui illustrait les diverses torsions possibles d'une planche : le voilement, le gauchissement, le déjettement, le gondolement et autres handicaps structurels, rassemblés sur une seule page qui permettait de comprendre combien le bois est une matière vivante.

Je ne t'apprendrai pas, Dominique, que chaque cerne dans le tronc d'un arbre représente une année de croissance. Si la température a été clémente, le cerne sera large; si l'année a été rigoureuse, le cerne sera mince. Il en résulte donc ceci : on peut lire une tranche d'arbre comme un code-barres, qui révélerait la météo du passé imprimée dans le bois même. Tous les arbres ayant poussé durant une même période partageront cette signature climatique.

La technique ne se limite pas aux troncs entiers : en analysant les cernes d'une simple planche, on pourra déterminer à quelle époque a poussé l'arbre dont elle provient. La dendrochronologie – car ainsi se nomme cette étonnante discipline – recense, dans certaines régions, les motifs de croissance remontant à plus de dix mille ans. Cela fait un très, très long code-barres.

Et tu me vois venir avec mes gros sabots, Dominique : verras-tu la forêt du mont Royal de la même manière, sachant désormais que chaque arbre est un calendrier?

Dominique – Au sens premier, il faut entendre : état d'une personne qui souffre, qui est tourmentée; activité pénible. *Travailler,* on l'oublie trop souvent, vient du latin *tipaliare,* « torturer avec le *tripalium* », un instrument ressemblant un peu à une éolienne, constitué de trois pieux, sur lequel le supplicié était attaché et brûlé.

Quand j'ai commencé à écrire, on m'a beaucoup demandé si je comptais abandonner la traduction, comme s'il s'agissait d'un labeur pénible auquel j'avais désormais la liberté de me soustraire. Je répondais toujours la même chose : pas si je peux l'éviter; c'est l'une des activités, toutes catégories confondues, que je préfère. Elle combine le plaisir de la lecture à celui de l'écriture, sans être assortie des angoisses et des tourments associés à cette dernière. Si l'on me donne le choix, je préfère traduire un livre plutôt que simplement le lire.

Umberto Eco, qui a beaucoup réfléchi à la question, proposait cette définition étonnamment simple et modeste du processus : « Traduire, c'est dire la même chose dans une autre langue », avant de se reprendre et de préciser : « Traduire, c'est dire *presque* la même chose dans une autre langue. » Or, si on s'y arrête, chacun des termes de cette définition est en réalité problématique. D'abord, qu'est-ce que cette « chose » que l'on s'efforce de dire? S'il est assez facile de répondre lorsqu'il s'agit d'un article scientifique ou d'un mode d'emploi, la question est plus complexe dans la littérature, discours autoréférentiel où la langue, les mots eux-mêmes (leur rythme, leur sonorité, leur matérialité) occupent une place prédominante, parfois la toute première. Veut-on rendre uniquement le sens du texte? On pourrait alors l'expliciter, voire le résumer, en préservant l'essentiel du « message », ce qui n'aurait rien de satisfaisant. Veut-on plutôt rendre l'effet qu'il produit chez le lecteur? Comment avoir accès à celui-ci (l'effet autant que le lecteur)? Au fait, qu'entend-on par « même » puisque le texte traduit sera forcément différent de l'original? Le propre de l'expérience esthétique n'est-il pas d'être unique, subjective, par définition personnelle et irréductible? Le mot *dire* employé par Eco peut donner lieu à un semblable questionnement, mais le plus intéressant, dans sa définition, n'est pas là.

Le plus intéressant, ce qui fait tout l'intérêt du travail de traduction, c'est le « presque », espace de liberté offert lorsqu'on démonte, pièce à pièce, le texte d'origine pour en contempler les morceaux épars avant de chercher, dans sa propre langue, des équivalents forcément imparfaits qui sauront nous permettre de construire un édifice non pas semblable, mais idéalement aussi solide, dont les passages et les chausse-trappes mèneront à des chambres et à des points de vue reconnaissables, qui procureront au voyageur une émotion comparable à celle qu'a pu éprouver le lecteur de l'œuvre originale. Si la fiction est le royaume du « si » (et si ? et si ?), la traduction est le domaine du « presque », un pays vaste, aux contours imprécis, dont les paysages demandent à être inventés au fur et à mesure.

(Avoue que tu as eu peur, Nicolas, que je te fasse une page complète sur l'accouchement.)

NICOLAS –

Chère Dominique,

Je croyais avoir vécu une année légère, à feuilleter la *Flore,* me rappeler mon enfance et faire des jeux de mots étymologiques. Un exercice inoffensif, en somme – et voilà pourtant que l'année se termine sur une note macabre.

Je n'aime pas ces sans-culottides, où les calendaristes ne s'embêtent plus de symboles potagers pour parler de la Révolution. Ces journées me rappellent ces personnages faits de fruits et de légumes de Giuseppe Arcimboldo, mais qui auraient laissé tomber leurs pelures afin de révéler le malodorant mort-vivant caché dessous.

Depuis le début de la semaine, la Vertu, le Travail, le Génie et l'Opinion m'ont incité à plonger dans l'histoire de la Révolution, dont je savais bien peu de choses. Tout semble rétrospectivement prendre un double sens sinistre – jusqu'à ce panier qui clôt l'année, et qui me semble désormais être celui que le bourreau posait au pied de la guillotine.

Peut-être trouves-tu que j'exagère? À peine, je t'assure. Sais-tu quel nom on donnait aux convois des condamnés à la guillotine? L'expression est portée, dès 1798, au *Dictionnaire de l'Académie françoise* :

FOURNÉE s.f.: Nom donné aux charretées d'individus condamnés par le Tribunal révolutionnaire à subir le supplice de la guillotine.

J'ai suggéré plus haut, sur le ton de l'humour noir, que la guillotine ait sa place dans ce calendrier. Je suis maintenant persuadé que sa place est aujourd'hui, jour de l'Opinion.

Il faut lire ce que narrait Philippe-Edme Coittant, en 1795, dans son *Tableau des prisons de Paris sous le règne de Robespierre* :

> En descendant le grand escalier du palais je voulus engager l'huissier qui me conduisait à me faire donner place parmi d'honnêtes gens; cet homme, avec une froide naïveté, me répondit que rien n'était plus facile que d'exaucer ma demande, *« tous les détenus qui se trouvaient dans cette prison étant d'honnêtes gens.*
>
> — Comment! lui dis-je, et l'on en guillotine tous les jours.
>
> — Ah! cela est vrai; mais l'on guillotine ici pour les opinions. Les fripons et les voleurs sont à la Force.

L'association entre la guillotine et l'opinion paraissait si naturelle, durant la Révolution, si indissociable, que dans sa *Déclaration des droits de la femme et de la citoyenne,* Olympe de Gouge écrivit : « La femme a le droit de monter sur l'échafaud; elle doit avoir également celui de monter à la Tribune. » Et Danton, lorsqu'il voulait modérer les ardeurs de ses interlocuteurs, recourait à une métaphore qui glace le sang : *laissons,* disait-il, *à la guillotine de l'opinion quelque chose à faire.*

Et Fabre d'Églantine, copain de Danton, devait à ces paroles opiner du bonnet.

<u>Dominique</u> – Vertu, Génie, Travail, je veux bien. Liberté, Égalité, Fraternité, passe encore. Persévérance, Industrie, Énergie ne m'auraient guère étonnée. Mais *Opinion*? En quoi est-elle révélatrice du génie français que ce calendrier a pour mission d'exalter?

Les encyclopédistes affirmaient que l'opinion consistait en un « consentement que l'entendement donne à une chose avec une espèce de crainte que le contraire ne soit vrai ». D'abord, cette « espèce de crainte » me plaît; j'adore ces nuances qui embrouillent plus qu'elles n'éclairent et qui, à ce titre, sont particulièrement précieuses en ce qu'elles indiquent, dans une phrase d'apparence anodine, où se dissimule le véritable enjeu. À mi-chemin entre la science et la croyance, l'opinion n'est ici pas loin de la pétition de principe, de la suspension de l'incrédulité dont on fait la condition première de l'adhésion à la fiction, un consentement accordé par choix. Mais elle se distingue en ce qu'elle comprend aussi virtuellement son contraire : cette « espèce de crainte » qui l'accompagne n'est que la reconnaissance de l'existence de l'opinion opposée, indissociable de la première, peut-être tout aussi valable. Ainsi, à la différence de la science, qui fait dans l'univoque, et de la fiction, multiple, l'opinion serait, par définition, double – une idée et son ombre.

Nicolas – Plus j'avance dans mes lectures sur la Révolution et plus je la trouve peuplée de forcenés qui s'entreguillotinaient au moindre prétexte : pour excès de zèle ou au contraire pour délit de modération (selon le mot de Jules Michelet), pour régler ses comptes ou faire un exemple – et parfois par simple négligence, indifférence, paresse ou misogynie.

Ces guillotinades pour un oui ou pour un non semblent avoir créé une paranoïa de chaque instant, assez digne des purges staliniennes, où chacun cherchait les signes de sa propre fin, la petite clochette qui signerait sa perte; si bien que ce jour des Récompenses, je lui accole pour symbole le chien de Pavlov.

Dominique – Au collège où j'ai fait les premières années de mon cours secondaire, les sœurs avaient pour (discutable) habitude de récompenser les premières de classe en leur offrant des colifichets qu'elles avaient elles-mêmes fabriqués. Je me souviens d'horribles petits chats en tricot, et je m'imaginais nos professeurs, le soir, assises en robe de chambre devant la télé dans la salle commune, un crochet de métal entre leurs doigts arthritiques, en train de les confectionner. La laine dont étaient faits ces petits animaux était rêche, et ils étaient toujours d'une couleur improbable : pistache, mandarine, caca d'oie. Elles devaient acheter les pelotes en solde ou bien les recevoir en cadeau.

Elles ne les posaient pas discrètement sur le pupitre de leurs meilleures élèves; la remise des examens – et des animaux en tricot – était entourée de tout un cérémonial. Ces dames commençaient par appeler les cancres, en débutant par la dernière de classe, laquelle se levait, le rouge aux joues, pour aller chercher la copie déshonorante. Elles continuaient de la sorte, en ordre, jusqu'aux premières, s'amusant parfois à faire durer le suspense quand elles n'avaient plus que deux ou trois examens entre les mains, demandant à la classe de deviner qui avait récolté le score le plus haut – et qui par conséquent recevrait le cadeau le plus important. Elles devaient pourtant nous décerner autre chose que ces chats crochetés, mais j'ai oublié tout le reste, le souvenir de ces deux années à Marguerite-d'Youville flotte dans une sorte de brouillard d'où n'émergent que quelques images nettes : le minuscule local (trois semblants de murs appuyés contre la cloison extérieure de la bibliothèque) où nous préparions le journal de l'école, la cafétéria éclairée au néon, les fougères près de l'entrée, ces petites pièces rappelant les parloirs d'antan, et puis le bureau de la directrice, la redoutable sœur Rachel, où une boîte de mouchoirs était toujours posée bien en évidence. J'ai grandi dans les années cinquante.

***

Plus qu'une journée à ce tour de l'an. J'ai l'impression un peu vertigineuse d'avoir fait le tour du monde ou, à tout le moins, de mon monde. Et qu'il s'arrêtera ensuite un moment, comme un manège quand on en descend.

Nicolas – La révolution de la Terre autour du Soleil dure 365,242190517 jours. Nous pouvons, en somme, chronométrer l'orbite de notre planète plus précisément que les compétitions olympiques.

Pareille précision est récente, à l'échelle historique, mais la durée de trois cent soixante-cinq jours était connue depuis très, très longtemps. Nous pensions que la Terre était plate, que des dragons en peuplaient le pourtour, mais déjà nous savions que l'année durait environ trois cent soixante-cinq jours.

Et grâce à quoi? Aux saisons.

La terre n'est pas droite. Elle gîte. Elle accuse un angle de quelque 23,5 degrés par rapport au Soleil, et cet angle demeure constant. Cela cause des disparités de distribution de l'influx lumineux : selon le moment de l'année, nous serons inclinés soit vers le Soleil, soit vers la banlieue du système solaire. Cela se traduit par un ensoleillement plus court en hiver, plus long en été.

Ce sont des évidences que j'énonce là – mais n'est-ce pas prodigieusement fantastique, justement, qu'il s'agisse d'évidences?

Si la Terre se tenait bien droite, les saisons seraient inexistantes. Notre orbite elliptique, qui nous rapproche et nous éloigne successivement du Soleil, causerait sans doute de faibles variations de température, mais on peut supposer que ces variations annuelles seraient moins importantes que les variations à court terme, et qu'en fin de compte l'année climatique serait noyée dans le bruit du système.

Bref, nous n'aurions conscience ni d'un été ni d'un hiver.

Et faute de cet indice gigantesque que sont les saisons, notre conscience très ancienne de ce qu'est une année serait probablement apparue beaucoup plus tardivement dans notre histoire. Les astronomes seraient sans doute arrivés, par de fines observations, à découvrir que nous orbitons autour du Soleil, mais cette réalité n'aurait aucune racine profonde dans notre culture, dans notre imaginaire. Elle serait aussi abstraite, pour nous, que la ceinture de Van Allen ou les objets géocroiseurs.

L'humain, en somme, n'aurait jamais fait de calendrier.

Et ce livre n'existerait pas.

Dominique – « C'est le même mot, tu avais remarqué? »

C'est la première chose que tu m'as dite après avoir réfléchi un moment, quand j'ai eu fini de te présenter cette idée que j'étais curieuse de tester : écrire tous les jours quelques lignes sur le thème proposé par le calendrier révolutionnaire. Tu venais juste de m'expliquer que tu te promettais de ne plus accepter de trucs qui te détournaient de l'écriture de ton roman, aussi je m'attendais à ce que tu trouves un moyen poli de m'éconduire. Sur la terrasse du Rumi, les abeilles bourdonnaient dans la chaleur d'août. Le thé était tiède. Mais tu as éclaté de rire et tu as dit :

« C'est le même mot!

– Quoi?

– Pour désigner la prise de la Bastille, les guillotinades, la Terreur, et pour désigner le voyage de la Terre autour du Soleil. Révolutions. »

C'était gagné.

Nicolas, ce fut un honneur.

Œuvres de Nicolas Dickner

L'encyclopédie du petit cercle, L'instant même, 2000 (format poche 2006)
Nikolski, Alto, 2005 (CODA, 2007)
Traité de balistique (sous le pseudonyme collectif d'Alexandre Bourbaki), Alto 2006 (CODA, 2012)
Boulevard banquise, Musée national des beaux-arts du Québec, 2006
Tarmac, Alto, 2009 (CODA, 2011)
DaNse contact – TV Satelite – CuisiN3 familial, 2010
Le romancier portatif, Alto, 2011

Œuvres de Dominique Fortier

Du bon usage des étoiles, Alto, 2008 (CODA, 2010)
Les larmes de saint Laurent, Alto, 2010 (CODA, 2012)
La porte du ciel, Alto, 2011 (CODA, 2014)

DÉJÀ PARUS CHEZ ALTO

Sophie BEAUCHEMIN
Une basse noblesse

Deni Y. BÉCHARD
Remèdes pour la faim

Alexandre BOURBAKI
Traité de balistique
Grande plaine IV

Patrick BRISEBOIS
Catéchèse

Sébastien CHABOT
Le chant des mouches

Richard DALLAIRE
Les peaux cassées

Martine DESJARDINS
Maleficium

Patrick deWITT
Les frères Sisters

Nicolas DICKNER
Nikolski
Tarmac

Nicolas DICKNER
et Dominique FORTIER
Révolutions

Christine EDDIE
Les carnets de Douglas
Parapluies
Je suis là

Max FÉRANDON
Monsieur Ho
Un lundi sans bruit

Isabelle FOREST
Les laboureurs du ciel

Dominique FORTIER
Du bon usage des étoiles
Les larmes de saint Laurent
La porte du ciel

Steven GALLOWAY
Le soldat de verre

Karoline GEORGES
Sous béton
Variations endogènes

Tom GILLING
Miles et Isabel ou La belle envolée

Rawi HAGE
Parfum de poussière
Le cafard
Carnaval

Clint HUTZULAK
Point mort

Toni JORDAN
Addition

Andrew KAUFMAN
Minuscule
Les Weird

Serge LAMOTHE
Le Procès de Kafka et
Le Prince de Miguasha (théâtre)
Tarquimpol
Les enfants lumière

Lori LANSENS
Les Filles
Un si joli visage

Margaret LAURENCE
Une maison dans les nuages

Catherine LEROUX
La marche en forêt
Le mur mitoyen

Marina LEWYCKA
Une brève histoire
du tracteur en Ukraine
Deux caravanes
Des adhésifs dans le monde moderne
Traders, hippies et hamsters

Annabel LYON
Le juste milieu
Une jeune fille sage

Howard McCORD
L'homme qui marchait sur la Lune

Anne MICHAELS
Le tombeau d'hiver

David MITCHELL
Les mille automnes de Jacob de Zoet

Claire MULLIGAN
Dans le noir

Marie Hélène POITRAS
Griffintown

Paul QUARRINGTON
L'oeil de Claire

C S RICHARDSON
La fin de l'alphabet
L'empereur de Paris

Diane SCHOEMPERLEN
Encyclopédie du monde visible

Larry TREMBLAY
Le Christ obèse
L'orangeraie

Hélène VACHON
Attraction terrestre
La manière Barrow

Sarah WATERS
L'indésirable

Thomas WHARTON
Un jardin de papier
Logogryphe

Alissa YORK
Effigie

DÉJÀ PARUS DANS LA COLLECTION CODA

Alexandre BOURBAKI
Traité de balistique

Martine DESJARDINS
Maleficium
L'évocation

Patrick deWITT
Les frères Sisters

Nicolas DICKNER
Nikolski
Tarmac

Christine EDDIE
Les carnets de Douglas
Parapluies

Max FÉRANDON
Monsieur Ho

Dominique FORTIER
Du bon usage des étoiles
Les larmes de saint Laurent
La porte du ciel

Rawi HAGE
Parfum de poussière

Andrew KAUFMAN
Tous mes amis sont des superhéros

Lori LANSENS
Les Filles
Un si joli visage
La ballade des adieux

Catherine LEROUX
La marche en forêt
Le mur mitoyen

Annabel LYON
Le juste milieu

Marie Hélène POITRAS
Griffintown

C S RICHARDSON
La fin de l'alphabet

Larry TREMBLAY
Le Christ obèse

Thomas WHARTON
Un jardin de papier

Margaret LAURENCE
Le cycle de Manawaka
L'ange de pierre
Une divine plaisanterie
Ta maison est en feu
Un oiseau dans la maison
Les Devins

Composition : Hugues Skene
Révision : Christophe Horguelin
Correction d'épreuves : Nicole Raymond
Conception graphique : Antoine Tanguay
et Hugues Skene (KX3 Communication)

Éditions Alto
280, rue Saint-Joseph Est, bureau 1
Québec (Québec) G1K 3A9
www.editionsalto.com

CETTE ÉDITION,
LIMITÉE À 1793 EXEMPLAIRES,
A ÉTÉ ACHEVÉE D'IMPRIMER
CHEZ MARQUIS IMPRIMEUR
EN SEPTEMBRE 2014
POUR LE COMPTE DES ÉDITIONS ALTO

WWW.EDITIONSALTO.COM/REVOLUTIONS

L'impression de *Révolutions* sur papier Rolland Enviro100 Édition plutôt que sur du papier vierge a permis de sauver l'équivalent de 29 arbres, d'économiser 104 354 litres d'eau et d'empêcher le rejet de 1 279 kilos de déchets solides et de 4 196 kilos d'émissions atmosphériques.

Dépôt légal, 3e trimestre 2014
Bibliothèque des Archives nationales du Québec